200
German Verbs

Compiled by
Lexus
with
David Andrews
and
Horst Kopleck

BARNES
&NOBLE
BOOKS
NEW YORK

CONTENTS

PREFACE

200 German Verbs presents over 200 fully conjugated common German verbs arranged in alphabetical order and numbered for quick and easy reference.

The 34-page introduction provides a clear guide to basic grammatical points, explains the use of tenses and moods, and is illustrated with numerous useful examples. The introduction also covers:

- Use of the passive
- The subjunctive
- Reflexives
- Separable and inseparable verbs
- Constructions with prepositions

Other valuable features include:

- An index of parallel structures for over 2,000 verbs
- Important information on meanings, structures and grammatical points
- Useful phrases and idioms for 26 key verbs

This handy guide to German verbs and grammatical forms is the ideal reference source for any student or traveler.

INTRODUCTION

1   THE PRESENT

a   The German present tense conveys both a simple action and a continuous action in the present:

> **er arbeitet**
> he works, he is working
>
> **er wohnt**
> he lives, he is living

b   The German present tense is often used with a future meaning:

> **ich gehe in die Stadt**
> I'll go into town, I am going into town
>
> **ich bin um fünf Uhr im Büro**
> I'll be in the office at 5 o'clock
>
> **ich komme gleich**
> I'll be right there

This use of the present tense in German is more common than in English.

c   The preposition **seit** + a time expression is used with the present tense to convey an action or state in the past that is continuing into present time:

> **er ist seit einer Woche krank**
> he has been sick for a week
>
> **sie nimmt die Pillen seit einem Monat**
> she has been taking the pills for a month

d   Very recent actions in the past can be conveyed by the present tense:

> **ich komme eben aus der Stadt**
> I just came from town

e   In everyday language the present tense is sometimes used with a past meaning in order to make a narration more vivid:

> **na, wir sitzen im Wohnzimmer und sehen fern**
> well, we were sitting in the living room and watching television

2 THE PAST

The past tense conveys a single, a continuous, and a repeated action in the past. It is also translates the English usage of "would/used to" + infinitive to convey habitual action in the past:

ich ging in die Stadt
I went into town
I was going into town
I would go into town, I used to go into town

Although in German the past tense is used more frequently than the PRESENT PERFECT in official reports, learned documents and literature, there is not the strict differentiation in usage between the two that one finds in English (see the section on the PRESENT PERFECT). The past occurs frequently both in spoken and written German. The past forms of **sein, haben** and the modal verbs predominate over the present perfect form of these verbs:

ich hatte keine Zeit
I have not had any time

ich war schon in München
I have already been to Munich

wir mußten umziehen
we have had to move

3 THE PRESENT PERFECT

a haben or sein?

Whereas in English the present perfect is formed from the verb "to have" and the past participle, in German it is formed by either **sein** or **haben** and the past participle, the latter going to the end of the sentence or clause:

ich bin in die Stadt gegangen
I have gone into town

ich habe einen Brief geschrieben
I have written a letter

All TRANSITIVE and REFLEXIVE VERBS form their present perfect with **haben**. Verbs of motion and change of state tend to form their present perfect with **sein**. Although not verbs of motion, the verbs **sein** and **bleiben** form their present perfect with **sein**:

> **ich habe einen Wagen gekauft**
> I have bought a car
> I bought a car

> **wir haben uns verfahren**
> we have lost our way
> we lost our way

> **sie sind in die Stadt gefahren**
> they have gone into town
> they went into town

> **ich bin zu Hause geblieben**
> I have stayed at home
> I stayed at home

> **wo seid ihr gewesen?**
> where have you been?
> where were you?

b Some verbs of motion that normally form their present perfect with **sein** can take a direct object. In such cases they form their present perfect with **haben**:

> **wir sind nach München gefahren**
> we drove to Munich

BUT:

> **er hat einen Mercedes gefahren**
> he used to drive a Mercedes

c In spoken German the present perfect is used extensively, often where English would use the past tense. All the examples of the German present perfect given above could be translated by the English past tense, as shown. In formal language the German past tense is used more frequently than the present perfect.

d As in English, the German present perfect conveys recently completed actions, including interrogatives and negatives:

> **ich habe den Brief gelesen**
> I have read the letter

> **hast du ihn eingeladen?**
> have you invited him?

> **wir haben noch nicht gegessen**
> we haven't eaten yet

e Unlike English, the German present perfect can convey a completed action combined with a specific time expression:

> **letztes Jahr ist er nach Spanien gefahren**
> last year he went to Spain

> **hast du heute Tennis gespielt?**
> did you play tennis today?

> **wir sind am Wochenende nicht ausgegangen**
> we did not go out on the weekend

f In questions, the present perfect is preferred to the past tense even if the reference is to the distant past (an exception to this being **sein**, **haben** when used on their own, and the modal verbs, where the past tense predominates):

> **hast du nicht für ihn gearbeitet?**
> didn't you use to work for him?

> **wo haben Sie damals Ihre Ferien verbracht?**
> where did you spend your vacations in those days?

BUT:

> **waren Sie schon in Deutschland?**
> have you already been to Germany?

> **hatten Sie kein Geld?**
> didn't you have any money?

> **mußten Sie das machen?**
> did you have to do that?

Spoken German and letters often contain a mixture of the past and the present perfect:

> **ich kam nach Hause und habe dann das Abendessen gekocht**
> I came home and then cooked dinner

4 THE PAST PERFECT

a The past perfect is formed by the PAST of either **sein** or **haben** followed by the past participle of the verb:

> **er war verreist**
> he had gone away

> **wir hatten Radio gehört**
> we had listened to the radio

b Just as in English, the German past perfect conveys an action taking place at some time prior to another time in the past. It is often used in subordinate clauses introduced by the conjunction **nachdem** (after), in which case the auxiliary verb **sein** or **haben** goes to the end of the clause:

> **nachdem ich meine Hausaufgaben gemacht hatte, ging ich aus**
> after I had done my homework I went out

> **nachdem wir aus dem Wagen gestiegen waren, fuhr er ab**
> after we had gotten out of the car he drove off

5 THE FUTURE

a Usage of the future in German coincides broadly with that in English (except that German makes greater use of the present tense with a future meaning, see page vi):

The future tense is used in German when the future is being emphasized:

> **die Stadt wird das Krankenhaus bauen**
> the city will build the hospital

Berlin wird Deutschlands Hauptstadt werden
Berlin will become Germany's capital

b The future is sometimes used to express a supposition or probability:

er wird wohl krank sein
he's probably sick, he'll probably be sick

du wirst es wohl nicht glauben
you probably won't believe it

6 THE FUTURE PERFECT

a The future perfect is used to refer to an action that will have been completed before another in the future:

bevor du ankommst, wird sie schon abgefahren sein
she will already have left before you get there

b As in English, the future perfect is often used to indicate the probability of an action already having taken place:

er wird schon lange auf mich gewartet haben
he'll have been waiting for me for a long time

sie wird schon zur Arbeit gefahren sein
she'll have gone to work by now

das wird wohl Max gewesen sein
that'll have been Max

7 THE PRESENT PASSIVE

a The present passive conveys the simple present and the present continuous:

er wird jedesmal ausgelacht
he is laughed at every time

Luxuswohnungen werden hier gebaut
luxury apartments are being built here

b The present passive is often used with a future meaning:

das Krankenhaus wird gebaut
the hospital is being built
the hospital will be built

In order to emphasize the future, the form **das Krankenhaus wird gebaut werden** would be used (see FUTURE PASSIVE, p. xiii).

8 THE PAST PASSIVE

The past passive conveys both a single action and a continuous activity in the past:

das Flugzeug wurde abgeschossen
the plane was shot down

mein Fernseher wurde repariert
my television was repaired
my television was being repaired

das Gepäck wurde kontrolliert
the baggage was checked
the baggage was being checked

There is a fair degree of interchangeability in German between the past passive and the PRESENT PERFECT PASSIVE (see next section):

der Fall wurde untersucht/ist untersucht worden
the case was investigated

9 THE PRESENT PERFECT PASSIVE

The present perfect passive conveys both an action in the past that has been completed and the equivalent of the past or present perfect continuous in English. The differentiation in usage between the past and the present perfect discussed in the sections on the PAST and the PRESENT PERFECT applies to the past passive and the present perfect passive. The present perfect passive can often be used in German where in English the past passive would have to be used:

er ist gestern überfahren worden
he was run over yesterday

10 THE PAST PERFECT PASSIVE

The past perfect passive is used for a passive action that took place at some time prior to another in the past:

die Karten waren schon lange verkauft worden, als wir ankamen
the tickets had already been sold long before we arrived

11 THE FUTURE PASSIVE

a The future passive is used for a passive action that will take place at some time in the future:

die Haüser werden abgerissen werden
the houses are going to be pulled down

b Unless the future nature of the action is to be stressed, the present passive is often used instead:

ich werde nächste Woche benachrichtigt
I'll be informed next week

12 AGENCY (by/with/by means of)

a The most common preposition in German to indicate agency in passive constructions is **von**:

diese Autos werden von Robotern gebaut
these cars are built by robots

dieses Problem ist von Naturwissenschaftlern gelöst worden
this problem has been solved by scientists

b In the sense of "by means of" the preposition **durch** can be used:

das Flugzeug wird durch zwei Düsenmotoren angetrieben
the plane is powered by two jet engines

c Sometimes **mit** is used if an instrument is involved:

die Nägel wurden mit einem Hammer eingeschlagen
the nails were driven in with a hammer

das Dokument ist mit der Hand geschrieben worden
the document was written by hand

13 NOTES ON THE USAGE OF THE PASSIVE IN GENERAL

a Although the present, past and present perfect passive forms are quite common, there are instances where alternatives will be preferred.

When the subject is inanimate, a reflexive construction can sometimes be used:

> **seine Befürchtungen haben sich bestätigt**
> his fears have been confirmed

b The impersonal pronoun **man** (one) is often used instead of the passive when the agency (by) is not specified:

> **man hat ihn kritisiert**
> he has been criticized

> **man hat sie angezeigt**
> she has been accused

c Whereas English uses "to be" + past participle to form a passive infinitive construction, German uses **sein** + **zu** + infinitive:

> **kein Mensch war zu sehen**
> nobody was to be seen

d The passive is often used impersonally to present a general activity:

> **es wurde viel getanzt**
> there was a lot of dancing

> **es wird viel getrunken**
> there is a lot of drinking

e The passive can be used to give an order:

> **es wird jetzt gegessen!** eat up your food! *(to children)*

f Because English forms the passive with "to be" + past participle, there is often little distinction between the passive and a descriptive expression, for example "the car was parked". German uses the passive when an action is being carried out but not yet completed:

der Tisch wird gedeckt
the table is being set

das Radio wird repariert
the radio is being repaired

When the action is in a completed state, **sein** instead of **werden** can sometimes be used:

der Tisch ist gedeckt
the table is set

das Radio ist repariert
the radio is repaired
the radio has been repaired

g A different form of distinction is the one between **sein** + **geboren** and the past of **werden** + **geboren**. The first form usually refers to people who are still alive:

ich bin 1941 geboren
I was born in 1941

The second form is used when referring to the deceased:

Brecht wurde 1898 geboren
Brecht was born in 1898

h The passive of verbs taking a direct and indirect object. An active statement such as:

die Polizei hat ihm den Führerschein abgenommen
the police took his driver's license away from him

involves a subject, verb, indirect object (**ihm**) and direct object (**den Führerschein**). When turned into a passive statement, the direct object becomes the subject of the sentence, and the indirect object remains in the dative. The result:

der Führerschein ist ihm von der Polizei abgenommen worden
his driver's license has been taken away from him by the police

Similarly:

> **man hat mir eine Warnung gegeben**
> they gave me a warning

becomes:

> **mir ist eine Warnung gegeben worden**
> I have been given a warning

Verbs which govern the dative (**folgen**, **helfen** etc) cannot usually be used in the passive voice. This is possible in English because their equivalents govern the accusative. Although it is not accepted as grammatically correct, the phrase **gefolgt von** (followed by) is sometimes used:

> **gefolgt von seinen Nachbarn**
> followed by his neighbours

> **gefolgt von ihren Schülern**
> followed by her pupils

It is possible to use an impersonal passive with **helfen**:

> **es wurde uns viel geholfen**
> we were helped a lot

> **ihr ist geholfen worden**
> she has been helped

INDICATIVE

PRESENT

ich werde geschickt
du wirst geschickt
er wird geschickt
wir werden geschickt
ihr werdet geschickt
sie werden geschickt

FUTURE

ich werde geschickt werden
du wirst geschickt werden
er wird geschickt werden
wir werden geschickt werden
ihr werdet geschickt werden
sie werden geschickt werden

PAST

ich wurde geschickt
du wurdest geschickt
er wurde geschickt
wir wurden geschickt
ihr wurdet geschickt
sie wurden geschickt

PRESENT PERFECT

ich bin geschickt worden
du bist geschickt worden
er ist geschickt worden
wir sind geschickt worden
ihr seid geschickt worden
sie sind geschickt worden

PAST PERFECT

ich war geschickt worden
du warst geschickt worden
er war geschickt worden
wir waren geschickt worden
ihr wart geschickt worden
sie waren geschickt worden

*PRESENT
INFINITIVE*

geschickt werden

*PAST
INFINITIVE*

geschickt worden sein

FUTURE PERFECT

ich werde geschickt worden sein
du wirst geschickt worden sein
er wird geschickt worden sein
wir werden geschickt worden sein
ihr werdet geschickt worden sein
sie werden geschickt worden sein

*PRESENT
PARTICIPLE*

geschickt werdend

*PAST
PARTICIPLE*

geschickt worden

SUBJUNCTIVE

PRESENT I

ich werde geschickt
du werdest geschickt
er werde geschickt
wir werden geschickt
ihr werdet geschickt
sie werden geschickt
(werden)

PRESENT II

ich würde geschickt
du würdest geschickt
er würde geschickt
wir würden geschickt
ihr würdet geschickt
sie würden geschickt

*PRESENT
CONDITIONAL*

ich würde geschickt (werden)
du würdest geschickt (werden)
er würde geschickt (werden)
wir würden geschickt (werden)
ihr würdet geschickt (werden)
sie würden geschickt

PAST I

ich sei geschickt worden
du sei(e)st geschickt worden
er sei geschickt worden
wir seien geschickt worden
ihr seiet geschickt worden
sie seien geschickt worden

PAST II

ich wäre geschickt worden
du wär(e)st geschickt worden
er wäre geschickt worden
wir wären geschickt worden
ihr wär(e)t geschickt worden
sie wären geschickt worden

IMPERATIVE

werde geschickt!
werdet geschickt!
werden Sie geschickt!
werden wir geschickt!

14 MODAL VERBS

The modal verbs are:

dürfen	to be allowed to
können	can, to be able to
mögen	to like
müssen	must, to have to)
sollen	ought, should, to be to
wollen	to want to

a When a modal verb is combined with an infinitive, the infinitive goes to the end of the sentence or clause and stands on its own (no **zu**):

> **ich kann das machen**
> I can do that

> **ich will ihn anrufen**
> I want to call him

b If the infinitive can be inferred, it is sometimes omitted, the modal verb alone being used:

> **ich muß in die Stadt**
> I have to go into town (**gehen** or **fahren** is omitted)

> **ich soll in die Stadt**
> I ought to go into town

c In the formation of the present and past perfect tenses, modal verbs have two forms of the past participle. If they are not combined with another verb, these are:

> **gedurft, gekonnt, gemocht, gemußt, gesollt, gewollt**

These forms are used when they have a specific meaning on their own and when a missing verb can be inferred:

> **ich habe/hatte das gedurft**
> I have/had been allowed to do it

> **sie hat/hatte das gekonnt**
> she has/had been able to do it, she has/had managed to do it

ich habe/hatte ihn nie gemocht
I have/had never liked him

When combined with another verb, the past participles of modal verbs take the same form as the infinitive:

ich habe/hatte das machen dürfen
I have/had been allowed to do it

sie hat das reparieren können
she has been able to repair it

d Two uses of modals:

There is a distinction in meaning between:

er hat einkaufen müssen
he had to go shopping

and:

er muß eingekauft haben
he must have been shopping

Compare also:

er hat ihn sehen können
he was able to see him

and:

er kann ihn gesehen haben
he may have seen him

e Some special uses:

er will das gesehen haben
he claims to have seen that (a special sense of **wollen**)

The subjunctive of **mögen** + infinitive is often used to express a polite request:

wir möchten ins Theater gehen
we would like to go to the theater

15 THE IMPERATIVE

a In German the **Sie** form of the imperative retains the pronoun:

> **nehmen Sie bitte Platz!**
> please sit down!

> **warten Sie nicht auf mich**
> don't wait for me

Otherwise the pronoun is dropped:

> **nimm bitte Platz! (du** form)
> **nehmt bitte Platz! (ihr** form)
> **warte nicht auf mich (du** form)
> **wartet nicht auf mich (ihr** form)

Only if the pronoun is to be emphasized is it retained:

> **geh du zuerst!**
> *you* go first

b The passive imperative is rare in German. A construction with **lassen** is one way of conveying the English passive imperative:

> **lassen Sie sich von ihm nicht betören!**
> don't be beguiled by him

c The **wir** form of the imperative is one equivalent of "let us" + infinitive in English:

> **gehen wir zurück!**
> let's go back

> **machen wir das nicht jetzt**
> don't let's do that now

d On public notices the infinitive is sometimes used to form an imperative:

> **Nicht hinauslehnen!**
> do not lean out of the window

> **Schritt fahren!**
> drive at a walking pace

16 THE PRESENT SUBJUNCTIVE I

a When the present indicative and the present subjunctive I are identical, the present subjunctive II form is often used instead.

Although the present subjunctive I resembles the present indicative, and the present subjunctive II resembles the past indicative, the function of these two forms is not primarily to indicate tense but to convey the subjunctive mood.

b The present subjunctive I has been retained in certain stock phrases that have an archaic ring:

> **Gotte segne euch!**
> God bless you!

> **Gott sei dank!**
> thank God!

c The most common occurrence in modern German of the present subjunctive I is in newspapers and on radio and television when statements are being reported:

> **ein Sprecher der CDU sagte, die Lage sei nicht ernst**
> a spokesman for the CDU Party said that the situation was not serious

The function of the subjunctive in such instances is to indicate that the statement is being reported. After the initial attribution of the statement to its source (here the spokesman), the report would then continue in the present subjunctive I without any reference to the source. In English one would have to refer continually to the source (The spokesman added that..., He went on to say that....). In such a context the German subjunctive is an economic way of recording statements. Its economy is enhanced by the fact that there is often no need to use the conjunction **daß** (that).

The following is an authentic report from television in which examples of the present subjunctive I have been highlighted:

Der Verkehrsminister zu dem Bericht, er _bezahle_ seiner Haushaltshilfe 850 DM im Monat, wovon das Arbeitsamt

660 DM *zurückzahle*: **er würde die Zuschüsse zurückzahlen, wenn es sich** *herausstelle*, **das Arbeitsamt** *könne* **sein Angebot wegen Anwürfe nicht aufrechterhalten**.

In response to the report that he was paying his household help 850 marks a month, of which the Government Employment Office was refunding 660 marks, the Transport Minister said that he would pay back the subsidy if it turned out that the Employment Office could not support the terms of his offer of employment because of the adverse criticism.

d   In cases where the subjunctive I would be identical with the present indicative the present subjunctive II is used instead:

> **er sagte, sie hätten keine Pläne** (*subjunctive I: haben*)
> he said they had no plans

> **er sagte, sie brauchten keine Hilfe** (*subjunctive I: brauchen*)
> he said they did not need any help

> **er sagte, sie müßten diesen Leuten helfen** (*subjunctive I: müßen*)
> he said they had to help these people

e   The use of the present subjunctive I in everyday language is less common than in the media. In very short, straightforward indirect speech the indicative is used:

> **sie sagt, sie heißt Renate**
> she says her name is Renate

> **sie sagt, sie kommt um sechs**
> she says she is coming at six o'clock

The choice of indicative, present subjunctive I or II depends very much on the circumstances and on the person using indirect speech. Even in spoken language an academic or a lawyer might prefer the present subjunctive I, whereas in a domestic context the indicative could predominate:

> **der Zeuge sagt, seine Aussage sei wahr**
> the witness maintains that his testimony is true

> **meine Mutter meint, daß das nicht wahr ist**
> my mother says that is not true

17 THE PRESENT SUBJUNCTIVE II

a The present subjunctive II occurs very frequently in everyday speech. It is commonly used in the CONDITIONAL and in certain stock phrases:

> **nicht daß ich wüßte**
> not that I know of

> **wie wäre es mit einem Tee/einem Fußballspiel?**
> how about some tea/a game of football?

b The expression of a desire or wish can be conveyed by using the appropriate forms of the present subjunctive II:

> **ich wollte, ich hätte mehr Zeit**
> I wish I had more time

> **ich wollte, wir wären reich**
> I wish we were rich

> **ich wünschte, wir könnten schöne Ferien machen**
> I wish we could have a marvellous vacation

c Aside from instances where the present subjunctive I would be identical with the indicative, the use of the present subjunctive II in reported speech can suggest doubt in the veracity of the statement reported:

> **sie sagte, sie wäre krank**
> she said she was sick

> **sie sagte, sie hätte kein Geld**
> she said she had no money

d Some of the forms of the present subjunctive II are felt to be stilted, particularly the strong verbs that modify the vowel such as **fahren (führe)**. In such instances the construction **würde** + infinitive is preferred:

> **ich wollte, er würde mit der Bahn fahren**
> I wish he would take the train
> (instead of: **ich wollte, er führe mit der Bahn**)

However, **hätte**, **wäre**, **ginge**, **käme** and the present subjunctive II of the modal verbs are quite common.

e   The present subjunctive II of the modal verbs is often used with special meanings:

>   **das dürfte möglich sein**
>   that could well be possible
>
>   **ich müßte jetzt eigentlich in der Schule sein**
>   I really should be in school right now
>
>   **ich sollte jetzt einkaufen gehen**
>   I really ought to go shopping now
>
>   **eigentlich solltest du das nicht machen**
>   you shouldn't really do that

18   THE PAST SUBJUNCTIVE I and PAST SUBJUNCTIVE II

Much of what applies to usage of the present subjunctives I and II applies also to the past subjunctives I and II.

a   In the media, academic and legal reports, the past subjunctive I is used, except in the **wir**, **Sie**, **sie** *(they)* forms if the verb forms its perfect or past perfect with **haben**; this is because the indicative and the subjunctive would be the same (ie **haben**):

>   **die Angeklagten behaupteten, sie hätten den Banküberfall nicht begangen**
>   the accused maintained they had not carried out the bank raid

b   In conversational language and in correspondence between acquaintances, the past subjunctive II is more common:

>   **sie sagte, ihr Chef hätte das Hotel empfohlen**
>   she said her boss had recommended the hotel
>
>   **ich bin der Meinung, daß wir nicht ausgegangen wären**
>   I am of the opinion that we had not gone out

c   As with the present subjunctive II, use of the past subjunctive II can imply doubt in the statement made:

>   **seine Frau behauptete, er hätte den Sonntag zu Hause verbracht**
>   his wife maintained that he had spent Sunday at home

Perhaps the most common usage of the past perfect subjunctive II is in the CONDITIONAL (see section 23).

19 THE FUTURE SUBJUNCTIVE

The future subjunctive is comparatively rare, partly because the differentiation between the subjunctive and the conditional becomes blurred:

er sagte, er werde/würde alles veranlassen
he said he will/would see to everything

20 THE PASSIVE SUBJUNCTIVE

The passive subjunctive is formed from the appropriate subjunctive of **werden** + past participle. The passive present subjunctives I and II are comparatively rare:

sie sagte, sie würde/werde verfolgt
she said she was being persecuted

sie sagten, sie würden verfolgt
they said they were/are being persecuted

The present passive subjunctive II of **werden** is used in the second example because in the plural the present indicative and the present subjunctive I would be identical. Similarly:

sie sagt, sie werde benachteiligt
she says she is being disadvantaged

sie sagen, sie würden benachteiligt
they say they are being disadvantaged

It will be noted that in the **ich**, **wir**, **Sie**, **sie** *(they)*, and **ihr** forms the subjunctive is identical with the indicative. If the subjunctive is to be insisted on in such cases the present subjunctive II would be used (see p. xxvi). This illustrates that the German subjunctive is not primarily in order to indicate tense but in order to convey the subjunctive mood.

Passive present subjunctive II:

> **ich würde benachteiligt** (I was being/am being disadvantaged)
>
> **du würdest benachteiligt**
> **er, sie, es würde benachteiligt**
> **wir, Sie, sie würden benachteiligt**
> **ihr würdet benachteiligt**

21 PASSIVE PAST SUBJUNCTIVE I AND II

The passive past subjunctives I and II are fairly common:

> **er behauptete, die Arbeit sei/wäre rechtzeitig erledigt worden**
> he maintained that the work had been completed on time

22 GENERAL REMARKS ON THE PASSIVE SUBJUNCTIVE

a The passive subjunctive is by no means rare, especially in the past, but, just as with the indicative, alternatives are often preferred. For example a reflexive construction can be used:

> **sie meinte, das regle sich**
> she thought that it would be sorted out

b The use of **man** (one) is also possible:

> **sie behaupteten, man habe sie betrogen**
> they claimed they had been cheated

c Just as with the indicative, an impersonal form of the passive subjunctive can be used to indicate a general activity:

> **sie sagte, es sei viel gelogen worden**
> she said a great deal of lying had gone on

23 THE CONDITIONAL

a The construction **würde** + infinitive, corresponding to "would" + infinitive in English, is used in addition to the present subjunctive II to form the conditional:

> **an deiner Stelle würde ich diesen Wagen nicht kaufen**
> if I were in your position I wouldn't buy this car

A very frequent sentence pattern is the combination of a clause introduced by **wenn** and a verb in the present subjunctive II, and the main clause using **würde** + infinitive:

> **ich würde öfter anrufen, wenn ich das Geld hätte**
> I would call more often if I had the money

It is usual for the verb in the subordinate clause starting with **wenn** to be in the present subjunctive II form:

> **wenn ich mehr Geld verdiente, würde ich ...**
> if I earned more money I would ...

b The form **würde** + infinitive replaces the present subjunctive II in specific cases:

  i) When the present subjunctive II and the past indicative are identical, it is used to avoid ambiguity:

> **wenn sie Eva anriefen**

> could mean either: if they were to call Eva
> or: whenever they called Eva.

> The usual conditional would be:

> **wenn sie Eva anrufen würden**
> if they were to call Eva

  ii) The umlauted forms of the present subjunctive II are considered old-fashioned and tend to be avoided:

> **wenn ich fliegen würde ...**
> if I were to fly ...

> is used instead of: **wenn ich flöge**.

However, the forms **wäre, hätte, käme** and the present subjunctive II forms of the modal verbs are still preferred:

> **es wäre schön**
> it would be nice

> **wir hätten keine Schwierigkeiten**
> we wouldn't have any problems

> **wenn er käme**
> if he were to come

er könnte bei uns übernachten
he would be able to/he could spend the night with us

c   The conditional is used instead of the indicative to suggest that the situation is hypothetical or less certain:

wenn er da ist, können wir essen (*indicative*)
when he is here we can eat

wenn er da wäre, könnten wir essen (*conditional*)
if he were here we could eat

ich komme, wenn du mich brauchst (*indicative*)
I'll come if you need me

ich würde kommen, wenn du mich brauchtest
(*conditional*)
I would come if you needed me

d   Instead of using **wenn** it is possible to start the clause with a present subjunctive II. This is quite frequent with **wäre** or **hätte**:

wäre er hier, ...
if he were here ..., were he here ...

hättest du mehr Geduld, ...
if you had more patience ...

e   In conditional statements where a future is implied, or where there is what is termed a "future in the past", **würde** + infinitive is normally used:

ich wußte nicht, wie er darauf reagieren würde
I did not know how he would react to it

ich fragte mich, ob er das tun würde
I wondered if he would do it

f   Occasionally **würde** + past participle or **würde** + noun is used to form a conditional passive or the conditional of **werden**, often with a view to the future:

wenn ich erkannt würde
if I were to be recognized

> **wenn wir Freunde würden**
> if we were to become friends

g The past subjunctive II predominates in conditional statements where English uses "would have" + past participle:

> **ich wäre nicht nach Köln umgezogen**
> I would not have moved to Cologne

> **ich hätte das andere Hemd gekauft**
> I would have bought the other shirt

Only occasionally is **würde** + past participle + **sein** or **haben** used, as this is considered cumbersome:

> **niemand würde das geahnt haben**
> nobody would have anticipated that

It is better style to say **niemand hätte das geahnt**.

h In statements using **fragen** + **ob** (whether, if) where the verb **fragen** is in the past, **ob** will usually be followed by the subjunctive/conditional:

> **er fragte ihn, ob er käme/kommen würde**
> he asked him if he would come

> **er fragte, ob er zu Hause gewesen wäre/sei**
> he asked whether he had been at home

> **er fragte, ob wir ihn gesehen hätten**
> he asked if we had seen him

i The conjunctions **als ob**, **als wenn** and **als** (as though) are normally followed by the present or past subjunctive II. (Only rather elevated, literary language now uses the present or past subjunctive I). **als ob** and **als wenn** send the verb to the end of the clause, but **als** is followed immediately by the verb:

> **als ob/als wenn ich krank wäre**
> as though I were sick

> **als hätten sie uns gekannt**
> as though they had known us

j An idiomatic way of expressing a polite wish for something is to use **hätte** + **gern(e)**:

> **ich hätte gern ein Glas Wein**
> I would like a glass of wine

k Whereas English uses **would have liked** + infinitive to express a wish that was not fulfilled, German uses **wäre** or **hätte** + **gern(e)** + past participle:

> **er wäre gern mitgekommen**
> he would have liked to come with us

> **ich hätte gern im Ausland gearbeitet**
> I would have liked to work abroad

l The past subjunctive II of the modal verbs is formed by **hätte** + infinitive of the verb used + **dürfen, können, mögen, müssen, sollen, wollen**:

> **ich hätte das tun können**
> I would have been able to do it

> **ich hätte das Buch lesen sollen**
> I should have read that book

24 THE PAST PARTICIPLE

a Aside from its use to form certain verb tenses, the most common form in which the past participle occurs in German is as an adjective:

angesehen	respected
geliebt	loved
verloren	lost

b Many German past participles have been made into adjectival nouns:

der Gefangene	the prisoner *(from **fangen**)*
die Geliebte	the lover *(from **lieben**)*
die Verlobte	the fiancée *(from **verloben**)*

c Sometimes past participles are used without the finite verbs in what is called an absolute construction:

auf die Ellbogen gestützt
resting on his elbows

25 THE PRESENT PARTICIPLE

a As German does not have a present or a past continuous tense, the present participle is far less common in German than in English:

er hilft
he is helping, he helps

b Its most common use is as an adjective or adverb:

fließendes Wasser running water
eine passende Antwort a fitting reply
eine bleibende Erinnerung a lasting memory

sie kam tanzend ins Zimmer
she came dancing into the room

c Some present participles have been used to form nouns:

die Anwesenden those present
der Reisende the traveler
die Schlafenden the people sleeping

d When a present participle is used in an absolute construction in German the phrase tends to be short and simple, and the present participle usually goes to the end of the phrase:

langsam schwimmend, erreichte er das Ufer
swimming slowly, he reached the river bank

e Subordinate clause are often used instead of a present participle:

er verließ die Stadt, indem er auf einem Schimmel ritt
he left the town riding a white horse

f In English many nouns are derived from present participles (eating, swimming, reading). In German such nouns are often derived from the infinitive:

Essen, Schwimmen, Lesen
eating, swimming, reading

26 REFLEXIVE VERBS

Many English verbs can be both transitive and intransitive: "he doubled his income" and "his income doubled". In German this is often not possible, and the equivalent of the second example would normally be conveyed by a reflexive construction: **sein Einkommen verdoppelte sich** literally, "his income doubled itself". Similarly:

er entwickelte den Film
he developed the film

BUT:

aus der Puppe entwickelt sich der Schmetterling
the butterfly develops from the chrysalis

a   In such cases the reflexive pronouns (corresponding roughly to **myself**, **yourself**, **ourselves** etc), are in the accusative case. Their forms corresponding to the subject of the sentence are as follows:

ich → mich	wir → uns
du → dich	Sie, sie *(they)* → sich
er, sie *(she)*, es → sich	ihr → euch

Using the verb **sich setzen** (to sit down) as an example:

ich setze mich	wir setzen uns
du setzt dich	Sie, sie setzen sich
er, sie, es setzt sich	ihr setzt euch

b   Verbs are often used reflexively in German in order to make the activity more personal (compare English "I'm buying myself a new coat"). In such instances the reflexive pronoun in German is in the dative:

ich kaufe mir einen neuen Mantel
I am buying myself a new overcoat

Some verbs are nearly always used in this way:

sich etwas ansehen
to watch something *(eg, a film or television program)*

sich etwas vornehmen
to intend to do something

sich etwas vorstellen
to imagine something

sich etwas überlegen
to consider something, to think about something

The forms of the dative reflexive pronoun are:

ich → mir	wir → uns
du → dir	Sie, sie → sich
er, sie, es → sich	ihr → euch

ich sah mir den Film an
I watched the movie

wollen wir uns den Film ansehen?
shall we watch the movie?

seht ihr euch heute den Film an?
are you watching the movie today?

c One of the most common instances of a reflexive verb being used with a dative reflexive pronoun is in personal activities. Compare:

ich wasche mich *(accusative reflexive pronoun)*
I wash myself, I get washed

and:

ich wasche mir die Hände/das Haar
I am washing my hands/my hair

The dative reflexive pronoun is used in the second statement because the action is thought of as indirect.

d Reciprocal actions are often conveyed by making a verb reflexive:

sie haben sich in Wien kennengelernt
they got to know one another in Vienna

wir sehen uns morgen wieder
we're seeing each other again tomorrow

e All reflexive verbs form their present and past perfect tenses with **haben**:

> **hast du dir den Film angesehen?**
> have you seen the movie?

> **wir hatten uns beeilt**
> we had hurried

> **wir haben uns geschämt**
> we were ashamed

27 SEPARABLE AND INSEPARABLE VERBS

A large number of German verbs are a combination of the basic verb and a prefix that alters the meaning of the basic verb. The most common prefix is a preposition: **kommen**, to come, but *an*kommen, to arrive, **stehen**, to stand, but *auf*stehen, to stand up or to get up (out of bed), **zeugen**, to produce, but *über*zeugen, to convince. Verbs whose prefixes can detach themselves from the rest of the verb are known as separable verbs. Verbs whose prefixes do not do this are known as inseparable verbs.

a In the case of separable verbs the prefix goes to the end of the clause or sentence:

> **der Zug kommt um 2 Uhr an** *(verb: ankommen)*
> the train will arrive at 2 o'clock

> **er stand um sechs auf** *(verb: aufstehen)*
> he got up at six

> **ich lernte ihn in Nürnberg kennen** *(verb: kennenlernen)*
> I got to know him in Nuremberg

b If for any reason the separable verb has to go to the end of the clause or sentence, the prefix is attached to the front of the verb:

> **er wollte gestern den Zaun anstreichen**
> he wanted to paint the fence yesterday

> **obwohl er selten ausgeht**
> although he seldom goes out

c The past participles of separable verbs insert the **ge-** prefix between the separable prefix and the rest of the verb:

abgefahren	departed
angekommen	arrived
angenommen	accepted, assumed
kennengelernt	acquainted
umgebracht	killed
zurückgeflogen	flown back

d In the construction **um ...zu...** (in order to), **zu** comes between the prefix and the rest of the separable verb:

sie fuhr in die Stadt, um einzukaufen
she went into town in order to do the shopping

um ihn einzuholen
in order to catch him up

e With inseparable verbs the prefix always remains attached to the front of the basic verb:

er unterzeichnete den Vertrag
he signed the agreement

sie übersetzte den Text
she translated the text

f Sometimes it is only possible to tell whether a verb is separable or inseparable by consulting a dictionary, but there are some guidelines.

The following prefixes are always separable:

ab-, an-, auf-, aus-, bei-, ein-, gegenüber-, mit-, nach-, vor-, zu-

er legte der Sache wenig Wert bei
he attached little importance to the matter

wir dachten darüber nach
we thought about it

sie haben zugeschaut
they looked on

g The following prefixes are always inseparable:

> **be-, emp-, ent-, er-, ge-, ver-, zer-**
>
> **er bemalte die Wand**
> he painted a picture on the wall
>
> **er erwähnte dich**
> he mentioned you

28 VERBS IN COMBINATION WITH PREPOSITIONS

a Sometimes the combination is similar to English:

danken + für to thank for

> **ich danke dir für die Einladung**
> thank you for the invitation

einladen + zu to invite to

> **ich bin zu einer Party eingeladen worden**
> I have been invited to a party

gehören zu to be a member of

> **er gehört zu diesem Verein**
> he belongs to this club

b However, in many instances German uses a combination that is totally different. When the prepositional expression can be translated by "about" or "on the subject of", **über** + accusative is frequently used:

sich ärgern über to be annoyed about

> **ich ärgerte mich über sein Verhalten**
> I was annoyed about his behavior

sich freuen über to be pleased about

> **ich habe mich über das Geschenk gefreut**
> I was pleased about the gift

(BUT: **sich freuen auf** + accusative means "to look forward to"

> **wir freuen uns auf die Ferien**
> we are looking forward to our vacation)

Other combinations of verbs and prepositions:

antworten auf + accusative to answer, to answer to

> **er hat auf meine Frage nicht geantwortet**
> he did not answer my question

bitten um + accusative to ask for

> **ich bitte Sie um Ruhe**
> I am asking you to be quiet

denken an + accusative to think of, to remember

> **denke daran, daß deine Tochter heute Geburtstag hat**
> remember that it's your daughter's birthday today

sich erinnern an + accusative to remember

> **ich kann mich nicht an ihn erinnern**
> I cannot remember him

fragen nach + dative to ask after, to inquire about

> **er hat nach unserem Sohn gefragt**
> he asked how our son was getting on

sich gewöhnen an + accusative to get used to

> **wir haben uns an ihn gewöhnt**
> we have gotten used to him

glauben an + accusative to believe in

> **wir haben nicht an seine Versprechung geglaubt**
> we didn't believe in his promise

hoffen auf + accusative to hope for

> **wir hoffen auf eine Verbesserung**
> we are hoping for an improvement

reagieren auf + accusative to react to

> **wie wird er darauf reagieren?**
> how will he react to it?

teilnehmen an + dative to attend, to participate in

> **er hat an der Konferenz teilgenommen**
> he attended the conference

warten auf + accusative to wait for

> **ich warte seit einer Stunde auf den Bus**
> I have been waiting for the bus for an hour

29 VERBS THAT GOVERN THE DATIVE

There are a large number of these in German, for example:

> **er ist mir gefolgt**
> he followed me

> **wir sind ihm begegnet**
> we met him

> **der Versuch ist mir gelungen/mißlungen**
> I succeeded/failed in my attempt

Some of these verbs are often used impersonally:

> **es ist mir eben eingefallen, daß ...**
> it has just occurred to me that ...

> **es genügt mir**
> that's enough for me

The following is a list of the most common verbs in this category:

auffallen*	to strike, to occur to
ausweichen	to avoid, to get out of the way of
befehlen	to command, to order
begegnen*	to meet
danken	to thank
dienen	to serve
einfallen*	to occur to, to remember
empfehlen	to recommend
folgen*	to follow
gefallen	to please
gehorchen	to obey
gelingen*	to succeed
gehören	to belong
genügen	to be enough
gratulieren	to congratulate

helfen	to help
mißlingen*	to fail
mißtrauen	to distrust
passen	to fit, to suit
raten	to advise, to recommend
reichen	to be enough
schaden	to harm
schmeicheln	to flatter
trauen	to trust
verbieten	to forbid
versichern	to assure
verzeihen	to forgive
widersprechen	to contradict
sich widersetzen	to oppose
widerstehen	to resist
zusehen	to watch, to look on
zustimmen	to agree

* present and past perfect tenses are formed with **sein**.

GLOSSARY

Accusative Many verbs can take a direct object and are generally referred to as *transitive verbs*, eg "I write a letter": "letter" is the direct object and is in the accusative case. In German this would be **Ich schreibe einen Brief**.

Active Voice "The dog bit the boy" is an example of a statement in the active voice. The subject (here "the dog") is the straightforward instigator of the action indicated by the verb "bit". In German this would be: **der Hund biß den Jungen**.

Auxiliary Verbs These verbs are used in combination with other verbs to form the *compound tenses* such as the present and past perfect, the future, and the passive. In German the auxiliary verbs are **haben**, **sein**, and **werden**.

Compound Tenses Compound tenses are formed using an *auxiliary verb* and an element of another verb such as the *past participle* or *infinitive*, eg **ich habe entschieden** "I have decided".

Conditional This mood of the verb conveys that an action is dependent on a condition, eg "if I were rich, I would buy a big house". Both statements in this sentence are conditional statements: the first presents a hypothetical condition, the second is conditional on the first statement being fulfilled.

Conjugation This refers to the different forms a verb takes to indicate its *person*, *tense* and *mood*: **ich habe, er hat, er hatte** "I have, he has, he had".

Dative In English the indirect object after a verb is often conveyed by the preposition "to": "I wrote a letter to my friend". Its equivalent in German would be similar, but the indirect object would be in the dative case: **Ich schrieb meinem Freund einen Brief**.

Direct Object Many verbs, known as *transitive verbs*, express an action that has a direct effect on an object in the rest of the sentence. Such an object is called the direct object. In the sentences "he wrote the poem" and "he wrote it", "the poem" and "it" are direct objects of the verb "wrote". In German direct objects are usually in the *accusative* case, but some verbs take the *dative* case.

Endings These are added to German *verb stems* to indicate the *person*, *tense* and *mood*.

Finite Verbs A finite verb is the form of the verb in a sentence once it has been modified according to its *person*, *tense* and *mood*.

Imperative This is the form used when giving orders, commands, firm or polite requests: "come here, please", "stand up".

Indicative This mood of the verb is used in straightforward statements that are not in doubt, eg "I bought it", "he ran". If the statement presents a hypothesis, condition, or if the statement is reported, German often uses the *conditional* or *subjunctive* form of the verb.

Infinitive This is the basic form of the verb before it is altered in order to convey the *person*, *mood* and *tense*, eg "to be", "to have". Infinitives in German end in **en** or **n** (**wohnen**, **wandern**, **sein**).

Intransitive Verbs These do not usually have a *direct object*, eg "to travel", "to run".

Mixed Verbs Some German verbs are "mixed" in that they have both the endings that a *weak*/regular verb would have in the past and a change inside the *verb stem* associated with *strong*/irregular verbs: **brennen** (**ich brannte** etc), **bringen** (**ich brachte** etc), **denken** (**ich dachte** etc), **kennen** (**ich kannte** etc).

Mood This refers to the mode of the *finite verb*. The indicative mood of a German verb is used when a straightforward fact is being stated. The subjunctive mood is used to suggest that a statement is more hypothetical or to convey reported speech. Closely allied to this is the *conditional* mood (see also under *indicative*, *subjunctive* and *conditional*).

Passive Voice As opposed to the *active voice*, the subject of a statement in the passive voice is the recipient of the action indicated by the verb, eg "the boy was bitten by the dog". Whereas in English the passive is formed from the verb "to be" + past participle, in German it is formed from the verb **werden** + past participle. The German equivalent to the above would be: **der Junge wurde von dem Hund gebissen**.

Past Participle
In German the present perfect, the past perfect and the *passive* are formed using the appropriate *auxiliary verb* and the past participle, eg "the hen has laid an egg": "laid" is the past participle of the verb "to lay". In German: **das Huhn hat/hatte ein Ei gelegt**: **gelegt** is the past participle corresponding to "laid".

Person
This refers to the person performing the action conveyed by the verb. **Ich** "I" is the first person singular, and **er** "he", **sie** "she", **es** "it" are all the third person singular. **Wir** "we", **sie** "they" are the first and third person plural respectively. **Du** "you" is the familiar form, and **Sie**, also "you", is the formal form of the second person singular. In the plural, **ihr** "you" is the familiar form, and **Sie** the formal form of the second person plural.

Present Participle
In English this is formed by adding "-ing" to the stem of the verb, eg "helping", "following". In German it is formed by adding **d** to the infinitive (**helfend**, **laufend**).

Reflexive Verbs
These verbs have an additional pronoun (the reflexive pronoun) that reflects the action of the verb back to the subject. In English this is conveyed by the pronouns "myself", "yourself", eg "he looked at himself in the mirror", "the cat washed itself".

Stem
See *verb stem*.

Strong Verbs
Verbs known as strong or irregular verbs form their past tense by a vowel change to the *verb stem*. The vowel change occurs in the past tense, the past participle and sometimes in the 2nd and 3rd persons singular of the present tense, eg as in English "go", "went", "gone".

Subject
This is the noun or pronoun in a sentence which carries out the action, eg "she paid for it", "John was driving", "the train was running late".

Subjunctive
This form of the verb is most commonly used in hypothetical statements: "if I lived in London", "if I were rich", "if I had the time". In German it is used extensively in reported speech and is generally more common than in English.

Subordinate Clause	These are statements introduced by conjunctions such as "although", "whereas", "because" etc. They impart information that modifies the main statement in a sentence. In German subordinate clauses the *finite verb* usually goes to the end of the clause.
Tenses	The tenses of verbs indicate the time when an action takes place: in the present, the past, or the future.
Transitive Verbs	Transitive verbs can be followed by a *direct object*: "she sings a song" ("a song" is the direct object). In German this would be **Sie singt ein Lied**. However, the direct object does not always have to be stated: "she sings" (without a stated direct object). Similarly, in German: **sie singt**.
Verb Stem	In German, the stem is what remains when **en** or **n** is removed from the infinitive (this does not apply to the verb **sein**). Changes to the stem, at the beginning, end or internally, indicate the *tense* and *person*, and form the *present* and *past participles*.
Voice	See *active voice* and *passive voice*.
Weak Verbs	Verbs known as weak or regular verbs have no vowel change to the stem when they are conjugated.

NOTE ON TENSE NAMES

You may also come across the following alternative names for German tenses:

Past:	Imperfect
Present Perfect:	Perfect
Past Perfect:	Pluperfect
Present Subjunctive I:	Present Subjunctive
Present Subjunctive II:	Imperfect Subjunctive
Past Subjunctive I:	Perfect Subjunctive
Past Subjunctive II:	Pluperfect Subjunctive

NOTE

The forms given in the verb tables are:

ich	I
du	you *(singular, familiar)*
er	he*
wir	we
ihr	you *(plural, familiar)*
sie	they**

* Note that "she" and "it" use the same verb form as "he".

** The form **Sie**, used as a polite form "you" for both singular and plural, takes the same verb form as **sie** meaning "they".

AUFSTELLEN to put up, to erect   1

INDICATIVE

PRESENT	FUTURE	PAST
ich stelle auf	ich werde aufstellen	ich stellte auf
du stellst auf	du wirst aufstellen	du stelltest auf
er stellt auf	er wird aufstellen	er stellte auf
wir stellen auf	wir werden aufstellen	wir stellten auf
ihr stellt auf	ihr werdet aufstellen	ihr stelltet auf
sie stellen auf	sie werden aufstellen	sie stellten auf

PRESENT PERFECT	PAST PERFECT	*PRESENT INFINITIVE*
ich habe aufgestellt	ich hatte aufgestellt	aufstellen
du hast aufgestellt	du hattest aufgestellt	
er hat aufgestellt	er hatte aufgestellt	*PAST INFINITIVE*
wir haben aufgestellt	wir hatten aufgestellt	aufgestellt haben
ihr habt aufgestellt	ihr hattet aufgestellt	
sie haben aufgestellt	sie hatten aufgestellt	

FUTURE PERFECT		*PRESENT PARTICIPLE*
ich werde aufgestellt haben		aufstellend
du wirst aufgestellt haben		
er wird aufgestellt haben		*PAST PARTICIPLE*
wir werden aufgestellt haben		aufgestellt
ihr werdet aufgestellt haben		
sie werden aufgestellt haben		

SUBJUNCTIVE

PRESENT I	PRESENT II	*PRESENT CONDITIONAL*
ich stelle auf	ich stellte auf	ich würde aufstellen
du stellest auf	du stelltest auf	du würdest aufstellen
er stelle auf	er stellte auf	er würde aufstellen
wir stellen auf	wir stellten auf	wir würden aufstellen
ihr stellet auf	ihr stelltet auf	ihr würdet aufstellen
sie stellen auf	sie stellten auf	sie würden aufstellen

PAST I	PAST II	*IMPERATIVE*
ich habe aufgestellt	ich hätte aufgestellt	stell(e) auf!
du habest aufgestellt	du hättest aufgestellt	stellt auf!
er habe aufgestellt	er hätte aufgestellt	stellen Sie auf!
wir haben aufgestellt	wir hätten aufgestellt	stellen wir auf!
ihr habet aufgestellt	ihr hättet aufgestellt	
sie haben aufgestellt	sie hätten aufgestellt	

2   **BACKEN** to bake

INDICATIVE

PRESENT

ich backe
du backst
er backt
wir backen
ihr backt
sie backen

FUTURE

ich werde backen
du wirst backen
er wird backen
wir werden backen
ihr werdet backen
sie werden backen

PAST

ich backte
du backtest
er backte
wir backten
ihr backtet
sie backten

PRESENT PERFECT

ich habe gebacken
du hast gebacken
er hat gebacken
wir haben gebacken
ihr habt gebacken
sie haben gebacken

PAST PERFECT

ich hatte gebacken
du hattest gebacken
er hatte gebacken
wir hatten gebacken
ihr hattet gebacken
sie hatten gebacken

PRESENT INFINITIVE

backen

PAST INFINITIVE

gebacken haben

FUTURE PERFECT

ich werde gebacken haben
du wirst gebacken haben
er wird gebacken haben
wir werden gebacken haben
ihr werdet gebacken haben
sie werden gebacken haben

PRESENT PARTICIPLE

backend

PAST PARTICIPLE

gebacken

SUBJUNCTIVE

PRESENT I

ich backe
du backest
er backe
wir backen
ihr backet
sie backen

PRESENT II

ich backte
du backtest
er backte
wir backten
ihr backtet
sie backten

PRESENT CONDITIONAL

ich würde backen
du würdest backen
er würde backen
wir würden backen
ihr würdet backen
sie würden backen

PAST I

ich habe gebacken
du habest gebacken
er habe gebacken
wir haben gebacken
ihr habet gebacken
sie haben gebacken

PAST II

ich hätte gebacken
du hättest gebacken
er hätte gebacken
wir hätten gebacken
ihr hättet gebacken
sie hätten gebacken

IMPERATIVE

back(e)!
backt!
backen Sie!
backen wir!

Note: Present Indicative: 2nd & 3rd person singular also **du bäckst, er bäckt.** Past Indicative also (old forms): **ich buk, du bukst, er buk** etc

BEDIENEN to serve   **3**

INDICATIVE

PRESENT	**FUTURE**	**PAST**
ich bediene	ich werde bedienen	ich bediente
du bedienst	du wirst bedienen	du bedientest
er bedient	er wird bedienen	er bediente
wir bedienen	wir werden bedienen	wir bedienten
ihr bedient	ihr werdet bedienen	ihr bedientet
sie bedienen	sie werden bedienen	sie bedienten

PRESENT PERFECT	**PAST PERFECT**	*PRESENT INFINITIVE*
ich habe bedient	ich hatte bedient	bedienen
du hast bedient	du hattest bedient	
er hat bedient	er hatte bedient	*PAST INFINITIVE*
wir haben bedient	wir hatten bedient	
ihr habt bedient	ihr hattet bedient	bedient haben
sie haben bedient	sie hatten bedient	

FUTURE PERFECT		*PRESENT PARTICIPLE*
ich werde bedient haben		bedienend
du wirst bedient haben		
er wird bedient haben		*PAST PARTICIPLE*
wir werden bedient haben		
ihr werdet bedient haben		bedient
sie werden bedient haben		

SUBJUNCTIVE

PRESENT I	**PRESENT II**	*PRESENT CONDITIONAL*
ich bediene	ich bediente	ich würde bedienen
du bedienest	du bedientest	du würdest bedienen
er bediene	er bediente	er würde bedienen
wir bedienen	wir bedienten	wir würden bedienen
ihr bedienet	ihr bedientet	ihr würdet bedienen
sie bedienen	sie bedienten	sie würden bedienen

PAST I	**PAST II**	*IMPERATIVE*
ich habe bedient	ich hätte bedient	bedien(e)!
du habest bedient	du hättest bedient	bedient!
er habe bedient	er hätte bedient	bedienen Sie!
wir haben bedient	wir hätten bedient	bedienen wir!
ihr habet bedient	ihr hättet bedient	
sie haben bedient	sie hätten bedient	

INDICATIVE

PRESENT	FUTURE	PAST
ich befehle	ich werde befehlen	ich befahl
du befiehlst	du wirst befehlen	du befahlst
er befiehlt	er wird befehlen	er befahl
wir befehlen	wir werden befehlen	wir befahlen
ihr befehlt	ihr werdet befehlen	ihr befahlt
sie befehlen	sie werden befehlen	sie befahlen

PRESENT PERFECT	PAST PERFECT	
ich habe befohlen	ich hatte befohlen	*PRESENT INFINITIVE*
du hast befohlen	du hattest befohlen	befehlen
er hat befohlen	er hatte befohlen	
wir haben befohlen	wir hatten befohlen	*PAST INFINITIVE*
ihr habt befohlen	ihr hattet befohlen	befohlen haben
sie haben befohlen	sie hatten befohlen	

FUTURE PERFECT	
ich werde befohlen haben	*PRESENT PARTICIPLE*
du wirst befohlen haben	befehlend
er wird befohlen haben	
wir werden befohlen haben	*PAST PARTICIPLE*
ihr werdet befohlen haben	befohlen
sie werden befohlen haben	

SUBJUNCTIVE

PRESENT I	PRESENT II	PRESENT CONDITIONAL
ich befehle	ich befähle	ich würde befehlen
du befehlest	du befählest	du würdest befehlen
er befehle	er befähle	er würde befehlen
wir befehlen	wir befählen	wir würden befehlen
ihr befehlet	ihr befählet	ihr würdet befehlen
sie befehlen	sie befählen	sie würden befehlen

PAST I	PAST II	IMPERATIVE
ich habe befohlen	ich hätte befohlen	befehl(e)!
du habest befohlen	du hättest befohlen	befehlt!
er habe befohlen	er hätte befohlen	befehlen Sie!
wir haben befohlen	wir hätten befohlen	befehlen wir!
ihr habet befohlen	ihr hättet befohlen	
sie haben befohlen	sie hätten befohlen	

BEGINNEN to begin 5

INDICATIVE

PRESENT
ich beginne
du beginnst
er beginnt
wir beginnen
ihr beginnt
sie beginnen

FUTURE
ich werde beginnen
du wirst beginnen
er wird beginnen
wir werden beginnen
ihr werdet beginnen
sie werden beginnen

PAST
ich begann
du begannst
er begann
wir begannen
ihr begannt
sie begannen

PRESENT PERFECT
ich habe begonnen
du hast begonnen
er hat begonnen
wir haben begonnen
ihr habt begonnen
sie haben begonnen

PAST PERFECT
ich hatte begonnen
du hattest begonnen
er hatte begonnen
wir hatten begonnen
ihr hattet begonnen
sie hatten begonnen

PRESENT INFINITIVE
beginnen

PAST INFINITIVE
begonnen haben

FUTURE PERFECT
ich werde begonnen haben
du wirst begonnen haben
er wird begonnen haben
wir werden begonnen haben
ihr werdet begonnen haben
sie werden begonnen haben

PRESENT PARTICIPLE
beginnend

PAST PARTICIPLE
begonnen

SUBJUNCTIVE

PRESENT I
ich beginne
du beginnest
er beginne
wir beginnen
ihr beginnet
sie beginnen

PRESENT II
ich begänne
du begännest
er begänne
wir begännen
ihr begännet
sie begännen

PRESENT CONDITIONAL
ich würde beginnen
du würdest beginnen
er würde beginnen
wir würden beginnen
ihr würdet beginnen
sie würden beginnen

PAST I
ich habe begonnen
du habest begonnen
er habe begonnen
wir haben begonnen
ihr habet begonnen
sie haben begonnen

PAST II
ich hätte begonnen
du hättest begonnen
er hätte begonnen
wir hätten begonnen
ihr hättet begonnen
sie hätten begonnen

IMPERATIVE
beginn(e)!
beginnt!
beginnen Sie!
beginnen wir!

BEISSEN to bite

INDICATIVE

PRESENT

ich beiße
du beißt
er beißt
wir beißen
ihr beißt
sie beißen

FUTURE

ich werde beißen
du wirst beißen
er wird beißen
wir werden beißen
ihr werdet beißen
sie werden beißen

PAST

ich biß
du bissest
er biß
wir bissen
ihr bißt
sie bissen

PRESENT PERFECT

ich habe gebissen
du hast gebissen
er hat gebissen
wir haben gebissen
ihr habt gebissen
sie haben gebissen

PAST PERFECT

ich hatte gebissen
du hattest gebissen
er hatte gebissen
wir hatten gebissen
ihr hattet gebissen
sie hatten gebissen

*PRESENT
INFINITIVE*

beißen

*PAST
INFINITIVE*

gebissen haben

FUTURE PERFECT

ich werde gebissen haben
du wirst gebissen haben
er wird gebissen haben
wir werden gebissen haben
ihr werdet gebissen haben
sie werden gebissen haben

*PRESENT
PARTICIPLE*

beißend

*PAST
PARTICIPLE*

gebissen

SUBJUNCTIVE

PRESENT I

ich beiße
du beißest
er beiße
wir beißen
ihr beißet
sie beißen

PRESENT II

ich bisse
du bissest
er bisse
wir bissen
ihr bisset
sie bissen

*PRESENT
CONDITIONAL*

ich würde beißen
du würdest beißen
er würde beißen
wir würden beißen
ihr würdet beißen
sie würden beißen

PAST I

ich habe gebissen
du habest gebissen
er habe gebissen
wir haben gebissen
ihr habet gebissen
sie haben gebissen

PAST II

ich hätte gebissen
du hättest gebissen
er hätte gebissen
wir hätten gebissen
ihr hättet gebissen
sie hätten gebissen

IMPERATIVE

beiß(e)!
beißt!
beißen Sie!
beißen wir!

BERGEN to salvage 7

INDICATIVE

PRESENT	**FUTURE**	**PAST**
ich berge	ich werde bergen	ich barg
du birgst	du wirst bergen	du bargest
er birgt	er wird bergen	er barg
wir bergen	wir werden bergen	wir bargen
ihr bergt	ihr werdet bergen	ihr bargt
sie bergen	sie werden bergen	sie bargen

PRESENT PERFECT	**PAST PERFECT**	
ich habe geborgen	ich hatte geborgen	***PRESENT INFINITIVE***
du hast geborgen	du hattest geborgen	bergen
er hat geborgen	er hatte geborgen	
wir haben geborgen	wir hatten geborgen	***PAST INFINITIVE***
ihr habt geborgen	ihr hattet geborgen	
sie haben geborgen	sie hatten geborgen	geborgen haben

FUTURE PERFECT		
ich werde geborgen haben		***PRESENT PARTICIPLE***
du wirst geborgen haben		bergend
er wird geborgen haben		
wir werden geborgen haben		***PAST PARTICIPLE***
ihr werdet geborgen haben		
sie werden geborgen haben		geborgen

SUBJUNCTIVE

PRESENT I	**PRESENT II**	***PRESENT CONDITIONAL***
ich berge	ich bärge	ich würde bergen
du bergest	du bärgest	du würdest bergen
er berge	er bärge	er würde bergen
wir bergen	wir bärgen	wir würden bergen
ihr berget	ihr bärget	ihr würdet bergen
sie bergen	sie bärgen	sie würden bergen

PAST I	**PAST II**	***IMPERATIVE***
ich habe geborgen	ich hätte geborgen	birg!
du habest geborgen	du hättest geborgen	bergt!
er habe geborgen	er hätte geborgen	bergen Sie!
wir haben geborgen	wir hätten geborgen	bergen wir!
ihr habet geborgen	ihr hättet geborgen	
sie haben geborgen	sie hätten geborgen	

INDICATIVE

PRESENT	**FUTURE**	**PAST**
ich berste	ich werde bersten	ich barst
du birst	du wirst bersten	du barstest
er birst	er wird bersten	er barst
wir bersten	wir werden bersten	wir barsten
ihr berstet	ihr werdet bersten	ihr barstet
sie bersten	sie werden bersten	sie barsten

PRESENT PERFECT	**PAST PERFECT**	*PRESENT INFINITIVE*
ich bin geborsten	ich war geborsten	bersten
du bist geborsten	du warst geborsten	
er ist geborsten	er war geborsten	*PAST INFINITIVE*
wir sind geborsten	wir waren geborsten	geborsten sein
ihr seid geborsten	ihr wart geborsten	
sie sind geborsten	sie waren geborsten	

FUTURE PERFECT		*PRESENT PARTICIPLE*
ich werde geborsten sein		berstend
du wirst geborsten sein		
er wird geborsten sein		*PAST PARTICIPLE*
wir werden geborsten sein		geborsten
ihr werdet geborsten sein		
sie werden geborsten sein		

SUBJUNCTIVE

PRESENT I	**PRESENT II**	*PRESENT CONDITIONAL*
ich berste	ich bärste	ich würde bersten
du berstest	du bärstest	du würdest bersten
er berste	er bärste	er würde bersten
wir bersten	wir bärsten	wir würden bersten
ihr berstet	ihr bärstet	ihr würdet bersten
sie bersten	sie bärsten	sie würden bersten

PAST I	**PAST II**	*IMPERATIVE*
ich sei geborsten	ich wäre geborsten	birst!
du sei(e)st geborsten	du wär(e)st geborsten	berstet!
er sei geborsten	er wäre geborsten	bersten Sie!
wir seien geborsten	wir wären geborsten	bersten wir!
ihr seiet geborsten	ihr wär(e)t geborsten	
sie seien geborsten	sie wären geborsten	

BEWEGEN to induce, to persuade 9

INDICATIVE

PRESENT	FUTURE	PAST
ich bewege	ich werde bewegen	ich bewog
du bewegst	du wirst bewegen	du bewogst
er bewegt	er wird bewegen	er bewog
wir bewegen	wir werden bewegen	wir bewogen
ihr bewegt	ihr werdet bewegen	ihr bewogt
sie bewegen	sie werden bewegen	sie bewogen

PRESENT PERFECT	PAST PERFECT	
ich habe bewogen	ich hatte bewogen	*PRESENT INFINITIVE*
du hast bewogen	du hattest bewogen	bewegen
er hat bewogen	er hatte bewogen	
wir haben bewogen	wir hatten bewogen	*PAST INFINITIVE*
ihr habt bewogen	ihr hattet bewogen	bewogen haben
sie haben bewogen	sie hatten bewogen	

FUTURE PERFECT		
ich werde bewogen haben		*PRESENT PARTICIPLE*
du wirst bewogen haben		bewegend
er wird bewogen haben		
wir werden bewogen haben		*PAST PARTICIPLE*
ihr werdet bewogen haben		
sie werden bewogen haben		bewogen

SUBJUNCTIVE

PRESENT I	PRESENT II	*PRESENT CONDITIONAL*
ich bewege	ich bewöge	ich würde bewegen
du bewegest	du bewögest	du würdest bewegen
er bewege	er bewöge	er würde bewegen
wir bewegen	wir bewögen	wir würden bewegen
ihr beweget	ihr bewöget	ihr würdet bewegen
sie bewegen	sie bewögen	sie würden bewegen

PAST I	PAST II	*IMPERATIVE*
ich habe bewogen	ich hätte bewogen	beweg(e)!
du habest bewogen	du hättest bewogen	bewegt!
er habe bewogen	er hätte bewogen	bewegen Sie!
wir haben bewogen	wir hätten bewogen	bewegen wir!
ihr habet bewogen	ihr hättet bewogen	
sie haben bewogen	sie hätten bewogen	

Note: other meaning: to move (weak conjugation: **ich bewegte** etc, **ich habe bewegt** etc)

INDICATIVE

PRESENT	**FUTURE**	**PAST**
ich biege	ich werde biegen	ich bog
du biegst	du wirst biegen	du bogst
er biegt	er wird biegen	er bog
wir biegen	wir werden biegen	wir bogen
ihr biegt	ihr werdet biegen	ihr bogt
sie biegen	sie werden biegen	sie bogen

PRESENT PERFECT	**PAST PERFECT**	*PRESENT INFINITIVE*
ich habe gebogen	ich hatte gebogen	biegen
du hast gebogen	du hattest gebogen	
er hat gebogen	er hatte gebogen	*PAST INFINITIVE*
wir haben gebogen	wir hatten gebogen	
ihr habt gebogen	ihr hattet gebogen	gebogen haben (5
sie haben gebogen	sie hatten gebogen	

FUTURE PERFECT		*PRESENT PARTICIPLE*
ich werde gebogen haben		biegend
du wirst gebogen haben		
er wird gebogen haben		*PAST PARTICIPLE*
wir werden gebogen haben		
ihr werdet gebogen haben		gebogen
sie werden gebogen haben		

SUBJUNCTIVE

PRESENT I	**PRESENT II**	*PRESENT CONDITIONAL*
ich biege	ich böge	ich würde biegen
du biegest	du bögest	du würdest biegen
er biege	er böge	er würde biegen
wir biegen	wir bögen	wir würden biegen
ihr bieget	ihr böget	ihr würdet biegen
sie biegen	sie bögen	sie würden biegen

PAST I	**PAST II**	*IMPERATIVE*
ich habe gebogen	ich hätte gebogen	bieg(e)!
du habest gebogen	du hättest gebogen	biegt!
er habe gebogen	er hätte gebogen	biegen Sie!
wir haben gebogen	wir hätten gebogen	biegen wir!
ihr habet gebogen	ihr hättet gebogen	
sie haben gebogen	sie hätten gebogen	

BIETEN to offer 11

INDICATIVE

PRESENT	**FUTURE**	**PAST**
ich biete	ich werde bieten	ich bot
du bietest	du wirst bieten	du bot(e)s
er bietet	er wird bieten	er bot
wir bieten	wir werden bieten	wir boten
ihr bietet	ihr werdet bieten	ihr botet
sie bieten	sie werden bieten	sie boten

PRESENT PERFECT	**PAST PERFECT**	*PRESENT INFINITIVE*
ich habe geboten	ich hatte geboten	bieten
du hast geboten	du hattest geboten	
er hat geboten	er hatte geboten	*PAST INFINITIVE*
wir haben geboten	wir hatten geboten	
ihr habt geboten	ihr hattet geboten	geboten haben
sie haben geboten	sie hatten geboten	

FUTURE PERFECT		*PRESENT PARTICIPLE*
ich werde geboten haben		bietend
du wirst geboten haben		
er wird geboten haben		
wir werden geboten haben		*PAST PARTICIPLE*
ihr werdet geboten haben		
sie werden geboten haben		geboten

SUBJUNCTIVE

PRESENT I	**PRESENT II**	*PRESENT CONDITIONAL*
ich biete	ich böte	ich würde bieten
du bietest	du bötest	du würdest bieten
er biete	er böte	er würde bieten
wir bieten	wir böten	wir würden bieten
ihr bietet	ihr bötet	ihr würdet bieten
sie bieten	sie böten	sie würden bieten

PAST I	**PAST II**	*IMPERATIVE*
ich habe geboten	ich hätte geboten	biet(e)!
du habest geboten	du hättest geboten	bietet!
er habe geboten	er hätte geboten	bieten Sie!
wir haben geboten	wir hätten geboten	bieten wir!
ihr habet geboten	ihr hättet geboten	
sie haben geboten	sie hätten geboten	

INDICATIVE

PRESENT	**FUTURE**	**PAST**
ich binde	ich werde binden	ich band
du bindest	du wirst binden	du bandst
er bindet	er wird binden	er band
wir binden	wir werden binden	wir banden
ihr bindet	ihr werdet binden	ihr bandet
sie binden	sie werden binden	sie banden

PRESENT PERFECT	**PAST PERFECT**	*PRESENT INFINITIVE*
ich habe gebunden	ich hatte gebunden	binden
du hast gebunden	du hattest gebunden	
er hat gebunden	er hatte gebunden	*PAST INFINITIVE*
wir haben gebunden	wir hatten gebunden	
ihr habt gebunden	ihr hattet gebunden	gebunden haben
sie haben gebunden	sie hatten gebunden	

FUTURE PERFECT		*PRESENT PARTICIPLE*
ich werde gebunden haben		bindend
du wirst gebunden haben		
er wird gebunden haben		*PAST PARTICIPLE*
wir werden gebunden haben		
ihr werdet gebunden haben		gebunden
sie werden gebunden haben		

SUBJUNCTIVE

PRESENT I	**PRESENT II**	*PRESENT CONDITIONAL*
ich binde	ich bände	ich würde binden
du bindest	du bändest	du würdest binden
er binde	er bände	er würde binden
wir binden	wir bänden	wir würden binden
ihr bindet	ihr bändet	ihr würdet binden
sie binden	sie bänden	sie würden binden

PAST I	**PAST II**	*IMPERATIVE*
ich habe gebunden	ich hätte gebunden	bind(e)!
du habest gebunden	du hättest gebunden	bindet!
er habe gebunden	er hätte gebunden	binden Sie!
wir haben gebunden	wir hätten gebunden	binden wir!
ihr habet gebunden	ihr hättet gebunden	
sie haben gebunden	sie hätten gebunden	

BITTEN to ask, to request 13

INDICATIVE

PRESENT	**FUTURE**	**PAST**
ich bitte	ich werde bitten	ich bat
du bittest	du wirst bitten	du bat(e)st
er bittet	er wird bitten	er bat
wir bitten	wir werden bitten	wir baten
ihr bittet	ihr werdet bitten	ihr batet
sie bitten	sie werden bitten	sie baten

PRESENT PERFECT	**PAST PERFECT**	
ich habe gebeten	ich hatte gebeten	*PRESENT INFINITIVE*
du hast gebeten	du hattest gebeten	bitten
er hat gebeten	er hatte gebeten	
wir haben gebeten	wir hatten gebeten	*PAST INFINITIVE*
ihr habt gebeten	ihr hattet gebeten	gebeten haben
sie haben gebeten	sie hatten gebeten	

FUTURE PERFECT	
ich werde gebeten haben	*PRESENT PARTICIPLE*
du wirst gebeten haben	bittend
er wird gebeten haben	
wir werden gebeten haben	*PAST PARTICIPLE*
ihr werdet gebeten haben	gebeten
sie werden gebeten haben	

SUBJUNCTIVE

PRESENT I	**PRESENT II**	*PRESENT CONDITIONAL*
ich bitte	ich bäte	ich würde bitten
du bittest	du bätest	du würdest bitten
er bitte	er bäte	er würde bitten
wir bitten	wir bäten	wir würden bitten
ihr bittet	ihr bätet	ihr würdet bitten
sie bitten	sie bäten	sie würden bitten

PAST I	**PAST II**	*IMPERATIVE*
ich habe gebeten	ich hätte gebeten	bitt(e)!
du habest gebeten	du hättest gebeten	bittet!
er habe gebeten	er hätte gebeten	bitten Sie!
wir haben gebeten	wir hätten gebeten	bitten wir!
ihr habet gebeten	ihr hättet gebeten	
sie haben gebeten	sie hätten gebeten	

INDICATIVE

PRESENT	FUTURE	PAST
ich blase	ich werde blasen	ich blies
du bläst	du wirst blasen	du bliesest
er bläst	er wird blasen	er blies
wir blasen	wir werden blasen	wir bliesen
ihr blast	ihr werdet blasen	ihr bliest
sie blasen	sie werden blasen	sie bliesen

PRESENT PERFECT	PAST PERFECT	
ich habe geblasen	ich hatte geblasen	*PRESENT INFINITIVE*
du hast geblasen	du hattest geblasen	blasen
er hat geblasen	er hatte geblasen	
wir haben geblasen	wir hatten geblasen	*PAST INFINITIVE*
ihr habt geblasen	ihr hattet geblasen	geblasen haben
sie haben geblasen	sie hatten geblasen	

FUTURE PERFECT		
ich werde geblasen haben		*PRESENT PARTICIPLE*
du wirst geblasen haben		blasend
er wird geblasen haben		
wir werden geblasen haben		*PAST PARTICIPLE*
ihr werdet geblasen haben		geblasen
sie werden geblasen haben		

SUBJUNCTIVE

PRESENT I	PRESENT II	*PRESENT CONDITIONAL*
ich blase	ich bliese	ich würde blasen
du blasest	du bliesest	du würdest blasen
er blase	er bliese	er würde blasen
wir blasen	wir bliesen	wir würden blasen
ihr blaset	ihr blieset	ihr würdet blasen
sie blasen	sie bliesen	sie würden blasen

PAST I	PAST II	*IMPERATIVE*
ich habe geblasen	ich hätte geblasen	blas(e)!
du habest geblasen	du hättest geblasen	blast!
er habe geblasen	er hätte geblasen	blasen Sie!
wir haben geblasen	wir hätten geblasen	blasen wir!
ihr habet geblasen	ihr hättet geblasen	
sie haben geblasen	sie hätten geblasen	

BLEIBEN to stay, to remain   15

INDICATIVE

PRESENT
ich bleibe
du bleibst
er bleibt
wir bleiben
ihr bleibt
sie bleiben

FUTURE
ich werde bleiben
du wirst bleiben
er wird bleiben
wir werden bleiben
ihr werdet bleiben
sie werden bleiben

PAST
ich blieb
du bliebst
er blieb
wir blieben
ihr bliebt
sie blieben

PRESENT PERFECT
ich bin geblieben
du bist geblieben
er ist geblieben
wir sind geblieben
ihr seid geblieben
sie sind geblieben

PAST PERFECT
ich war geblieben
du warst geblieben
er war geblieben
wir waren geblieben
ihr wart geblieben
sie waren geblieben

PRESENT INFINITIVE
bleiben

PAST INFINITIVE
geblieben sein

FUTURE PERFECT
ich werde geblieben sein
du wirst geblieben sein
er wird geblieben sein
wir werden geblieben sein
ihr werdet geblieben sein
sie werden geblieben sein

PRESENT PARTICIPLE
bleibend

PAST PARTICIPLE
geblieben

SUBJUNCTIVE

PRESENT I
ich bleibe
du bleibest
er bleibe
wir bleiben
ihr bleibet
sie bleiben

PRESENT II
ich bliebe
du bliebest
er bliebe
wir blieben
ihr bliebet
sie blieben

PRESENT CONDITIONAL
ich würde bleiben
du würdest bleiben
er würde bleiben
wir würden bleiben
ihr würdet bleiben
sie würden bleiben

PAST I
ich sei geblieben
du sei(e)st geblieben
er sei geblieben
wir seien geblieben
ihr seiet geblieben
sie seien geblieben

PAST II
ich wäre geblieben
du wär(e)st geblieben
er wäre geblieben
wir wären geblieben
ihr wär(e)t geblieben
sie wären geblieben

IMPERATIVE
bleib(e)!
bleibt!
bleiben Sie!
bleiben wir!

INDICATIVE

PRESENT	**FUTURE**	**PAST**
ich brate	ich werde braten	ich briet
du brätst	du wirst braten	du brietst
er brät	er wird braten	er briet
wir braten	wir werden braten	wir brieten
ihr bratet	ihr werdet braten	ihr brietet
sie braten	sie werden braten	sie brieten

PRESENT PERFECT	**PAST PERFECT**	*PRESENT INFINITIVE*
ich habe gebraten	ich hatte gebraten	braten
du hast gebraten	du hattest gebraten	
er hat gebraten	er hatte gebraten	*PAST INFINITIVE*
wir haben gebraten	wir hatten gebraten	
ihr habt gebraten	ihr hattet gebraten	gebraten haben
sie haben gebraten	sie hatten gebraten	

FUTURE PERFECT		*PRESENT PARTICIPLE*
ich werde gebraten haben		bratend
du wirst gebraten haben		
er wird gebraten haben		*PAST PARTICIPLE*
wir werden gebraten haben		
ihr werdet gebraten haben		gebraten
sie werden gebraten haben		

SUBJUNCTIVE

PRESENT I	**PRESENT II**	*PRESENT CONDITIONAL*
ich brate	ich briete	ich würde braten
du bratest	du brietest	du würdest braten
er brate	er briete	er würde braten
wir braten	wir brieten	wir würden braten
ihr bratet	ihr brietet	ihr würdet braten
sie braten	sie brieten	sie würden braten

PAST I	**PAST II**	*IMPERATIVE*
ich habe gebraten	ich hätte gebraten	brat(e)!
du habest gebraten	du hättest gebraten	bratet!
er habe gebraten	er hätte gebraten	braten Sie!
wir haben gebraten	wir hätten gebraten	braten wir!
ihr habet gebraten	ihr hättet gebraten	
sie haben gebraten	sie hätten gebraten	

BRECHEN to break, to vomit · 17

INDICATIVE

PRESENT
ich breche
du brichst
er bricht
wir brechen
ihr brecht
sie brechen

FUTURE
ich werde brechen
du wirst brechen
er wird brechen
wir werden brechen
ihr werdet brechen
sie werden brechen

PAST
ich brach
du brachst
er brach
wir brachen
ihr bracht
sie brachen

PRESENT PERFECT
ich habe gebrochen
du hast gebrochen
er hat gebrochen
wir haben gebrochen
ihr habt gebrochen
sie haben gebrochen

PAST PERFECT
ich hatte gebrochen
du hattest gebrochen
er hatte gebrochen
wir hatten gebrochen
ihr hattet gebrochen
sie hatten gebrochen

PRESENT INFINITIVE
brechen

PAST INFINITIVE
gebrochen haben

FUTURE PERFECT
ich werde gebrochen haben
du wirst gebrochen haben
er wird gebrochen haben
wir werden gebrochen haben
ihr werdet gebrochen haben
sie werden gebrochen haben

PRESENT PARTICIPLE
brechend

PAST PARTICIPLE
gebrochen

SUBJUNCTIVE

PRESENT I
ich breche
du brechest
er breche
wir brechen
ihr brechet
sie brechen

PRESENT II
ich bräche
du brächest
er bräche
wir brächen
ihr brächet
sie brächen

PRESENT CONDITIONAL
ich würde brechen
du würdest brechen
er würde brechen
wir würden brechen
ihr würdet brechen
sie würden brechen

PAST I
ich habe gebrochen
du habest gebrochen
er habe gebrochen
wir haben gebrochen
ihr habet gebrochen
sie haben gebrochen

PAST II
ich hätte gebrochen
du hättest gebrochen
er hätte gebrochen
wir hätten gebrochen
ihr hättet gebrochen
sie hätten gebrochen

IMPERATIVE
brich!
brecht!
brechen Sie!
brechen wir!

INDICATIVE

PRESENT
ich brenne
du brennst
er brennt
wir brennen
ihr brennt
sie brennen

FUTURE
ich werde brennen
du wirst brennen
er wird brennen
wir werden brennen
ihr werdet brennen
sie werden brennen

PAST
ich brannte
du branntest
er brannte
wir brannten
ihr branntet
sie brannten

PRESENT PERFECT
ich habe gebrannt
du hast gebrannt
er hat gebrannt
wir haben gebrannt
ihr habt gebrannt
sie haben gebrannt

PAST PERFECT
ich hatte gebrannt
du hattest gebrannt
er hatte gebrannt
wir hatten gebrannt
ihr hattet gebrannt
sie hatten gebrannt

PRESENT INFINITIVE
brennen

PAST INFINITIVE
gebrannt haben

FUTURE PERFECT
ich werde gebrannt haben
du wirst gebrannt haben
er wird gebrannt haben
wir werden gebrannt haben
ihr werdet gebrannt haben
sie werden gebrannt haben

PRESENT PARTICIPLE
brennend

PAST PARTICIPLE
gebrannt

SUBJUNCTIVE

PRESENT I
ich brenne
du brennest
er brenne
wir brennen
ihr brennet
sie brennen

PRESENT II
ich brennte
du brenntest
er brennte
wir brennten
ihr brenntet
sie brennten

PRESENT CONDITIONAL
ich würde brennen
du würdest brennen
er würde brennen
wir würden brennen
ihr würdet brennen
sie würden brennen

PAST I
ich habe gebrannt
du habest gebrannt
er habe gebrannt
wir haben gebrannt
ihr habet gebrannt
sie haben gebrannt

PAST II
ich hätte gebrannt
du hättest gebrannt
er hätte gebrannt
wir hätten gebrannt
ihr hättet gebrannt
sie hätten gebrannt

IMPERATIVE
brenn(e)!
brennt!
brennen Sie!
brennen wir!

BRINGEN to bring **19**

INDICATIVE

PRESENT	**FUTURE**	**PAST**
ich bringe	ich werde bringen	ich brachte
du bringst	du wirst bringen	du brachtest
er bringt	er wird bringen	er brachte
wir bringen	wir werden bringen	wir brachten
ihr bringt	ihr werdet bringen	ihr brachtet
sie bringen	sie werden bringen	sie brachten

PRESENT PERFECT	**PAST PERFECT**	*PRESENT INFINITIVE*
ich habe gebracht	ich hatte gebracht	bringen
du hast gebracht	du hattest gebracht	
er hat gebracht	er hatte gebracht	*PAST INFINITIVE*
wir haben gebracht	wir hatten gebracht	
ihr habt gebracht	ihr hattet gebracht	gebracht haben
sie haben gebracht	sie hatten gebracht	

FUTURE PERFECT

PRESENT PARTICIPLE

ich werde gebracht haben
du wirst gebracht haben
er wird gebracht haben — bringend
wir werden gebracht haben
ihr werdet gebracht haben

PAST PARTICIPLE

sie werden gebracht haben — gebracht

SUBJUNCTIVE

PRESENT I	**PRESENT II**	*PRESENT CONDITIONAL*
ich bringe	ich brächte	ich würde bringen
du bringest	du brächtest	du würdest bringen
er bringe	er brächte	er würde bringen
wir bringen	wir brächten	wir würden bringen
ihr bringet	ihr brächtet	ihr wurdet bringen
sie bringen	sie brächten	sie würden bringen

PAST I	**PAST II**	*IMPERATIVE*
ich habe gebracht	ich hätte gebracht	bring(e)!
du habest gebracht	du hättest gebracht	bringt!
er habe gebracht	er hätte gebracht	bringen Sie!
wir haben gebracht	wir hätten gebracht	bringen wir!
ihr habet gebracht	ihr hättet gebracht	
sie haben gebracht	sie hätten gebracht	

20   BÜSSEN to atone for

INDICATIVE
PRESENT

ich büße
du büßt
er büßt
wir büßen
ihr büßt
sie büßen

FUTURE

ich werde büßen
du wirst büßen
er wird büßen
wir werden büßen
ihr werdet büßen
sie werden büßen

PAST

ich büßte
du büßtest
er büßte
wir büßten
ihr büßtet
sie büßten

PRESENT PERFECT

ich habe gebüßt
du hast gebüßt
er hat gebüßt
wir haben gebüßt
ihr habt gebüßt
sie haben gebüßt

PAST PERFECT

ich hatte gebüßt
du hattest gebüßt
er hatte gebüßt
wir hatten gebüßt
ihr hattet gebüßt
sie hatten gebüßt

PRESENT
INFINITIVE

büßen

PAST
INFINITIVE

gebüßt haben

FUTURE PERFECT

ich werde gebüßt haben
du wirst gebüßt haben
er wird gebüßt haben
wir werden gebüßt haben
ihr werdet gebüßt haben
sie werden gebüßt haben

PRESENT
PARTICIPLE

büßend

PAST
PARTICIPLE

gebüßt

SUBJUNCTIVE
PRESENT I

ich büße
du büßest
er büße
wir büßen
ihr büßet
sie büßen

PRESENT II

ich büßte
du büßtest
er büßte
wir büßten
ihr büßtet
sie büßten

PRESENT
CONDITIONAL

ich würde büßen
du würdest büßen
er würde büßen
wir würden büßen
ihr würdet büßen
sie würden büßen

PAST I

ich habe gebüßt
du habest gebüßt
er habe gebüßt
wir haben gebüßt
ihr habet gebüßt
sie haben gebüßt

PAST II

ich hätte gebüßt
du hättest gebüßt
er hätte gebüßt
wir hätten gebüßt
ihr hättet gebüßt
sie hätten gebüßt

IMPERATIVE

büß(e)!
büßt!
büßen Sie!
büßen wir!

DENKEN to think 21

INDICATIVE

PRESENT
ich denke
du denkst
er denkt
wir denken
ihr denkt
sie denken

FUTURE
ich werde denken
du wirst denken
er wird denken
wir werden denken
ihr werdet denken
sie werden denken

PAST
ich dachte
du dachtest
er dachte
wir dachten
ihr dachtet
sie dachten

PRESENT PERFECT
ich habe gedacht
du hast gedacht
er hat gedacht
wir haben gedacht
ihr habt gedacht
sie haben gedacht

PAST PERFECT
ich hatte gedacht
du hattest gedacht
er hatte gedacht
wir hatten gedacht
ihr hattet gedacht
sie hatten gedacht

PRESENT
INFINITIVE
denken

PAST
INFINITIVE
gedacht haben

FUTURE PERFECT
ich werde gedacht haben
du wirst gedacht haben
er wird gedacht haben
wir werden gedacht haben
ihr werdet gedacht haben
sie werden gedacht haben

PRESENT
PARTICIPLE
denkend

PAST
PARTICIPLE
gedacht

SUBJUNCTIVE

PRESENT I
ich denke
du denkest
er denke
wir denken
ihr denket
sie denken

PRESENT II
ich dächte
du dächtest
er dächte
wir dächten
ihr dächtet
sie dächten

PRESENT
CONDITIONAL
ich würde denken
du würdest denken
er würde denken
wir würden denken
ihr würdet denken
sie würden denken

PAST I
ich habe gedacht
du habest gedacht
er habe gedacht
wir haben gedacht
ihr habet gedacht
sie haben gedacht

PAST II
ich hätte gedacht
du hättest gedacht
er hätte gedacht
wir hätten gedacht
ihr hättet gedacht
sie hätten gedacht

IMPERATIVE
denk(e)!
denkt!
denken Sie!
denken wir!

INDICATIVE

PRESENT	**FUTURE**	**PAST**
ich dresche	ich werde dreschen	ich drosch
du drischst	du wirst dreschen	du droschst
er drischt	er wird dreschen	er drosch
wir dreschen	wir werden dreschen	wir droschen
ihr drescht	ihr werdet dreschen	ihr droscht
sie dreschen	sie werden dreschen	sie droschen

PRESENT PERFECT	**PAST PERFECT**	*PRESENT INFINITIVE*
ich habe gedroschen	ich hatte gedroschen	dreschen
du hast gedroschen	du hattest gedroschen	
er hat gedroschen	er hatte gedroschen	*PAST INFINITIVE*
wir haben gedroschen	wir hatten gedroschen	
ihr habt gedroschen	ihr hattet gedroschen	gedroschen haben
sie haben gedroschen	sie hatten gedroschen	

FUTURE PERFECT	*PRESENT PARTICIPLE*
ich werde gedroschen haben	dreschend
du wirst gedroschen haben	
er wird gedroschen haben	*PAST PARTICIPLE*
wir werden gedroschen haben	
ihr werdet gedroschen haben	gedroschen
sie werden gedroschen haben	

SUBJUNCTIVE

PRESENT I	**PRESENT II**	*PRESENT CONDITIONAL*
ich dresche	ich drösche	ich würde dreschen
du dreschest	du dröschest	du würdest dreschen
er dresche	er drösche	er würde dreschen
wir dreschen	wir dröschen	wir würden dreschen
ihr dreschet	ihr dröschet	ihr würdet dreschen
sie dreschen	sie dröschen	sie würden dreschen

PAST I	**PAST II**	*IMPERATIVE*
ich habe gedroschen	ich hätte gedroschen	drisch!
du habest gedroschen	du hättest gedroschen	drescht!
er habe gedroschen	er hätte gedroschen	dreschen Sie!
wir haben gedroschen	wir hätten gedroschen	dreschen wir!
ihr habet gedroschen	ihr hättet gedroschen	
sie haben gedroschen	sie hätten gedroschen	

DRINGEN to penetrate

INDICATIVE

PRESENT
ich dringe
du dringst
er dringt
wir dringen
ihr dringt
sie dringen

FUTURE
ich werde dringen
du wirst dringen
er wird dringen
wir werden dringen
ihr werdet dringen
sie werden dringen

PAST
ich drang
du drangst
er drang
wir drangen
ihr drangt
sie drangen

PRESENT PERFECT
ich bin gedrungen
du bist gedrungen
er ist gedrungen
wir sind gedrungen
ihr seid gedrungen
sie sind gedrungen

PAST PERFECT
ich war gedrungen
du warst gedrungen
er war gedrungen
wir waren gedrungen
ihr wart gedrungen
sie waren gedrungen

*PRESENT
INFINITIVE*
dringen

*PAST
INFINITIVE*
gedrungen sein

FUTURE PERFECT
ich werde gedrungen sein
du wirst gedrungen sein
er wird gedrungen sein
wir werden gedrungen sein
ihr werdet gedrungen sein
sie werden gedrungen sein

*PRESENT
PARTICIPLE*
dringend

*PAST
PARTICIPLE*
gedrungen

SUBJUNCTIVE

PRESENT I
ich dringe
du dringest
er dringe
wir dringen
ihr dringet
sie dringen

PRESENT II
ich dränge
du drängest
er dränge
wir drängen
ihr dränget
sie drängen

*PRESENT
CONDITIONAL*
ich würde dringen
du würdest dringen
er würde dringen
wir würden dringen
ihr würdet dringen
sie würden dringen

PAST I
ich sei gedrungen
du sei(e)st gedrungen
er sei gedrungen
wir seien gedrungen
ihr seiet gedrungen
sie seien gedrungen

PAST II
ich wäre gedrungen
du wär(e)st gedrungen
er wäre gedrungen
wir wären gedrungen
ihr wär(e)t gedrungen
sie wären gedrungen

IMPERATIVE
dring(e)!
dringt!
dringen Sie!
dringen wir!

DÜRFEN to be allowed to

INDICATIVE

PRESENT

ich darf
du darfst
er darf
wir dürfen
ihr dürft
sie dürfen

FUTURE

ich werde dürfen
du wirst dürfen
er wird dürfen
wir werden dürfen
ihr werdet dürfen
sie werden dürfen

PAST

ich durfte
du durftest
er durfte
wir durften
ihr durftet
sie durften

PRESENT PERFECT

ich habe gedurft
du hast gedurft
er hat gedurft
wir haben gedurft
ihr habt gedurft
sie haben gedurft

PAST PERFECT

ich hatte gedurft
du hattest gedurft
er hatte gedurft
wir hatten gedurft
ihr hattet gedurft
sie hatten gedurft

PRESENT INFINITIVE

dürfen

PAST INFINITIVE

gedurft haben

FUTURE PERFECT

PRESENT PARTICIPLE

dürfend

PAST PARTICIPLE

gedurft

SUBJUNCTIVE

PRESENT I

ich dürfe
du dürfest
er dürfe
wir dürfen
ihr dürfet
sie dürfen

PRESENT II

ich dürfte
du dürftest
er dürfte
wir dürften
ihr dürftet
sie dürften

PRESENT CONDITIONAL

ich würde dürfen
du würdest dürfen
er würde dürfen
wir würden dürfen
ihr würdet dürfen
sie würden dürfen

PAST I

ich habe gedurft
du habest gedurft
er habe gedurft
wir haben gedurft
ihr habet gedurft
sie haben gedurft

PAST II

ich hätte gedurft
du hättest gedurft
er hätte gedurft
wir hätten gedurft
ihr hättet gedurft
sie hätten gedurft

IMPERATIVE

NOTES

1   MEANING

to be allowed to, may

2   USAGE

a *transitive/intransitive verb* (past participle **gedurft**). Often **dürfen** can be used on its own if the verb omitted can be inferred:

darf er das?	is he allowed to do that?
darf ich?	may I?
ich habe (das) nicht gedurft	I wasn't allowed to (do that)

b *modal verb* (past participle **dürfen**):

darf ich rauchen?	may I smoke?
darf ich Ihren Paß sehen?	may I see your passport?
wenn ich Sie bitten dürfte ...	if I could ask you ...

When used in negative expressions, it is the equivalent of must not:

das darfst du nicht tun	you mustn't do that
hier darf man nicht radfahren	cycling is prohibited here
sie darf nichts davon wissen	she mustn't know anything about it

The present subjunctive expresses a supposition or a possibility:

das dürfte der Postmann sein	that should be the postman
morgen dürfte es schneien	it'll probably snow tomorrow
er dürfte das Rennen gewinnen	he could well win the race

3   PHRASES AND IDIOMS

darf ich bitten?	may I have the pleasure (of this dance)?
was darf es sein?	can I help you?, what can I get you?
da darf man sich nicht wundern, wenn ...	it should come as no surprise if ...
das darf nicht wahr sein!	that can't be true!

DUZEN to address with "du"

INDICATIVE

PRESENT

ich duze
du duzt
er duzt
wir duzen
ihr duzt
sie duzen

FUTURE

ich werde duzen
du wirst duzen
er wird duzen
wir werden duzen
ihr werdet duzen
sie werden duzen

PAST

ich duzte
du duztest
er duzte
wir duzten
ihr duztet
sie duzten

PRESENT PERFECT

ich habe geduzt
du hast geduzt
er hat geduzt
wir haben geduzt
ihr habt geduzt
sie haben geduzt

PAST PERFECT

ich hatte geduzt
du hattest geduzt
er hatte geduzt
wir hatten geduzt
ihr hattet geduzt
sie hatten geduzt

**PRESENT
INFINITIVE**

duzen

**PAST
INFINITIVE**

geduzt haben

FUTURE PERFECT

ich werde geduzt habe
du wirst geduzt haben
er wird geduzt haben
wir werden geduzt haben
ihr werdet geduzt haben
sie werden geduzt haben

**PRESENT
PARTICIPLE**

duzend

**PAST
PARTICIPLE**

geduzt

SUBJUNCTIVE

PRESENT I

ich duze
du duzest
er duze
wir duzen
ihr duzet
sie duzen

PRESENT II

ich duzte
du duztest
er duzte
wir duzten
ihr duztet
sie duzten

**PRESENT
CONDITIONAL**

ich würde duzen
du würdest duzen
er würde duzen
wir würden duzen
ihr würdet duzen
sie würden duzen

PAST I

ich habe geduzt
du habest geduzt
er habe geduzt
wir haben geduzt
ihr habet geduzt
sie haben geduzt

PAST II

ich hätte geduzt
du hättest geduzt
er hätte geduzt
wir hätten geduzt
ihr hättet geduzt
sie hätten geduzt

IMPERATIVE

duz(e)!
duzt!
duzen Sie!
duzen wir!

INDICATIVE

PRESENT	**FUTURE**	**PAST**
ich empfehle	ich werde empfehlen	ich empfahl
du empfiehlst	du wirst empfehlen	du empfahlst
er empfiehlt	er wird empfehlen	er empfahl
wir empfehlen	wir werden empfehlen	wir empfahlen
ihr empfehlt	ihr werdet empfehlen	ihr empfahlt
sie empfehlen	sie werden empfehlen	sie empfahlen

PRESENT PERFECT	**PAST PERFECT**	*PRESENT INFINITIVE*
ich habe empfohlen	ich hatte empfohlen	empfehlen
du hast empfohlen	du hattest empfohlen	
er hat empfohlen	er hatte empfohlen	*PAST INFINITIVE*
wir haben empfohlen	wir hatten empfohlen	empfohlen haben
ihr habt empfohlen	ihr hattet empfohlen	
sie haben empfohlen	sie hatten empfohlen	

FUTURE PERFECT		*PRESENT PARTICIPLE*
ich werde empfohlen haben		empfehlend
du wirst empfohlen haben		
er wird empfohlen haben		*PAST PARTICIPLE*
wir werden empfohlen haben		empfohlen
ihr werdet empfohlen haben		
sie werden empfohlen haben		

SUBJUNCTIVE

PRESENT I	**PRESENT II**	*PRESENT CONDITIONAL*
ich empfehle	ich empföhle	ich würde empfehlen
du empfehlest	du empföhlest	du würdest empfehlen
er empfehle	er empföhle	er würde empfehlen
wir empfehlen	wir empföhlen	wir würden empfehlen
ihr empfehlet	ihr empföhlet	ihr würdet empfehlen
sie empfehlen	sie empföhlen	sie würden empfehlen

PAST I	**PAST II**	*IMPERATIVE*
ich habe empfohlen	ich hätte empfohlen	empfehl(e)!
du habest empfohlen	du hättest empfohlen	empfehlt!
er habe empfohlen	er hätte empfohlen	empfehlen Sie!
wir haben empfohlen	wir hätten empfohlen	empfehlen wir!
ihr habet empfohlen	ihr hättet empfohlen	
sie haben empfohlen	sie hätten empfohlen	

INDICATIVE

PRESENT	FUTURE	PAST
ich entspanne	ich werde entspannen	ich entspannte
du entspannst	du wirst entspannen	du entspanntest
er entspannt	er wird entspannen	er entspannte
wir entspannen	wir werden entspannen	wir entspannten
ihr entspannt	ihr werdet entspannen	ihr entspanntet
sie entspannen	sie werden entspannen	sie entspannten

PRESENT PERFECT	PAST PERFECT	PRESENT INFINITIVE
ich habe entspannt	ich hatte entspannt	entspannen
du hast entspannt	du hattest entspannt	
er hat entspannt	er hatte entspannt	PAST INFINITIVE
wir haben entspannt	wir hatten entspannt	entspannt haben
ihr habt entspannt	ihr hattet entspannt	
sie haben entspannt	sie hatten entspannt	

FUTURE PERFECT

ich werde entspannt haben
du wirst entspannt haben
er wird entspannt haben
wir werden entspannt haben
ihr werdet entspannt haben
sie werden entspannt haben

PRESENT PARTICIPLE
entspannend

PAST PARTICIPLE
entspannt

SUBJUNCTIVE

PRESENT I	PRESENT II	PRESENT CONDITIONAL
ich entspanne	ich entspannte	ich würde entspannen
du entspannest	du entspanntest	du würdest entspannen
er entspanne	er entspannte	er würde entspannen
wir entspannen	wir entspannten	wir würden entspannen
ihr entspannet	ihr entspanntet	ihr würdet entspannen
sie entspannen	sie entspannten	sie würden entspannen

PAST I	PAST II	IMPERATIVE
ich habe entspannt	ich hätte entspannt	entspann(e)!
du habest entspannt	du hättest entspannt	entspannt!
er habe entspannt	er hätte entspannt	entspannen Sie!
wir haben entspannt	wir hätten entspannt	entspannen wir!
ihr habet entspannt	ihr hättet entspannt	
sie haben entspannt	sie hätten entspannt	

ERLAUBEN to allow · 28

INDICATIVE

PRESENT
ich erlaube
du erlaubst
er erlaubt
wir erlauben
ihr erlaubt
sie erlauben

FUTURE
ich werde erlauben
du wirst erlauben
er wird erlauben
wir werden erlauben
ihr werdet erlauben
sie werden erlauben

PAST
ich erlaubte
du erlaubtest
er erlaubte
wir erlaubten
ihr erlaubtet
sie erlaubten

PRESENT PERFECT
ich habe erlaubt
du hast erlaubt
er hat erlaubt
wir haben erlaubt
ihr habt erlaubt
sie haben erlaubt

PAST PERFECT
ich hatte erlaubt
du hattest erlaubt
er hatte erlaubt
wir hatten erlaubt
ihr hattet erlaubt
sie hatten erlaubt

PRESENT INFINITIVE
erlauben

PAST INFINITIVE
erlaubt haben

FUTURE PERFECT
ich werde erlaubt haben
du wirst erlaubt haben
er wird erlaubt haben
wir werden erlaubt haben
ihr werdet erlaubt haben
sie werden erlaubt haben

PRESENT PARTICIPLE
erlaubend

PAST PARTICIPLE
erlaubt

SUBJUNCTIVE

PRESENT I
ich erlaube
du erlaubest
er erlaube
wir erlauben
ihr erlaubet
sie erlauben

PRESENT II
ich erlaubte
du erlaubtest
er erlaubte
wir erlaubten
ihr erlaubten
sie erlaubten

PRESENT CONDITIONAL
ich würde erlauben
du würdest erlauben
er würde erlauben
wir würden erlauben
ihr würdet erlauben
sie würden erlauben

PAST I
ich habe erlaubt
du habest erlaubt
er habe erlaubt
wir haben erlaubt
ihr habet erlaubt
sie haben erlaubt

PAST II
ich hätte erlaubt
du hättest erlaubt
er hätte erlaubt
wir hätten erlaubt
ihr hättet erlaubt
sie hätten erlaubt

IMPERATIVE
erlaub(e)!
erlaubt!
erlauben Sie!
erlauben wir!

29   **ERSCHRECKEN** to be startled

INDICATIVE

PRESENT

ich erchrecke
du erschrickst
er erschrickt
wir erschrecken
ihr erschreckt
sie erschrecken

FUTURE

ich werde erschrecken
du wirst erschrecken
er wird erschrecken
wir werden erschrecken
ihr werdet erschrecken
sie werden erschrecken

PAST

ich erschrak
du erschrakst
er erschrak
wir erschraken
ihr erschrakt
sie erschraken

PRESENT PERFECT

ich bin erschrocken
du bist erschrocken
er ist erschrocken
wir sind erschrocken
ihr seid erschrocken
sie sind erschrocken

PAST PERFECT

ich war erschrocken
du warst erschrocken
er war erschrocken
wir waren erschrocken
ihr wart erschrocken
sie waren erschrocken

PRESENT INFINITIVE

erschrecken

PAST INFINITIVE

erschrocken sein

FUTURE PERFECT

ich werde erschrocken sein
du wirst erschrocken sein
er wird erschrocken sein
wir werden erschrocken sein
ihr werdet erschrocken sein
sie werden erschrocken sein

PRESENT PARTICIPLE

erschreckend

PAST PARTICIPLE

erschrocken

SUBJUNCTIVE

PRESENT I

ich erschrecke
du erschreckst
er erschreckt
wir erschrecken
ihr erschrecket
sie erschrecken

PRESENT II

ich erschräke
du erschräkest
er erschräke
wir erschräken
ihr erschräket
sie erschräken

PRESENT CONDITIONAL

ich würde erschrecken
du würdest erschrecken
er würde erschrecken
wir würden erschrecken
ihr würdet erschrecken
sie würden erschrecken

PAST I

ich sei erschrocken
du sei(e)st erschrocken
er sei erschrocken
wir seien erschrocken
ihr seiet erschrocken
sie seien erschrocken

PAST II

ich wäre erschrocken
du wär(e)st erschrocken
er wäre erschrocken
wir wären erschrocken
ihr wär(e)t erschrocken
sie wären erschrocken

IMPERATIVE

erschreck(e)!
erschreckt!
erschrecken Sie!
erschrecken wir!

Note: other meaning: to frighten (weak conjugation: **ich erschreckte** etc, **ich habe erschreckt** etc); **zurückschrecken**[2] – past participle is **geschrocken**

ERWÄGEN to weigh up, to consider 30

INDICATIVE

PRESENT
ich erwäge
du erwägst
er erwägt
wir erwägen
ihr erwägt
sie erwägen

FUTURE
ich werde erwägen
du wirst erwägen
er wird erwägen
wir werden erwägen
ihr werdet erwägen
sie werden erwägen

PAST
ich erwog
du erwogst
er erwog
wir erwogen
ihr erwogt
sie erwogen

PRESENT PERFECT
ich habe erwogen
du hast erwogen
er hat erwogen
wir haben erwogen
ihr habt erwogen
sie haben erwogen

PAST PERFECT
ich hatte erwogen
du hattest erwogen
er hatte erwogen
wir hatten erwogen
ihr hattet erwogen
sie hatten erwogen

PRESENT INFINITIVE
erwägen

PAST INFINITIVE
erwogen haben

FUTURE PERFECT
ich werde erwogen haben
du wirst erwogen haben
er wird erwogen haben
wir werden erwogen haben
ihr werdet erwogen haben
sie werden erwogen haben

PRESENT PARTICIPLE
erwägend

PAST PARTICIPLE
gewogen

SUBJUNCTIVE

PRESENT I
ich erwäge
du erwägest
er erwäge
wir erwägen
ihr erwäget
sie erwägen

PRESENT II
ich erwöge
du erwögest
er erwöge
wir erwögen
ihr erwöget
sie erwögen

PRESENT CONDITIONAL
ich würde erwägen
du würdest erwägen
er würde erwägen
wir würden erwägen
ihr würdet erwägen
sie würden erwägen

PAST I
ich habe erwogen
du habest erwogen
er habe erwogen
wir haben erwogen
ihr habet erwogen
sie haben erwogen

PAST II
ich hätte erwogen
du hättest erwogen
er hätte erwogen
wir hätten erwogen
ihr hättet erwogen
sie hätten erwogen

IMPERATIVE
erwäg(e)!
erwägt!
erwägen Sie!
erwägen wir!

Note: **wägen** – the past participle is **gewogen**

ESSEN to eat

INDICATIVE

PRESENT	**FUTURE**	**PAST**
ich esse	ich werde essen	ich aß
du ißt	du wirst essen	du aßest
er ißt	er wird essen	er aß
wir essen	wir werden essen	wir aßen
ihr eßt	ihr werdet essen	ihr aßt
sie essen	sie werden essen	sie aßen

PRESENT PERFECT	**PAST PERFECT**	
ich habe gegessen	ich hatte gegessen	*PRESENT INFINITIVE*
du hast gegessen	du hattest gegessen	essen
er hat gegessen	er hatte gegessen	
wir haben gegessen	wir hatten gegessen	*PAST INFINITIVE*
ihr habt gegessen	ihr hattet gegessen	gegessen haben
sie haben gegessen	sie hatten gegessen	

FUTURE PERFECT	
ich werde gegessen haben	*PRESENT PARTICIPLE*
du wirst gegessen haben	essend
er wird gegessen haben	
wir werden gegessen haben	
ihr werdet gegessen haben	*PAST PARTICIPLE*
sie werden gegessen haben	gegessen

SUBJUNCTIVE

PRESENT I	**PRESENT II**	*PRESENT CONDITIONAL*
ich esse	ich äße	ich würde essen
du essest	du äßest	du würdest essen
er esse	er äße	er würde essen
wir essen	wir äßen	wir würden essen
ihr esset	ihr äßet	ihr würdet essen
sie essen	sie äßen	sie würden essen

PAST I	**PAST II**	*IMPERATIVE*
ich habe gegessen	ich hätte gegessen	iß!
du habest gegessen	du hättest gegessen	eßt!
er habe gegessen	er hätte gegessen	essen Sie!
wir haben gegessen	wir hätten gegessen	essen wir!
ihr habet gegessen	ihr hättet gegessen	
sie haben gegessen	sie hätten gegessen	

NOTES

1 <u>MEANING</u>

to eat, to consume

2 <u>USAGE</u>

a *transitive/intransitive verb.*

ich esse gern(e) Schokolade	I like chocolate
sie ißt kein Fleisch	she doesn't eat meat
haben Sie schon gegessen?	have you already eaten?
was gibt es heute zu essen?	what are we having today? *(to eat)*
iche habe den ganzen Tag nichts gegessen	I haven't had anything to eat all day
es wird jetzt gegessen!	eat your food!
wir gehen jetzt essen	we are going for a meal
zu Mittag essen	to eat lunch
man ißt dort gut	they have good food there
beim Essen	while eating

b *reflexive verb:*

er hat sich satt gegessen	he ate his fill
sich krank essen	to over-indulge

3 <u>PHRASES AND IDIOMS</u>

es wird nichts so heiß gegessen, wie es gekocht wird	things are not as bad as they seem
fremdes Brot essen	to work for other people
wie ein Scheunendrescher essen	to eat like a horse
wes Brot ich ess', des Lied ich sing'	he who pays the piper calls the tune
mit ihm ist nicht gut Kirschen essen	it's best not to tangle with him

FAHREN to drive, to go

INDICATIVE

PRESENT	**FUTURE**	**PAST**
ich fahre	ich werde fahren	ich fuhr
du fährst	du wirst fahren	du fuhrst
er fährt	er wird fahren	er fuhr
wir fahren	wir werden fahren	wir fuhren
ihr fahrt	ihr werdet fahren	ihr fuhrt
sie fahren	sie werden fahren	sie fuhren

PRESENT PERFECT	**PAST PERFECT**	
ich bin gefahren	ich war gefahren	*PRESENT INFINITIVE*
du bist gefahren	du warst gefahren	fahren
er ist gefahren	er war gefahren	
wir sind gefahren	wir waren gefahren	*PAST INFINITIVE*
ihr seid gefahren	ihr wart gefahren	gefahren sein
sie sind gefahren	sie waren gefahren	

FUTURE PERFECT	
ich werde gefahren sein	*PRESENT PARTICIPLE*
du wirst gefahren sein	fahrend
er wird gefahren sein	
wir werden gefahren sein	*PAST PARTICIPLE*
ihr werdet gefahren sein	gefahren
sie werden gefahren sein	

SUBJUNCTIVE

PRESENT I	**PRESENT II**	*PRESENT CONDITIONAL*
ich fahre	ich führe	ich würde fahren
du fahrest	du führest	du würdest fahren
er fahre	er führe	er würde fahren
wir fahren	wir führen	wir würden fahren
ihr fahret	ihr führet	ihr würdet fahren
sie fahren	sie führen	sie würden fahren

PAST I	**PAST II**	*IMPERATIVE*
ich sei gefahren	ich wäre gefahren	fahr(e)!
du sei(e)st gefahren	du wär(e)st gefahren	fahrt!
er sei gefahren	er wäre gefahren	fahren Sie!
wir seien gefahren	wir wären gefahren	fahren wir!
ihr seiet gefahren	ihr wär(e)t gefahren	
sie seien gefahren	sie wären gefahren	

NOTES

1 MEANING

transitive: to drive *(a car, a bus, a train)*, to ride *(a bicycle, a motorbike)*
intransitive: to go, to travel, to drive; *(of a ship)* to sail

2 CONSTRUCTIONS

fahren mit — to go by *(car, train, motorbike etc)*
er fuhr mit dem Wagen — he went by car

fahren auf + *dative*
wir fahren auf der Autobahn — we are traveling on the autobahn

fahren auf + *accusative*
wir fahren auf die Autobahn — we drive onto the autobahn

3 USAGE

a *transitive verb* (auxiliary **haben**):

er hat das Auto in die Garage gefahren — he put the car in the garage
ich habe ihn nach Hause gefahren — I gave him a ride home

BUT auxiliary **sein**:

wir sind einen Umweg gefahren — we made a detour
welche Strecke ist der Bus gefahren? — which route did the bus take?

b *intransitive verb* (auxiliary **sein**):

wir fahren jetzt nach Hause — we're going home now
das Schiff fährt nach Amerika — the ship sails to America
können Sie jetzt fahren? — can you drive now? (take over the driving)

wie lange fährt man nach Dresden? — how long does it take to get to Dresden?
er wäre fast gegen einen Baum gefahren — he almost drove into a tree

4 PHRASES AND IDIOMS

per Anhalter fahren — to hitchhike
erster/zweiter Klasse fahren — to travel first/second class
sein Mercedes fährt 200 km/h — his Mercedes can do 200 kph
der Wagen fährt sich gut — the car is nice to drive
was ist in dich gefahren? — what's gotten into you?
Sie fahren besser, wenn Sie ... — you'd do better if you ...
fahr zur Hölle! — go to hell!

FALLEN to fall

INDICATIVE

PRESENT	**FUTURE**	**PAST**
ich falle	ich werde fallen	ich fiele
du fällst	du wirst fallen	du fielst
er fällt	er wird fallen	er fiel
wir fallen	wir werden fallen	wir fielen
ihr fallt	ihr werdet fallen	ihr fielt
sie fallen	sie werden fallen	sie fielen

PRESENT PERFECT	**PAST PERFECT**	
ich bin gefallen	ich war gefallen	*PRESENT*
du bist gefallen	du warst gefallen	*INFINITIVE*
er ist gefallen	er war gefallen	fallen
wir sind gefallen	wir waren gefallen	
ihr seid gefallen	ihr wart gefallen	*PAST*
sie sind gefallen	sie waren gefallen	*INFINITIVE*
		gefallen sein

FUTURE PERFECT	
ich werde gefallen sein	*PRESENT*
du wirst gefallen sein	*PARTICIPLE*
er wird gefallen sein	fallend
wir werden gefallen sein	
ihr werdet gefallen sein	*PAST*
sie werden gefallen sein	*PARTICIPLE*
	gefallen

SUBJUNCTIVE

PRESENT I	**PRESENT II**	*PRESENT CONDITIONAL*
ich falle	ich fiele	ich würde fallen
du fallest	du fielest	du würdest fallen
er falle	er fiele	er würde fallen
wir fallen	wir fielen	wir würden fallen
ihr fallet	ihr fielet	ihr würdet fallen
sie fallen	sie fielen	sie würden fallen

PAST I	**PAST II**	*IMPERATIVE*
ich sei gefallen	ich wäre gefallen	fall(e)!
du sei(e)st gefallen	du wär(e)st gefallen	fallt!
er sei gefallen	er wäre gefallen	fallen Sie!
wir seien gefallen	wir wären gefallen	fallen wir!
ihr seiet gefallen	ihr wär(e)t gefallen	
sie seien gefallen	sie wären gefallen	

FANGEN to catch   **34**

INDICATIVE

PRESENT	**FUTURE**	**PAST**
ich fange	ich werde fangen	ich fing
du fängst	du wirst fangen	du fingst
er fängt	er wird fangen	er fing
wir fangen	wir werden fangen	wir fingen
ihr fangt	ihr werdet fangen	ihr fingt
sie fangen	sie werden fangen	sie fingen

PRESENT PERFECT	**PAST PERFECT**	*PRESENT INFINITIVE*
ich habe gefangen	ich hatte gefangen	fangen
du hast gefangen	du hattest gefangen	
er hat gefangen	er hatte gefangen	*PAST INFINITIVE*
wir haben gefangen	wir hatten gefangen	gefangen haben
ihr habt gefangen	ihr hattet gefangen	
sie haben gefangen	sie hatten gefangen	

FUTURE PERFECT		*PRESENT PARTICIPLE*
ich werde gefangen haben		fangend
du wirst gefangen haben		
er wird gefangen haben		*PAST PARTICIPLE*
wir werden gefangen haben		gefangen
ihr werdet gefangen haben		
sie werden gefangen haben		

SUBJUNCTIVE

PRESENT I	**PRESENT II**	*PRESENT CONDITIONAL*
ich fange	ich finge	ich würde fangen
du fangest	du fingest	du würdest fangen
er fange	er finge	er würde fangen
wir fangen	wir fingen	wir würden fangen
ihr fanget	ihr finget	ihr würdet fangen
sie fangen	sie fingen	sie würden fangen

PAST I	**PAST II**	*IMPERATIVE*
ich habe gefangen	ich hätte gefangen	fang(e)!
du habest gefangen	du hättest gefangen	fangt!
er habe gefangen	er hätte gefangen	fangen Sie!
wir haben gefangen	wir hätten gefangen	fangen wir!
ihr habet gefangen	ihr hättet gefangen	
sie haben gefangen	sie hätten gefangen	

INDICATIVE

PRESENT	FUTURE	PAST
ich fasse	ich werde fassen	ich faßte
du faßt	du wirst fassen	du faßtest
er faßt	er wird fassen	er faßte
wir fassen	wir werden fassen	wir faßten
ihr faßt	ihr werdet fassen	ihr faßtet
sie fassen	sie werden fassen	sie faßten

PRESENT PERFECT	PAST PERFECT	*PRESENT INFINITIVE*
ich habe gefaßt	ich hatte gefaßt	fassen
du hast gefaßt	du hattest gefaßt	
er hat gefaßt	er hatte gefaßt	
wir haben gefaßt	wir hatten gefaßt	*PAST INFINITIVE*
ihr habt gefaßt	ihr hattet gefaßt	
sie haben gefaßt	sie hatten gefaßt	gefaßt haben

FUTURE PERFECT		*PRESENT PARTICIPLE*
ich werde gefaßt haben		fassend
du wirst gefaßt haben		
er wird gefaßt haben		
wir werden gefaßt haben		*PAST PARTICIPLE*
ihr werdet gefaßt haben		
sie werden gefaßt haben		gefaßt

SUBJUNCTIVE

PRESENT I	PRESENT II	*PRESENT CONDITIONAL*
ich fasse	ich faßte	ich würde fassen
du fassest	du faßtest	du würdest fassen
er fasse	er faßte	er würde fassen
wir fassen	wir faßten	wir würden fassen
ihr fasset	ihr faßtet	ihr würdet fassen
sie fassen	sie faßten	sie würden fassen

PAST I	PAST II	*IMPERATIVE*
ich habe gefaßt	ich hätte gefaßt	fass(e)!
du habest gefaßt	du hättest gefaßt	faßt!
er habe gefaßt	er hätte gefaßt	fassen Sie!
wir haben gefaßt	wir hätten gefaßt	fassen wir!
ihr habet gefaßt	ihr hättet gefaßt	
sie haben gefaßt	sie hätten gefaßt	

FECHTEN to fence 36

INDICATIVE

PRESENT
ich fechte
du fich(t)st*
er ficht
wir fechten
ihr fechtet
sie fechten

FUTURE
ich werde fechten
du wirst fechten
er wird fechten
wir werden fechten
ihr werdet fechten
sie werden fechten

PAST
ich focht
du fochtest
er focht
wir fochten
ihr fochtet
sie fochteß

PRESENT PERFECT
ich habe gefochten
du hast gefochten
er hat gefochten
wir haben gefochten
ihr habt gefochten
sie haben gefochten

PAST PERFECT
ich hatte gefochten
du hattest gefochten
er hatte gefochten
wir hatten gefochten
ihr hattet gefochten
sie hatten gefochten

PRESENT INFINITIVE
fechten

PAST INFINITIVE
gefochten haben

FUTURE PERFECT
ich werde gefochten haben
du wirst gefochten haben
er wird gefochten haben
wir werden gefochten haben
ihr werdet gefochten haben
sie werden gefochten haben

PRESENT PARTICIPLE
fechtend

PAST PARTICIPLE
gefochten

SUBJUNCTIVE

PRESENT I
ich fechte
du fechtest
er fechte
wir fechten
ihr fechtet
sie fechten

PRESENT II
ich föchte
du föchtest
er föchte
wir föchten
ihr föchtet
sie föchten

PRESENT CONDITIONAL
ich würde fechten
du würdest fechten
er würde fechten
wir würden fechten
ihr würdet fechten
sie würden fechten

PAST I
ich habe gefochten
du habest gefochten
er habe gefochten
wir haben gefochten
ihr habet gefochten
sie haben gefochten

PAST II
ich hätte gefochten
du hättest gefochten
er hätte gefochten
wir hätten gefochten
ihr hättet gefochten
sie hätten gefochten

IMPERATIVE
ficht!
fechtet!
fechten Sie!
fechten wir!

Note: **du fichst** is more informal

INDICATIVE

PRESENT
ich finde
du findest
er findet
wir finden
ihr findet
sie finden

FUTURE
ich werde finden
du wirst finden
er wird finden
wir werden finden
ihr werdet finden
sie werden finden

PAST
ich fand
du fandest
er fand
wir fanden
ihr fandet
sie fanden

PRESENT PERFECT
ich habe gefunden
du hast gefunden
er hat gefunden
wir haben gefunden
ihr habt gefunden
sie haben gefunden

PAST PERFECT
ich hatte gefunden
du hattest gefunden
er hatte gefunden
wir hatten gefunden
ihr hattet gefunden
sie hatten gefunden

PRESENT INFINITIVE
finden

PAST INFINITIVE
gefunden haben

FUTURE PERFECT
ich werde gefunden haben
du wirst gefunden haben
er wird gefunden haben
wir werden gefunden haben
ihr werdet gefunden haben
sie werden gefunden haben

PRESENT PARTICIPLE
findend

PAST PARTICIPLE
gefunden

SUBJUNCTIVE

PRESENT I
ich finde
du findest
er finde
wir finden
ihr findet
sie finden

PRESENT II
ich fände
du fändest
er fände
wir fänden
ihr fändet
sie fänden

PRESENT CONDITIONAL
ich würde finden
du würdest finden
er würde finden
wir würden finden
ihr würdet finden
sie würden finden

PAST I
ich habe gefunden
du habest gefunden
er habe gefunden
wir haben gefunden
ihr habet gefunden
sie haben gefunden

PAST II
ich hätte gefunden
du hättest gefunden
er hätte gefunden
wir hätten gefunden
ihr hättet gefunden
sie hätten gefunden

IMPERATIVE
find(e)!
findet!
finden Sie!
finden wir!

NOTES

I MEANING

to find, to discover, to think

2 USAGE

a *transitive verb:*

man findet solche Tiere nur in Südamerika	you only find these animals in South America
sie fand das Haus leer	she found the house empty
wir haben den Fehler gefunden	we've found the mistake
findest du sie sympathisch?	do you think she's nice?
ich finde das billig	I think that's cheap
findest du nicht auch, daß ...?	don't you agree that ...?

b *intransitive verb:*

ich finde nicht nach Hause	I can't find my way home

c *reflexive verb:*

Sie müssen sich darein finden	you'll have to put up with it
es wird sich schon finden	that will sort itself out

3 PHRASES AND IDIOMS

ein Haar in der Suppe finden	to come across a snag
er hat seinen Mann gefunden	he's met his match
ich fand Trost in seinen Worten	I derived comfort from his words
bei dem Unfall den Tod finden	to die in the accident
es fand sich niemand, der ...	there was nobody who ...
was findet sie an ihm?	what does she see in him?
wie finde ich denn das?	what about that then?
ein gefundenes Fressen	the very thing, just what was wanted
ich finde nichts dabei	I see nothing wrong in it
er findet es unter seiner Würde	he considers it beneath his dignity

38 FLECHTEN to twine, to weave

INDICATIVE

PRESENT	FUTURE	PAST
ich flechte	ich werde flechten	ich flocht
du flich(t)st*	du wirst flechten	du flochtest
er flicht	er wird flechten	er flocht
wir flechten	wir werden flechten	wir flochten
ihr flechtet	ihr werdet flechten	ihr flochtet
sie flechten	sie werden flechten	sie flochten

PRESENT PERFECT	PAST PERFECT	
ich habe geflochten	ich hatte geflochten	**PRESENT INFINITIVE**
du hast geflochten	du hattest geflochten	flechten
er hat geflochten	er hatte geflochten	
wir haben geflochten	wir hatten geflochten	**PAST INFINITIVE**
ihr habt geflochten	ihr hattet geflochten	
sie haben geflochten	sie hatten geflochten	geflochten haben

FUTURE PERFECT
ich werde geflochten haben
du wirst geflochten haben
er wird geflochten haben
wir werden geflochten haben
ihr werdet geflochten haben
sie werden geflochten haben

PRESENT PARTICIPLE
flechtend

PAST PARTICIPLE
geflochten

SUBJUNCTIVE

PRESENT I	PRESENT II	PRESENT CONDITIONAL
ich flechte	ich flöchte	ich würde flechten
du flechtest	du flöchtest	du würdest flechten
er flechte	er flöchte	er würde flechten
wir flechten	wir flöchten	wir würden flechten
ihr flechtet	ihr flöchtet	ihr würdet flechten
sie flechten	sie flöchten	sie würden flechten

PAST I	PAST II	IMPERATIVE
ich habe geflochten	ich hätte geflochten	flicht!
du habest geflochten	du hättest geflochten	flechtet!
er habe geflochten	er hätte geflochten	flechten Sie!
wir haben geflochten	wir hätten geflochten	flechten wir!
ihr habet geflochten	ihr hättet geflochten	
sie haben geflochten	sie hätten geflochten	

Note: **du flichst** is more informal

FLIEGEN to fly 39

INDICATIVE

PRESENT	**FUTURE**	**PAST**
ich fliege	ich werde fliegen	ich flog
du fliegst	du wirst fliegen	du flogst
er fliegt	er wird fliegen	er flog
wir fliegen	wir werden fliegen	wir flogen
ihr fliegt	ihr werdet fliegen	ihr flogt
sie fliegen	sie werden fliegen	sie flogen

PRESENT PERFECT	**PAST PERFECT**	
ich bin geflogen	ich war geflogen	***PRESENT INFINITIVE***
du bist geflogen	du warst geflogen	fliegen
er ist geflogen	er war geflogen	
wir sind geflogen	wir waren geflogen	***PAST INFINITIVE***
ihr seid geflogen	ihr wart geflogen	geflogen sein
sie sind geflogen	sie waren geflogen	

FUTURE PERFECT	
ich werde geflogen sein	***PRESENT PARTICIPLE***
du wirst geflogen sein	fliegend
er wird geflogen sein	
wir werden geflogen sein	***PAST PARTICIPLE***
ihr werdet geflogen sein	geflogen
sie werden geflogen sein	

SUBJUNCTIVE

PRESENT I	**PRESENT II**	***PRESENT CONDITIONAL***
ich fliege	ich flöge	ich würde fliegen
du fliegest	du flögest	du würdest fliegen
er fliege	er flöge	er würde fliegen
wir fliegen	wir flögen	wir würden fliegen
ihr flieget	ihr flöget	ihr würdet fliegen
sie fliegen	sie flögen	sie würden fliegen

PAST I	**PAST II**	***IMPERATIVE***
ich sei geflogen	ich wäre geflogen	flieg(e)!
du sei(e)st geflogen	du wär(e)st geflogen	fliegt!
er sei geflogen	er wäre geflogen	fliegen Sie!
wir seien geflogen	wir wären geflogen	fliegen wir!
ihr seiet geflogen	ihr wär(e)t geflogen	
sie seien geflogen	sie wären geflogen	

FLIEHEN to flee

INDICATIVE

PRESENT	**FUTURE**	**PAST**
ich fliehe	ich werde fliehen	ich floh
du fliehst	du wirst fliehen	du flohst
er flieht	er wird fliehen	er floh
wir fliehen	wir werden fliehen	wir flohen
ihr flieht	ihr werdet fliehen	ihr floht
sie fliehen	sie werden fliehen	sie flohen

PRESENT PERFECT	**PAST PERFECT**	*PRESENT INFINITIVE*
ich bin geflohen	ich war geflohen	fliehen
du bist geflohen	du warst geflohen	
er ist geflohen	er war geflohen	*PAST INFINITIVE*
wir sind geflohen	wir waren geflohen	geflohen sein
ihr seid geflohen	ihr wart geflohen	
sie sind geflohen	sie waren geflohen	

FUTURE PERFECT		*PRESENT PARTICIPLE*
ich werde geflohen sein		fliehend
du wirst geflohen sein		
er wird geflohen sein		*PAST PARTICIPLE*
wir werden geflohen sein		geflohen
ihr werdet geflohen sein		
sie werden geflohen sein		

SUBJUNCTIVE

PRESENT I	**PRESENT II**	*PRESENT CONDITIONAL*
ich fliehe	ich flöhe	ich würde fliehen
du fliehest	du flöhest	du würdest fliehen
er fliehe	er flöhe	er würde fliehen
wir fliehen	wir flöhen	wir würden fliehen
ihr fliehet	ihr flöhet	ihr würdet fliehen
sie fliehen	sie flöhen	sie würden fliehen

PAST I	**PAST II**	*IMPERATIVE*
ich sei geflohen	ich wäre geflohen	flieh(e)!
du sei(e)st geflohen	du wär(e)st geflohen	flieht!
er sei geflohen	er wäre geflohen	fliehen Sie!
wir seien geflohen	wir wären geflohen	fliehen wir!
ihr seiet geflohen	ihr wär(e)t geflohen	
sie seien geflohen	sie wären geflohen	

INDICATIVE

PRESENT	**FUTURE**	**PAST**
ich fließe	ich werde fließen	ich floß
du fließt	du wirst fließen	du flossest
er fließt	er wird fließen	er floß
wir fließen	wir werden fließen	wir flossen
ihr fließt	ihr werdet fließen	ihr floßt
sie fließen	sie werden fließen	sie flossen

PRESENT PERFECT	**PAST PERFECT**	*PRESENT INFINITIVE*
ich bin geflossen	ich war geflossen	fließen
du bist geflossen	du warst geflossen	
er ist geflossen	er war geflossen	*PAST INFINITIVE*
wir sind geflossen	wir waren geflossen	
ihr seid geflossen	ihr wart geflossen	geflossen sein
sie sind geflossen	sie waren geflossen	

FUTURE PERFECT		*PRESENT PARTICIPLE*
ich werde geflossen sein		fließend
du wirst geflossen sein		
er wird geflossen sein		*PAST PARTICIPLE*
wir werden geflossen sein		
ihr werdet geflossen sein		geflossen
sie werden geflossen sein		

SUBJUNCTIVE

PRESENT I	**PRESENT II**	*PRESENT CONDITIONAL*
ich fließe	ich flösse	ich würde fließen
du fließest	du flössest	du würdest fließen
er fließe	er flösse	er würde fließen
wir fließen	wir flössen	wir würden fließen
ihr fließet	ihr flösset	ihr würdet fließen
sie fließen	sie flössen	sie würden fließen

PAST I	**PAST II**	*IMPERATIVE*
ich sei geflossen	ich wäre geflossen	fließ(e)!
du sei(e)st geflossen	du wär(e)st geflossen	fließt!
er sei geflossen	er wäre geflossen	fließen Sie!
wir seien geflossen	wir wären geflossen	fließen wir!
ihr seiet geflossen	ihr wär(e)t geflossen	
sie seien geflossen	sie wären geflossen	

FLÜCHTEN to flee, to escape

INDICATIVE

PRESENT
ich flüchte
du flüchtest
er flüchtet
wir flüchten
ihr flüchtet
sie flüchten

FUTURE
ich werde flüchten
du wirst flüchten
er wird flüchten
wir werden flüchten
ihr werdet flüchten
sie werden flüchten

PAST
ich flüchtete
du flüchtetest
er flüchtete
wir flüchteten
ihr flüchtetet
sie flüchteten

PRESENT PERFECT
ich bin geflüchtet
du bist geflüchtet
er ist geflüchtet
wir sind geflüchtet
ihr seid geflüchtet
sie sind geflüchtet

PAST PERFECT
ich war geflüchtet
du warst geflüchtet
er war geflüchtet
wir waren geflüchtet
ihr wart geflüchtet
sie waren geflüchtet

PRESENT INFINITIVE
flüchten

PAST INFINITIVE
geflüchtet sein

FUTURE PERFECT
ich werde geflüchtet sein
du wirst geflüchtet sein
er wird geflüchtet sein
wir werden geflüchtet sein
ihr werdet geflüchtet sein
sie werden geflüchtet sein

PRESENT PARTICIPLE
flüchtend

PAST PARTICIPLE
geflüchtet

SUBJUNCTIVE

PRESENT I
ich flüchte
du flüchtest
er flüchte
wir flüchten
ihr flüchtet
sie flüchten

PRESENT II
ich flüchtete
du flüchtetest
er flüchtete
wir flüchteten
ihr flüchtetet
sie flüchteten

PRESENT CONDITIONAL
ich würde flüchten
du würdest flüchten
er würde flüchten
wir würden flüchten
ihr würdet flüchten
sie würden flüchten

PAST I
ich sei geflüchtet
du sei(e)st geflüchtet
er sei geflüchtet
wir seien geflüchtet
ihr seiet geflüchtet
sie seien geflüchtet

PAST II
ich wäre geflüchtet
du wär(e)st geflüchtet
er wäre geflüchtet
wir wären geflüchtet
ihr wär(e)t geflüchtet
sie wären geflüchtet

IMPERATIVE
flüchte!
flüchtet!
flüchten Sie!
flüchten wir!

FRESSEN to eat *(usually of animals)* **43**

INDICATIVE

PRESENT	**FUTURE**	**PAST**
ich fresse	ich werde fressen	ich fraß
du frißt	du wirst fressen	du fraßest
er frißt	er wird fressen	er fraß
wir fressen	wir werden fressen	wir fraßen
ihr freßt	ihr werdet fressen	ihr fraßt
sie fressen	sie werden fressen	sie fraßen

PRESENT PERFECT	**PAST PERFECT**	*PRESENT INFINITIVE*
ich habe gefressen	ich hatte gefressen	fressen
du hast gefressen	du hattest gefressen	
er hat gefressen	er hatte gefressen	*PAST INFINITIVE*
wir haben gefressen	wir hatten gefressen	gefressen haben
ihr habt gefressen	ihr hattet gefressen	
sie haben gefressen	sie hatten gefressen	

FUTURE PERFECT		*PRESENT PARTICIPLE*
ich werde gefressen haben		fressend
du wirst gefressen haben		
er wird gefressen haben		*PAST PARTICIPLE*
wir werden gefressen haben		gefressen
ihr werdet gefressen haben		
sie werden gefressen haben		

SUBJUNCTIVE

PRESENT I	**PRESENT II**	*PRESENT CONDITIONAL*
ich fresse	ich fräße	ich würde fressen
du fressest	du fräßest	du würdest fressen
er fresse	er fräße	er würde fressen
wir fressen	wir fräßen	wir würden fressen
ihr fresset	ihr fräßet	ihr würdet fressen
sie fressen	sie fräßen	sie würden fressen

PAST I	**PAST II**	*IMPERATIVE*
ich habe gefressen	ich hätte gefressen	friß!
du habest gefressen	du hättest gefressen	freßt!
er habe gefressen	er hätte gefressen	fressen Sie!
wir haben gefressen	wir hätten gefressen	fressen wir!
ihr habet gefressen	ihr hättet gefressen	
sie haben gefressen	sie hätten gefressen	

FRIEREN to freeze, to be cold

INDICATIVE

PRESENT	FUTURE	PAST
ich friere	ich werde frieren	ich fror
du frierst	du wirst frieren	du frorst
er friert	er wird frieren	er fror
wir frieren	wir werden frieren	wir froren
ihr friert	ihr werdet frieren	ihr frort
sie frieren	sie werden frieren	sie froren

PRESENT PERFECT	PAST PERFECT	
ich habe gefroren	ich hatte gefroren	*PRESENT INFINITIVE*
du hast gefroren	du hattest gefroren	frieren
er hat gefroren	er hatte gefroren	
wir haben gefroren	wir hatten gefroren	*PAST INFINITIVE*
ihr habt gefroren	ihr hattet gefroren	gefroren haben
sie haben gefroren	sie hatten gefroren	

FUTURE PERFECT		
ich werde gefroren haben		*PRESENT PARTICIPLE*
du wirst gefroren haben		frierend
er wird gefroren haben		
wir werden gefroren haben		*PAST PARTICIPLE*
ihr werdet gefroren haben		gefroren
sie werden gefroren haben		

SUBJUNCTIVE

PRESENT I	PRESENT II	*PRESENT CONDITIONAL*
ich friere	ich fröre	ich würde frieren
du frierest	du frörest	du würdest frieren
er friere	er fröre	er würde frieren
wir frieren	wir frören	wir würden frieren
ihr frieret	ihr fröret	ihr würdet frieren
sie frieren	sie frören	sie würden frieren

PAST I	PAST II	*IMPERATIVE*
ich habe gefroren	ich hätte gefroren	frier(e)!
du habest gefroren	du hättest gefroren	friert!
er habe gefroren	er hätte gefroren	frieren Sie!
wir haben gefroren	wir hätten gefroren	frieren wir!
ihr habet gefroren	ihr hättet gefroren	
sie haben gefroren	sie hätten gefroren	

GEBÄREN to give birth 45

INDICATIVE

PRESENT
ich gebäre
du gebärst
er gebärt
wir gebären
ihr gebärt
sie gebären

FUTURE
ich werde gebären
du wirst gebären
er wird gebären
wir werden gebären
ihr werdet gebären
sie werden gebären

PAST
ich gebar
du gebarst
er gebar
wir gebaren
ihr gebart
sie gebaren

PRESENT PERFECT
ich habe geboren
du hast geboren
er hat geboren
wir haben geboren
ihr habt geboren
sie haben geboren

PAST PERFECT
ich hatte geboren
du hattest geboren
er hatte geboren
wir hatten geboren
ihr hattet geboren
sie hatten geboren

PRESENT
INFINITIVE
gebären

PAST
INFINITIVE
geboren haben

FUTURE PERFECT
ich werde geboren haben
du wirst geboren haben
er wird geboren haben
wir werden geboren haben
ihr werdet geboren haben
sie werden geboren haben

PRESENT
PARTICIPLE
gebärend

PAST
PARTICIPLE
geboren

SUBJUNCTIVE

PRESENT I
ich gebäre
du gebärest
er gebäre
wir gebären
ihr gebäret
sie gebären

PRESENT II
ich gebäre
du gebärest
er gebäre
wir gebären
ihr gebäret
sie gebären

PRESENT
CONDITIONAL
ich würde gebären
du würdest gebären
er würde gebären
wir würden gebären
ihr würdet gebären
sie würden gebären

PAST I
ich habe geboren
du habest geboren
er habe geboren
wir haben geboren
ihr habet geboren
sie haben geboren

PAST II
ich hätte geboren
du hättest geboren
er hätte geboren
wir hätten geboren
ihr hättet geboren
sie hätten geboren

IMPERATIVE
gebär(e)!
gebärt!
gebären Sie!
gebären wir!

INDICATIVE

PRESENT	FUTURE	PAST
ich gebe	ich werde geben	ich gab
du gibst	du wirst geben	du gabst
er gibt	er wird geben	er gab
wir geben	wir werden geben	wir gaben
ihr gebt	ihr werdet geben	ihr gabt
sie geben	sie werden geben	sie gaben

PRESENT PERFECT	PAST PERFECT	*PRESENT INFINITIVE*
ich habe gegeben	ich hatte gegeben	geben
du hast gegeben	du hattest gegeben	
er hat gegeben	er hatte gegeben	*PAST INFINITIVE*
wir haben gegeben	wir hatten gegeben	gegeben haben
ihr habt gegeben	ihr hattet gegeben	
sie haben gegeben	sie hatten gegeben	

FUTURE PERFECT		*PRESENT PARTICIPLE*
ich werde gegeben haben		gebend
du wirst gegeben haben		
er wird gegeben haben		*PAST PARTICIPLE*
wir werden gegeben haben		gegeben
ihr werdet gegeben haben		
sie werden gegeben haben		

SUBJUNCTIVE

PRESENT I	PRESENT II	*PRESENT CONDITIONAL*
ich gebe	ich gäbe	ich würde geben
du gebest	du gäbest	du würdest geben
er gebe	er gäbe	er würde geben
wir geben	wir gäben	wir würden geben
ihr gebet	ihr gäbet	ihr würdet geben
sie geben	sie gäben	sie würden geben

PAST I	PAST II	*IMPERATIVE*
ich habe gegeben	ich hätte gegeben	gib!
du habest gegeben	du hättest gegeben	gebt!
er habe gegeben	er hätte gegeben	geben Sie!
wir haben gegeben	wir hätten gegeben	geben wir!
ihr habet gegeben	ihr hättet gegeben	
sie haben gegeben	sie hätten gegeben	

NOTES

1 MEANING

to give, to produce, to spend. **es gibt**, **es gab** are a common way of translating **there is**, **there was**.

2 USAGE

a *transitive verb:*

er gibt mir keine Antwort	he is not giving me an answer
sie haben Beifall gegeben	they applauded
sie gibt Biologie	she teaches biology
jemandem die Hand geben	to shake hands with someone
du mußt dir eine Quittung geben lassen	you must ask for a receipt
zwei mal zwei gibt vier	twice two makes four
es gibt keinen Wein mehr	there isn't any wine left
morgen gibt es Regen	it'll rain tomorrow
es hat kein Essen gegeben	there was nothing to eat

b *reflexive verb:*

das gibt sich	that'll go away/pass
die Schmerzen werden sich mit der Zeit geben	the pain will go away in time
sie gibt sich damit zufrieden	she's satisfied (with that)

3 PHRASES AND IDIOMS

sie gibt viel auf gutes Essen	she lays great store by good food
sie gab ihm einen Korb	she gave him the brush-off
ich gäbe viel darum, wenn ich das wüßte	I'd give a lot to know that
ich gebe nichts auf seine Behauptung	I don't think much of his claim
der Vorfall gab mir zu denken	the incident made me think
er gab zu verstehen, daß ...	he implied/let it be known that ...
das hat den Ausschlag gegeben	that was decisive
was gibt's?	what's going on?
das gab mir den Rest!	that was the last straw for me!

INDICATIVE

PRESENT	**FUTURE**	**PAST**
ich gebrauche	ich werde gebrauchen	ich gebrauchte
du gebrauchst	du wirst gebrauchen	du gebrauchtest
er gebraucht	er wird gebrauchen	er gebrauchte
wir gebrauchen	wir werden gebrauchen	wir gebrauchten
ihr gebraucht	ihr werdet gebrauchen	ihr gebrauchtet
sie gebrauchen	sie werden gebrauchen	sie gebrauchten

PRESENT PERFECT	**PAST PERFECT**	*PRESENT INFINITIVE*
ich habe gebraucht	ich hatte gebraucht	gebrauchen
du hast gebraucht	du hattest gebraucht	
er hat gebraucht	er hatte gebraucht	*PAST INFINITIVE*
wir haben gebraucht	wir hatten gebraucht	gebraucht haben
ihr habt gebraucht	ihr hattet gebraucht	
sie haben gebraucht	sie hatten gebraucht	

FUTURE PERFECT		*PRESENT PARTICIPLE*
ich werde gebraucht haben		gebrauchend
du wirst gebraucht haben		
er wird gebraucht haben		*PAST PARTICIPLE*
wir werden gebraucht haben		gebraucht
ihr werdet gebraucht haben		
sie werden gebraucht haben		

SUBJUNCTIVE

PRESENT I	**PRESENT II**	*PRESENT CONDITIONAL*
ich gebrauche	ich gebrauchte	ich würde gebrauchen
du gebrauchest	du gebrauchtest	du würdest gebrauchen
er gebrauche	er gebrauchte	er würde gebrauchen
wir gebrauchen	wir gebrauchten	wir würden gebrauchen
ihr gebrauchet	ihr gebrauchtet	ihr würdet gebrauchen
sie gebrauchen	sie gebrauchten	sie würden gebrauchen

PAST I	**PAST II**	*IMPERATIVE*
ich habe gebraucht	ich hätte gebraucht	gebrauch(e)!
du habest gebraucht	du hättest gebraucht	gebraucht!
er habe gebraucht	er hätte gebraucht	gebrauchen Sie!
wir haben gebraucht	wir hätten gebraucht	gebrauchen wir!
ihr habet gebraucht	ihr hättet gebraucht	
sie haben gebraucht	sie hätten gebraucht	

GEDEIHEN to thrive 48

INDICATIVE

PRESENT	FUTURE	PAST
ich gedeihe	ich werde gedeihen	ich gedieh
du gedeihst	du wirst gedeihen	du gediehst
er gedeiht	er wird gedeihen	er gedieh
wir gedeihen	wir werden gedeihen	wir gediehen
ihr gedeiht	ihr werdet gedeihen	ihr gedieht
sie gedeihen	sie werden gedeihen	sie gediehen

PRESENT PERFECT	PAST PERFECT	
ich bin gediehen	ich war gediehen	**PRESENT INFINITIVE**
du bist gediehen	du warst gediehen	gedeihen
er ist gediehen	er war gediehen	
wir sind gediehen	wir waren gediehen	**PAST INFINITIVE**
ihr seid gediehen	ihr wart gediehen	gediehen sein
sie sind gediehen	sie waren gediehen	

FUTURE PERFECT	
ich werde gediehen sein	**PRESENT PARTICIPLE**
du wirst gediehen sein	gedeihend
er wird gediehen sein	
wir werden gediehen sein	**PAST PARTICIPLE**
ihr werdet gediehen sein	
sie werden gediehen sein	gediehen

SUBJUNCTIVE

PRESENT I	PRESENT II	PRESENT CONDITIONAL
ich gedeihe	ich gediehe	ich würde gedeihen
du gedeihest	du gediehest	du würdest gedeihen
er gedeihe	er gediehe	er würde gedeihen
wir gedeihen	wir gediehen	wir würden gedeihen
ihr gedeihet	ihr gediehet	ihr würdet gedeihen
sie gedeihen	sie gediehen	sie würden gedeihen

PAST I	PAST II	IMPERATIVE
ich sei gediehen	ich wäre gediehen	gedeih(e)!
du sei(e)st gediehen	du wär(e)st gediehen	gedeiht!
er sei gediehen	er wäre gediehen	gedeihen Sie!
wir seien gediehen	wir wären gediehen	gedeihen wir!
ihr seiet gediehen	ihr wär(e)t gediehen	
sie seien gediehen	sie wären gediehen	

GEHEN to go

INDICATIVE

PRESENT	FUTURE	PAST
ich gehe	ich werde gehen	ich ging
du gehst	du wirst gehen	du gingst
er geht	er wird gehen	er ging
wir gehen	wir werden gehen	wir gingen
ihr geht	ihr werdet gehen	ihr gingt
sie gehen	sie werden gehen	sie gingen

PRESENT PERFECT	PAST PERFECT	
ich bin gegangen	ich war gegangen	*PRESENT*
du bist gegangen	du warst gegangen	*INFINITIVE*
er ist gegangen	er war gegangen	gehen
wir sind gegangen	wir waren gegangen	
ihr seid gegangen	ihr wart gegangen	*PAST*
sie sind gegangen	sie waren gegangen	*INFINITIVE*
		gegangen sein

FUTURE PERFECT	
ich werde gegangen sein	*PRESENT*
du wirst gegangen sein	*PARTICIPLE*
er wird gegangen sein	gehend
wir werden gegangen sein	
ihr werdet gegangen sein	*PAST*
sie werden gegangen sein	*PARTICIPLE*
	gegangen

SUBJUNCTIVE

PRESENT I	PRESENT II	*PRESENT* *CONDITIONAL*
ich gehe	ich ginge	ich würde gehen
du gehest	du gingest	du würdest gehen
er gehe	er ginge	er würde gehen
wir gehen	wir gingen	wir würden gehen
ihr gehet	ihr ginget	ihr würdet gehen
sie gehen	sie gingen	sie würden gehen

PAST I	PAST II	*IMPERATIVE*
ich sei gegangen	ich wäre gegangen	geh(e)!
du sei(e)st gegangen	du wär(e)st gegangen	geht!
er sei gegangen	er wäre gegangen	gehen Sie!
wir seien gegangen	wir wären gegangen	gehen wir!
ihr seiet gegangen	ihr wär(e)t gegangen	
sie seien gegangen	sie wären gegangen	

NOTES

1 MEANING

to go *(without mechanical means or without specifying the means of transport)*

2 USAGE

a *intransitive verb* (auxiliary verb **sein**):

ich bin gestern in die Stadt gegangen	I went into town yesterday
sie sind in die Schweiz gegangen	they went to Switzerland
sie ging spazieren	she went for a walk
ich gehe zu Fuß zur Schule	I walk to school/go to school on foot
man hat zwei Stunden zu gehen	it's two hours' walk
wir müssen jetzt an die Arbeit gehen	we must get down to work now
das geht nicht	you can't do that, that's not on
meine Uhr geht nicht	my watch isn't working
wie hoch gehen Sie?	how high (in price) are you willing to go?
immer geradeaus gehen	to carry on straight ahead

b *transitive verb* (auxiliary **sein**):

laß die Sache ihren Gang gehen	let the matter run its course

3 PHRASES AND IDIOMS

es geht sich gut in diesen Schuhen	these shoes are comfortable
das geht in die Millionen	it'll come to millions
er ist seiner Wege gegangen	he went on his way
(here with the genitive)	*(also figuratively)*
wie geht es Ihnen?	how are you?
danke, es geht mir gut	I'm well, thank you
das geht alles durcheinander	everything is mixed up
meine Uhr geht nach/vor	my watch is slow/fast
das geht zu weit	that's going too far
wenn es nach mir ginge	if I could decide things
es geht um Kopf und Kragen	it's a matter of life and death
ach geh!	get away with you!

INDICATIVE

PRESENT	FUTURE	PAST
ich gehorche	ich werde gehorchen	ich gehorchte
du gehorchst	du wirst gehorchen	du gehorchtest
er gehorcht	er wird gehorchen	er gehorchte
wir gehorchen	wir werden gehorchen	wir gehorchten
ihr gehorcht	ihr werdet gehorchen	ihr gehorchtet
sie gehorchen	sie werden gehorchen	sie gehorchten

PRESENT PERFECT	PAST PERFECT	PRESENT INFINITIVE
ich habe gehorcht	ich hatte gehorcht	gehorchen
du hast gehorcht	du hattest gehorcht	
er hat gehorcht	er l atte gehorcht	PAST INFINITIVE
wir haben gehorcht	wir hatten gehorcht	gehorcht haben
ihr habt gehorcht	ihr hattet gehorcht	
sie haben gehorcht	sie hatten gehorcht	

FUTURE PERFECT		PRESENT PARTICIPLE
ich werde gehorcht haben		gehorchend
du wirst gehorcht haben		
er wird gehorcht haben		PAST PARTICIPLE
wir werden gehorcht haben		gehorcht
ihr werdet gehorcht haben		
sie werden gehorcht haben		

SUBJUNCTIVE

PRESENT I	PRESENT II	PRESENT CONDITIONAL
ich gehorche	ich gehorchte	ich würde gehorchen
du gehorchest	du gehorchtest	du würdest gehorchen
er gehorche	er gehorchte	er würde gehorchen
wir gehorchen	wir gehorchten	wir würden gehorchen
ihr gehorchet	ihr gehorchtet	ihr würdet gehorchen
sie gehorchen	sie gehorchten	sie würden gehorchen

PAST I	PAST II	IMPERATIVE
ich habe gehorcht	ich hätte gehorcht	gehorch(e)!
du habest gehorcht	du hättest gehorcht	gehorcht!
er habe gehorcht	er hätte gehorcht	gehorchen Sie!
wir haben gehorcht	wir hätten gehorcht	gehorchen wir!
ihr habet gehorcht	ihr hättet gehorcht	
sie haben gehorcht	sie hätten gehorcht	

GELANGEN to reach 51

INDICATIVE

PRESENT
ich gelange
du gelangst
er gelangt
wir gelangen
ihr gelangt
sie gelangen

FUTURE
ich werde gelangen
du wirst gelangen
er wird gelangen
wir werden gelangen
ihr werdet gelangen
sie werden gelangen

PAST
ich gelangte
du gelangtest
er gelangte
wir gelangten
ihr gelangtet
sie gelangten

PRESENT PERFECT
ich bin gelangt
du bist gelangt
er ist gelangt
wir sind gelangt
ihr seid gelangt
sie sind gelangt

PAST PERFECT
ich war gelangt
du warst gelangt
er war gelangt
wir waren gelangt
ihr wart gelangt
sie waren gelangt

PRESENT INFINITIVE
gelangen

PAST INFINITIVE
gelangt sein

FUTURE PERFECT
ich werde gelangt sein
du wirst gelangt sein
er wird gelangt sein
wir werden gelangt sein
ihr werdet gelangt sein
sie werden gelangt sein

PRESENT PARTICIPLE
gelangend

PAST PARTICIPLE
gelangt

SUBJUNCTIVE

PRESENT I
ich gelange
du gelangest
er gelange
wir gelangen
ihr gelanget
sie gelangen

PRESENT II
ich gelangte
du gelangtest
er gelangte
wir gelangten
ihr gelangtet
sie gelangten

PRESENT CONDITIONAL
ich würde gelangen
du würdest gelangen
er würde gelangen
wir würden gelangen
ihr würdet gelangen
sie würden gelangen

PAST I
ich sei gelangt
du sei(e)st gelangt
er sei gelangt
wir seien gelangt
ihr seiet gelangt
sie seien gelangt

PAST II
ich wäre gelangt
du wär(e)st gelangt
er wäre gelangt
wir wären gelangt
ihr wär(e)t gelangt
sie wären gelangt

IMPERATIVE
gelange!
gelangt!
gelangen Sie!
gelangen wir!

GELINGEN to succeed

INDICATIVE
PRESENT   **FUTURE**   **PAST**

es gelingt   es wird gelingen   es gelang

PRESENT PERFECT   **PAST PERFECT**   *PRESENT INFINITIVE*
                                                     gelingen

es ist gelungen   es war gelungen   *PAST INFINITIVE*
                                                     gelungen sein

FUTURE PERFECT   *PRESENT PARTICIPLE*
                                                     gelingend

es wird gelungen sein   *PAST PARTICIPLE*
                                                     gelungen

---

SUBJUNCTIVE   *PRESENT CONDITIONAL*
PRESENT I   **PRESENT II**

es gelinge   es gelänge   es würde gelingen

PAST I   **PAST II**   *IMPERATIVE*
                                                     geling(e)!
                                                     gelingt!

es sei gelungen   es wäre gelungen

Note: impersonal use only: **die Versuche sind mir gelungen** (I was successful with my experiments). **Mißlingen** – conjugates as **gelingen** in all tenses but without the "**ge**".

GELTEN to be valid 53

INDICATIVE

PRESENT
ich gelte
du giltst
er gilt
wir gelten
ihr geltet
sie gelten

FUTURE
ich werde gelten
du wirst gelten
er wird gelten
wir werden gelten
ihr werdet gelten
sie werden gelten

PAST
ich galt
du galt(e)st
er galt
wir galten
ihr galtet
sie galten

PRESENT PERFECT
ich habe gegolten
du hast gegolten
er hat gegolten
wir haben gegolten
ihr habt gegolten
sie haben gegolten

PAST PERFECT
ich hatte gegolten
du hattest gegolten
er hatte gegolten
wir hatten gegolten
ihr hattet gegolten
sie hatten gegolten

PRESENT INFINITIVE
gelten

PAST INFINITIVE
gegolten haben

FUTURE PERFECT
ich werde gegolten haben
du wirst gegolten haben
er wird gegolten haben
wir werden gegolten haben
ihr werdet gegolten haben
sie werden gegolten haben

PRESENT PARTICIPLE
geltend

PAST PARTICIPLE
gegolten

SUBJUNCTIVE

PRESENT I
ich gelte
du geltest
er gelte
wir gelten
ihr geltet
sie gelten

PRESENT II
ich gälte
du gältest
er gälte
wir gälten
ihr gältet
sie gälten

PRESENT CONDITIONAL
ich würde gelten
du würdest gelten
er würde gelten
wir würden gelten
ihr würdet gelten
sie würden gelten

PAST I
ich habe gegolten
du habest gegolten
er habe gegolten
wir haben gegolten
ihr habet gegolten
sie haben gegolten

PAST II
ich hätte gegolten
du hättest gegolten
er hätte gegolten
wir hätten gegolten
ihr hättet gegolten
sie hätten gegolten

IMPERATIVE
gilt!
geltet!
gelten Sie!
gelten wir!

GENESEN to recover

INDICATIVE

PRESENT	**FUTURE**	**PAST**
ich genese	ich werde genesen	ich genas
du genest	du wirst genesen	du genasest
er genest	er wird genesen	er genas
wir genesen	wir werden genesen	wir genasen
ihr genest	ihr werdet genesen	ihr genast
sie genesen	sie werden genesen	sie genasen

PRESENT PERFECT	**PAST PERFECT**	*PRESENT INFINITIVE*
ich bin genesen	ich war genesen	genesen
du bist genesen	du warst genesen	
er ist genesen	er war genesen	*PAST INFINITIVE*
wir sind genesen	wir waren genesen	genesen sein
ihr seid genesen	ihr wart genesen	
sie sind genesen	sie waren genesen	

FUTURE PERFECT		*PRESENT PARTICIPLE*
ich werde genesen sein		genesend
du wirst genesen sein		
er wird genesen sein		*PAST PARTICIPLE*
wir werden genesen sein		genesen
ihr werdet genesen sein		
sie werden genesen sein		

SUBJUNCTIVE

PRESENT I	**PRESENT II**	*PRESENT CONDITIONAL*
ich genese	ich genäse	ich würde genesen
du genesest	du genäsest	du würdest genesen
er genese	er genäse	er würde genesen
wir genesen	wir genäsen	wir würden genesen
ihr geneset	ihr genäset	ihr würdet genesen
sie genesen	sie genäsen	sie würden genesen

PAST I	**PAST II**	*IMPERATIVE*
ich sei genesen	ich wäre genesen	genes(e)!
du sei(e)st genesen	du wär(e)st genesen	genest!
er sei genesen	er wäre genesen	genesen Sie!
wir seien genesen	wir wären genesen	genesen wir!
ihr seiet genesen	ihr wär(e)t genesen	
sie seien genesen	sie wären genesen	

INDICATIVE

PRESENT
ich genieße
du genießt
er genießt
wir genießen
ihr genießt
sie genießt

FUTURE
ich werde genießen
du wirst genießen
er wird genießen
wir werden genießen
Ihr werdet genießen
sie werden genießen

PAST
ich genoß
du genossest
er genoß
wir genossen
ihr genoßt
sie genossen

PRESENT PERFECT
ich habe genossen
du hast genossen
er hat genossen
wir haben genossen
ihr habt genossen
sie haben genossen

PAST PERFECT
ich hatte genossen
du hattest genossen
er hatte genossen
wir hatten genossen
ihr hattet genossen
sie hatten genossen

*PRESENT
INFINITIVE*
genießen

*PAST
INFINITIVE*
genossen haben

FUTURE PERFECT
ich werde genossen haben
du wirst genossen haben
er wird genossen haben
wir werden genossen haben
ihr werdet genossen haben
sie werden genossen haben

*PRESENT
PARTICIPLE*
genießend

*PAST
PARTICIPLE*
genossen

SUBJUNCTIVE

PRESENT I
ich genieße
du genießest
er genieße
wir genießen
ihr genießet
sie genießen

PRESENT II
ich genösse
du genössest
er genösse
wir genössen
Ihr genösset
sie genössen

*PRESENT
CONDITIONAL*
ich würde genießen
du würdest genießen
er würde genießen
wir würden genießen
ihr würdet genießen
sie würden genießen

PAST I
ich habe genossen
du habest genossen
er habe genossen
wir haben genossen
ihr habet genossen
sie haben genossen

PAST II
ich hätte genossen
du hättest genossen
er hätte genossen
wir hätten genossen
ihr hättet genossen
sie hätten genossen

IMPERATIVE
genieß(e)!
genießt!
genießen Sie!
genießen wir!

GESCHEHEN to happen

INDICATIVE
PRESENT

FUTURE

PAST

es geschieht

es wird geschehen

es geschah

PRESENT PERFECT

PAST PERFECT

PRESENT INFINITIVE
geschehen

es ist geschehen

es war geschehen

PAST INFINITIVE
geschehen sein

FUTURE PERFECT

PRESENT PARTICIPLE
geschehend

es wird geschehen sein

PAST PARTICIPLE
geschehen

SUBJUNCTIVE
PRESENT I

PRESENT II

PRESENT CONDITIONAL

es geschehe

es geschähe

es würde geschehen

PAST I

PAST II

IMPERATIVE
gescheh(e)!
gescheht!

es sei geschehen

es wäre geschehen

Note: impersonal use only

INDICATIVE

PRESENT	FUTURE	PAST
ich gewinne	ich werde gewinnen	ich gewann
du gewinnst	du wirst gewinnen	du gewannst
er gewinnt	er wird gewinnen	er gewann
wir gewinnen	wir werden gewinnen	wir gewannen
ihr gewinnt	ihr werdet gewinnen	ihr gewannt
sie gewinnen	sie werden gewinnen	sie gewannen

PRESENT PERFECT	PAST PERFECT	PRESENT INFINITIVE
ich habe gewonnen	ich hatte gewonnen	gewinnen
du hast gewonnen	du hattest gewonnen	
er hat gewonnen	er hatte gewonnen	PAST INFINITIVE
wir haben gewonnen	wir hatten gewonnen	gewonnen haben
ihr habt gewonnen	ihr hattet gewonnen	
sie haben gewonnen	sie hatten gewonnen	

FUTURE PERFECT		PRESENT PARTICIPLE
ich werde gewonnen haben		gewinnend
du wirst gewonnen haben		
er wird gewonnen haben		PAST PARTICIPLE
wir werden gewonnen haben		gewonnen
ihr werdet gewonnen haben		
sie werden gewonnen haben		

SUBJUNCTIVE

PRESENT I	PRESENT II	PRESENT CONDITIONAL
ich gewinne	ich gewänne	ich würde gewinnen
du gewinnest	du gewännest	du würdest gewinnen
er gewinne	er gewänne	er würde gewinnen
wir gewinnen	wir gewännen	wir würden gewinnen
ihr gewinnet	ihr gewännet	ihr würdet gewinnen
sie gewinnen	sie gewännen	sie würden gewinnen

PAST I	PAST II	IMPERATIVE
ich habe gewonnen	ich hätte gewonnen	gewinn(e)!
du habest gewonnen	du hättest gewonnen	gewinnt!
er habe gewonnen	er hätte gewonnen	gewinnen Sie!
wir haben gewonnen	wir hätten gewonnen	gewinnen wir!
ihr habet gewonnen	ihr hättet gewonnen	
sie haben gewonnen	sie hätten gewonnen	

58   **GIESSEN** to pour

INDICATIVE
PRESENT

ich gieße
du gießt
er gießt
wir gießen
ihr gießt
sie gießen

PRESENT PERFECT

ich habe gegossen
du hast gegossen
er hat gegossen
wir haben gegossen
ihr habt gegossen
sie haben gegossen

FUTURE PERFECT

ich werde gegossen haben
du wirst gegossen haben
er wird gegossen haben
wir werden gegossen haben
ihr werdet gegossen haben
sie werden gegossen haben

FUTURE

ich werde gießen
du wirst gießen
er wird gießen
wir werden gießen
ihr werdet gießen
sie werden gießen

PAST PERFECT

ich hatte gegossen
du hattest gegossen
er hatte gegossen
wir hatten gegossen
ihr hattet gegossen
sie hatten gegossen

PAST

ich goß
du gossest
er goß
wir gossen
ihr goßt
sie gossen

*PRESENT
INFINITIVE*
gießen

*PAST
INFINITIVE*
gegossen haben

*PRESENT
PARTICIPLE*
gießend

*PAST
PARTICIPLE*
gegossen

SUBJUNCTIVE
PRESENT I

ich gieße
du gießest
er gieße
wir gießen
ihr gießet
sie gießen

PAST I

ich habe gegossen
du habest gegossen
er habe gegossen
wir haben gegossen
ihr habet gegossen
sie haben gegossen

PRESENT II

ich gösse
du gössest
er gösse
wir gössen
ihr gösset
sie gössen

PAST II

ich hätte gegossen
du hättest gegossen
er hätte gegossen
wir hätten gegossen
ihr hättet gegossen
sie hätten gegossen

*PRESENT
CONDITIONAL*

ich würde gießen
du würdest gießen
er würde gießen
wir würden gießen
ihr würdet gießen
sie würden gießen

IMPERATIVE

gieß(e)!
gießt!
gießen Sie!
gießen wir!

GLAUBEN to believe **59**

INDICATIVE

PRESENT	FUTURE	PAST
ich glaube	ich werde glauben	ich glaubte
du glaubst	du wirst glauben	du glaubtest
er glaubt	er wird glauben	er glaubte
wir glauben	wir werden glauben	wir glaubten
ihr glaubt	ihr werdet glauben	ihr glaubtet
sie glauben	sie werden glauben	sie glaubten

PRESENT PERFECT	PAST PERFECT	*PRESENT INFINITIVE*
ich habe geglaubt	ich hatte geglaubt	glauben
du hast geglaubt	du hattest geglaubt	
er hat geglaubt	er hatte geglaubt	*PAST INFINITIVE*
wir haben geglaubt	wir hatten geglaubt	geglaubt haben
ihr habt geglaubt	ihr hattet geglaubt	
sie haben geglaubt	sie hatten geglaubt	

FUTURE PERFECT		*PRESENT PARTICIPLE*
ich werde geglaubt haben		glaubend
du wirst geglaubt haben		
er wird geglaubt haben		*PAST PARTICIPLE*
wir werden geglaubt haben		geglaubt
ihr werdet geglaubt haben		
sie werden geglaubt haben		

SUBJUNCTIVE

PRESENT I	PRESENT II	*PRESENT CONDITIONAL*
ich glaube	ich glaubte	ich würde glauben
du glaubest	du glaubtest	du würdest glauben
er glaube	er glaubte	er würde glauben
wir glauben	wir glaubten	wir würden glauben
ihr glaubet	ihr glaubtet	ihr würdet glauben
sie glauben	sie glaubten	sie würden glauben

PAST I	PAST II	*IMPERATIVE*
ich habe geglaubt	ich hätte geglaubt	glaub(e)!
du habest geglaubt	du hättest geglaubt	glaubt!
er habe geglaubt	er hätte geglaubt	glauben Sie!
wir haben geglaubt	wir hätten geglaubt	glauben wir!
ihr habet geglaubt	ihr hättet geglaubt	
sie haben geglaubt	sie hätten geglaubt	

INDICATIVE

PRESENT	**FUTURE**	**PAST**
ich gleiche	ich werde gleichen	ich glich
du gleichst	du wirst gleichen	du glichst
er gleicht	er wird gleichen	er glich
wir gleichen	wir werden gleichen	wir glichen
ihr gleicht	ihr werdet gleichen	ihr glicht
sie gleichen	sie werden gleichen	sie glichen

PRESENT PERFECT	**PAST PERFECT**	
ich habe geglichen	ich hatte geglichen	***PRESENT INFINITIVE***
du hast geglichen	du hattest geglichen	gleichen
er hat geglichen	er hatte geglichen	
wir haben geglichen	wir hatten geglichen	***PAST INFINITIVE***
ihr habt geglichen	ihr hattet geglichen	
sie haben geglichen	sie hatten geglichen	geglichen haben

FUTURE PERFECT	
ich werde geglichen haben	***PRESENT PARTICIPLE***
du wirst geglichen haben	
er wird geglichen haben	gleichend
wir werden geglichen haben	
ihr werdet geglichen haben	***PAST PARTICIPLE***
sie werden geglichen haben	geglichen

SUBJUNCTIVE

PRESENT I	**PRESENT II**	***PRESENT CONDITIONAL***
ich gleiche	ich gliche	ich würde gleichen
du gleichest	du glichest	du würdest gleichen
er gleiche	er gliche	er würde gleichen
wir gleichen	wir glichen	wir würden gleichen
ihr gleichet	ihr glichet	ihr würdet gleichen
sie gleichen	sie glichen	sie würden gleichen

PAST I	**PAST II**	***IMPERATIVE***
ich habe geglichen	ich hätte geglichen	gleich(e)!
du habest geglichen	du hättest geglichen	gleicht!
er habe geglichen	er hätte geglichen	gleichen Sie!
wir haben geglichen	wir hätten geglichen	gleichen wir!
ihr habet geglichen	ihr hättet geglichen	
sie haben geglichen	sie hätten geglichen	

GLEITEN to slide 61

INDICATIVE

PRESENT
ich gleite
du gleiet
er gleitet
wir gleiten
ihr gleitet
sie gleiten

FUTURE
ich werde gleiten
du wirst gleiten
er wird gleiten
wir werden gleiten
ihr werdet gleiten
sie werden gleiten

PAST
ich glitt
du glittst
er glitt
wir glitten
ihr glittet
sie glitten

PRESENT PERFECT
ich bin geglitten
du bist geglitten
er ist geglitten
wir sind geglitten
ihr seid geglitten
sie sind geglitten

PAST PERFECT
ich war geglitten
du warst geglitten
er war geglitten
wir waren geglitten
ihr wart geglitten
sie waren geglitten

PRESENT INFINITIVE
gleiten

PAST INFINITIVE
geglitten haben

FUTURE PERFECT
ich werde geglitten sein
du wirst geglitten sein
er wird geglitten sein
wir werden geglitten sein
ihr werdet geglitten sein
sie werden geglitten sein

PRESENT PARTICIPLE
gleitend

PAST PARTICIPLE
geglitten

SUBJUNCTIVE

PRESENT I
ich gleite
du gleitest
er gleite
wir gleiten
ihr gleitet
sie gleiten

PRESENT II
ich glitte
du glittest
er glitte
wir glitten
ihr glittet
sie glitten

PRESENT CONDITIONAL
ich würde gleiten
du würdest gleiten
er würde gleiten
wir würden gleiten
ihr würdet gleiten
sie würden gleiten

PAST I
ich sei geglitten
du sei(e)st geglitten
er sei geglitten
wir seien geglitten
ihr seiet geglitten
sie seien geglitten

PAST II
ich wäre geglitten
du wär(e)st geglitten
er wäre geglitten
wir wären geglitten
ihr wär(e)t geglitten
sie wären geglitten

IMPERATIVE
gleit(e)!
gleitet!
gleiten Sie!
gleiten wir!

INDICATIVE

PRESENT	FUTURE	PAST
ich glimme	ich werde glimmen	ich glomm
du glimmst	du wirst glimmen	du glommst
er glimmt	er wird glimmen	er glomm
wir glimmen	wir werden glimmen	wir glommen
ihr glimmt	ihr werdet glimmen	ihr glommt
sie glimmen	sie werden glimmen	sie glommen

PRESENT PERFECT	PAST PERFECT	
ich habe geglommen	ich hatte geglommen	**PRESENT INFINITIVE**
du hast geglommen	du hattest geglommen	glimmen
er hat geglommen	er hatte geglommen	
wir haben geglommen	wir hatten geglommen	**PAST INFINITIVE**
ihr habt geglommen	ihr hattet geglommen	
sie haben geglommen	sie hatten geglommen	geglommen haben

FUTURE PERFECT

ich werde geglommen haben
du wirst geglommen haben
er wird geglommen haben
wir werden geglommen haben
ihr werdet geglommen haben
sie werden geglommen haben

PRESENT PARTICIPLE

glimmend

PAST PARTICIPLE

geglommen

SUBJUNCTIVE

PRESENT I	PRESENT II	PRESENT CONDITIONAL
ich glimme	ich glömme	ich würde glimmen
du glimmest	du glömmest	du würdest glimmen
er glimme	er glömme	er würde glimmen
wir glimmen	wir glömmen	wir würden glimmen
ihr glimmet	ihr glömmet	ihr würdet glimmen
sie glimmen	sie glömmen	sie würden glimmen

PAST I	PAST II	IMPERATIVE
ich habe geglommen	ich hätte geglommen	glimm(e)!
du habest geglommen	du hättest geglommen	glimmt!
er habe geglommen	er hätte geglommen	glimmen Sie!
wir haben geglommen	wir hätten geglommen	glimmen wir!
ihr habet geglommen	ihr hättet geglommen	
sie haben geglommen	sie hätten geglommen	

GRABEN to dig

INDICATIVE

PRESENT	FUTURE	PAST
ich grabe	ich werde graben	ich grub
du gräbst	du wirst graben	du grubst
er gräbt	er wird graben	er grub
wir graben	wir werden graben	wir gruben
ihr grabt	ihr werdet graben	ihr grubt
sie graben	sie werden graben	sie gruben

PRESENT PERFECT	PAST PERFECT	
ich habe gegraben	ich hatte gegraben	**PRESENT**
du hast gegraben	du hattest gegraben	**INFINITIVE**
er hat gegraben	er hatte gegraben	graben
wir haben gegraben	wir hatten gegraben	
ihr habt gegraben	ihr hattet gegraben	**PAST**
sie haben gegraben	sie hatten gegraben	**INFINITIVE**
		gegraben haben

FUTURE PERFECT

ich werde gegraben haben	**PRESENT**
du wirst gegraben haben	**PARTICIPLE**
er wird gegraben haben	grabend
wir werden gegraben haben	
ihr werdet gegraben haben	**PAST**
sie werden gegraben haben	**PARTICIPLE**
	gegraben

SUBJUNCTIVE

PRESENT I	PRESENT II	PRESENT CONDITIONAL
ich grabe	ich grübe	ich würde graben
du grabest	du grübest	du würdest graben
er grabe	er grübe	er würde graben
wir graben	wir grüben	wir würden graben
ihr grabet	ihr grübet	ihr würdet graben
sie graben	sie grüben	sie würden graben

PAST I	PAST II	IMPERATIVE
ich habe gegraben	ich hätte gegraben	grab(e)!
du habest gegraben	du hättest gegraben	grabt!
er habe gegraben	er hätte gegraben	graben Sie!
wir haben gegraben	wir hätten gegraben	graben wir!
ihr habet gegraben	ihr hättet gegraben	
sie haben gegraben	sie hätten gegraben	

INDICATIVE

PRESENT	FUTURE	PAST
ich greife	ich werde greifen	ich griff
du greifst	du wirst greifen	du griffst
er greift	er wird greifen	er griff
wir greifen	wir werden greifen	wir griffen
ihr greift	ihr werdet greifen	ihr grifft
sie greifen	sie werden greifen	sie griffen

PRESENT PERFECT	PAST PERFECT	
ich habe gegriffen	ich hatte gegriffen	**PRESENT INFINITIVE**
du hast gegriffen	du hattest gegriffen	greifen
er hat gegriffen	er hatte gegriffen	
wir haben gegriffen	wir hatten gegriffen	**PAST INFINITIVE**
ihr habt gegriffen	ihr hattet gegriffen	gegriffen haben
sie haben gegriffen	sie hatten gegriffen	

FUTURE PERFECT

ich werde gegriffen haben	**PRESENT PARTICIPLE**
du wirst gegriffen haben	greifend
er wird gegriffen haben	
wir werden gegriffen haben	**PAST PARTICIPLE**
ihr werdet gegriffen haben	gegriffen
sie werden gegriffen haben	

SUBJUNCTIVE

PRESENT I	PRESENT II	PRESENT CONDITIONAL
ich greife	ich griffe	ich würde greifen
du greifest	du griffest	du würdest greifen
er greife	er griffe	er würde greifen
wir greifen	wir griffen	wir würden greifen
ihr greifet	ihr griffet	ihr würdet greifen
sie greifen	sie griffen	sie würden greifen

PAST I	PAST II	IMPERATIVE
ich habe gegriffen	ich hätte gegriffen	greif(e)!
du habest gegriffen	du hättest gegriffen	greift!
er habe gegriffen	er hätte gegriffen	greifen Sie!
wir haben gegriffen	wir hätten gegriffen	greifen wir!
ihr habet gegriffen	ihr hättet gegriffen	
sie haben gegriffen	sie hätten gegriffen	

GRÜNDEN to found 65

INDICATIVE

PRESENT
ich gründe
du gründest
er gründet
wir gründen
ihr gründet
sie gründen

FUTURE
ich werde gründen
du wirst gründen
er wird gründen
wir werden gründen
ihr werdet gründen
sie werden gründen

PAST
ich gründete
du gründetest
er gründete
wir gründeten
ihr gründetet
sie gründeten

PRESENT PERFECT
ich habe gegründet
du hast gegründet
er hat gegründet
wir haben gegründet
ihr habt gegründet
sie haben gegründet

PAST PERFECT
ich hatte gegründet
du hattest gegründet
er hatte gegründet
wir hatten gegründet
ihr hattet gegründet
sie hatten gegründet

PRESENT
INFINITIVE
gründen

PAST
INFINITIVE
gegründet haben

FUTURE PERFECT
ich werde gegründet haben
du wirst gegründet haben
er wird gegründet haben
wir werden gegründet haben
ihr werdet gegründet haben
sie werden gegründet haben

PRESENT
PARTICIPLE
gründend

PAST
PARTICIPLE
gegründet

SUBJUNCTIVE

PRESENT I
ich gründe
du gründest
er gründe
wir gründen
ihr gründet
sie gründen

PRESENT II
ich gründete
du gründetest
er gründete
wir gründeten
ihr gründetet
sie gründeten

PRESENT
CONDITIONAL
ich würde gründen
du würdest gründen
er würde gründen
wir würden gründen
ihr würdet gründen
sie würden gründen

PAST I
ich habe gegründet
du habest gegründet
er habe gegründet
wir haben gegründet
ihr habet gegründet
sie haben gegründet

PAST II
ich hätte gegründet
du hättest gegründet
er hätte gegründet
wir hätten gegründet
ihr hättet gegründet
sie hätten gegründet

IMPERATIVE
gründe!
gründet!
gründen Sie!
gründen wir!

INDICATIVE

PRESENT	FUTURE	PAST
ich habe	ich werde haben	ich hatte
du hast	du wirst haben	du hattest
er hat	er wird haben	er hatte
wir haben	wir werden haben	wir hatten
ihr habt	ihr werdet haben	ihr hattet
sie haben	sie werden haben	sie hatten

PRESENT PERFECT
ich habe gehabt
du hast gehabt
er hat gehabt
wir haben gehabt
ihr habt gehabt
sie haben gehabt

PAST PERFECT
ich hatte gehabt
du hattest gehabt
er hatte gehabt
wir hatten gehabt
ihr hattet gehabt
sie hatten gehabt

PRESENT INFINITIVE
haben

PAST INFINITIVE
gehabt haben

FUTURE PERFECT
ich werde gehabt haben
du wirst gehabt haben
er wird gehabt haben
wir werden gehabt haben
ihr werdet gehabt haben
sie werden gehabt haben

PRESENT PARTICIPLE
habend

PAST PARTICIPLE
gehabt

SUBJUNCTIVE

PRESENT I	PRESENT II	PRESENT CONDITIONAL
ich habe	ich hätte	ich würde haben
du habest	du hättest	du würdest haben
er habe	er hätte	er würde haben
wir haben	wir hätten	wir würden haben
ihr habet	ihr hättet	ihr würdet haben
sie haben	sie hätten	sie würden haben

PAST I
ich habe gehabt
du habest gehabt
er habe gehabt
wir haben gehabt
ihr habet gehabt
sie haben gehabt

PAST II
ich hätte gehabt
du hättest gehabt
er hätte gehabt
wir hätten gehabt
ihr hättet gehabt
sie hätten gehabt

IMPERATIVE
hab(e)!
habt!
haben Sie!
haben wir!

NOTES

1   MEANING

to have, to possess

2   USAGE

a   *transitive verb:*

er hat ein gutes Gedächtnis	he has a good memory
ich habe Hunger/Durst	I am hungry/thirsty
ich habe keine Zeit	I do not have the time
das Gerät ist nicht zu haben	this piece of equipment is unobtainable
wir haben noch zu arbeiten	we've still got work to do

ich hätte gern(e) noch ein
  Glas Wein
	I would like another glass
	  of wine

was hast du noch zu sagen?	have you anything more to say?
ich habe nichts mit ihm zu tun	I don't have anything to do with him
er hat recht/unrecht	he is right/wrong

b   *auxiliary verb used to form present and past perfect tenses:*

er hat/hatte ein Haus gekauft	he has/had bought a house
wie hätten Sie darauf reagiert?	how would you have reacted?
Sie hätten das nicht tun sollen	you should not have done that

3   PHRASES AND IDIOMS

er hat es eilig	he's in a hurry
sie hat ihn richtig zum besten gehabt	she made a right fool of him
und damit hat sich das!	and that's the end of the matter
hab' dich nicht so!	don't make such a fuss!
etwas im Kopf haben	to have something on one's mind
er hat Grütze im Kopf	he's got his wits about him
Stroh im Kopf haben	to be scatterbrained
was habe ich davon?	what's in it for me?
was hat er hier zu suchen?	what business has he to be here?
ich hab's!	I've got it!
was hast du gegen mich?	what have you got against me?

INDICATIVE

PRESENT	FUTURE	PAST
ich halte	ich werde halten	ich hielt
du hältst	du wirst halten	du hieltst
er hält	er wird halten	er hielt
wir halten	wir werden halten	wir hielten
ihr haltet	ihr werdet halten	ihr hieltet
sie halten	sie werden halten	sie hielten

PRESENT PERFECT	PAST PERFECT	
ich habe gehalten	ich hatte gehalten	*PRESENT INFINITIVE*
du hast gehalten	du hattest gehalten	halten
er hat gehalten	er hatte gehalten	
wir haben gehalten	wir hatten gehalten	*PAST INFINITIVE*
ihr habt gehalten	ihr hattet gehalten	gehalten haben
sie haben gehalten	sie hatten gehalten	

FUTURE PERFECT	
ich werde gehalten haben	*PRESENT PARTICIPLE*
du wirst gehalten haben	haltend
er wird gehalten haben	
wir werden gehalten haben	*PAST PARTICIPLE*
ihr werdet gehalten haben	gehalten
sie werden gehalten haben	

SUBJUNCTIVE

PRESENT I	PRESENT II	PRESENT CONDITIONAL
ich halte	ich hielte	ich würde halten
du haltest	du hieltest	du würdest halten
er halte	er hielte	er würde halten
wir halten	wir hielten	wir würden halten
ihr haltet	ihr hieltet	ihr würdet halten
sie halten	sie hielten	sie würden halten

PAST I	PAST II	*IMPERATIVE*
ich habe gehalten	ich hätte gehalten	halte(e)!
du habest gehalten	du hättest gehalten	haltet!
er habe gehalten	er hätte gehalten	halten Sie!
wir haben gehalten	wir hätten gehalten	halten wir!
ihr habet gehalten	ihr hättet gehalten	
sie haben gehalten	sie hätten gehalten	

NOTES

I MEANING

transitive verb: to hold, to grasp, to preserve, to keep, to consider
intransitive verb: to stop, to hold

2 USAGE

a *transitive:*

ich halte so lange die Tasche	I'll keep hold of the bag for the time being
hältst du mir die Hand?	would you hold my hand?
er hielt das Glas in der Hand	he held the glass in his hand
das Essen warm halten	to keep the meal warm
er hielt eine lange Rede	he gave a long speech
er hat sein Versprechen gehalten	he kept his promise
er hat den Wagen in einem guten Zustand gehalten	he kept the car in good condition

b *intransitive:*

hält die 2 hier?	does the Number 2 (tram, bus) stop here?
hält das Seil?	will the rope take the strain?

c *reflexive verb:*

er hält sich nicht an die Regeln	he does not keep to the rules
das kann sich nicht lange halten	that cannot last for long
die Blumen halten sich frisch	the flowers are staying fresh
halten Sie sich immer rechts	keep to the right

3 PHRASES AND IDIOMS

wir haben uns vor Lachen die Seiten gehalten	we split our sides laughing
sie halten heute Hochzeit	it's their wedding today
jemanden zum besten/zum Narren halten	to make a fool of someone
ein gastfreies Haus halten	to keep open house
man hält ihn für intelligent	he is thought to be intelligent
was halten Sie davon?	what do you think?
ich halte es für das beste, wenn ...	I think the best thing would be ...

INDICATIVE

PRESENT

ich handle
du handelst
er handelt
wir handeln
ihr handelt
sie handeln

FUTURE

ich werde handeln
du wirst handeln
er wird handeln
wir werden handeln
ihr werdet handeln
sie werden handeln

PAST

ich handelte
du handeltest
er handelte
wir handelten
ihr handeltet
sie handelten

PRESENT PERFECT

ich habe gehandelt
du hast gehandelt
er hat gehandelt
wir haben gehandelt
ihr habt gehandelt
sie haben gehandelt

PAST PERFECT

ich hatte gehandelt
du hattest gehandelt
er hatte gehandelt
wir hatten gehandelt
ihr hattet gehandelt
sie hatten gehandelt

PRESENT INFINITIVE

handeln

PAST INFINITIVE

gehandelt haben

FUTURE PERFECT

ich werde gehandelt haben
du wirst gehandelt haben
er wird gehandelt haben
wir werden gehandelt haben
ihr werdet gehandelt haben
sie werden gehandelt haben

PRESENT PARTICIPLE

handelnd

PAST PARTICIPLE

gehandelt

SUBJUNCTIVE

PRESENT I

ich handle
du handlest
er handle
wir handeln
ihr handelt
sie handeln

PRESENT II

ich handelte
du handeltest
er handelte
wir handelten
ihr handeltet
sie handelten

PRESENT CONDITIONAL

ich würde handeln
du würdest handeln
er würde handeln
wir würden handeln
ihr würdet handeln
sie würden handeln

PAST I

ich habe gehandelt
du habest gehandelt
er habe gehandelt
wir haben gehandelt
ihr habet gehandelt
sie haben gehandelt

PAST II

ich hätte gehandelt
du hättest gehandelt
er hätte gehandelt
wir hätten gehandelt
ihr hättet gehandelt
sie hätten gehandelt

IMPERATIVE

handle!
handelt!
handeln Sie!
handeln wir!

HÄNGEN to hang *(intransitive)* **69**

INDICATIVE

PRESENT
ich hänge
du hängst
er hängt
wir hängen
ihr hängt
sie hängen

FUTURE
ich werde hängen
du wirst hängen
er wird hängen
wir werden hängen
ihr werdet hängen
sie werden hängen

PAST
ich hing
du hingst
er hing
wir hingen
ihr hingt
sie hingen

PRESENT PERFECT
ich habe gehangen
du hast gehangen
er hat gehangen
wir haben gehangen
ihr habt gehangen
sie haben gehangen

PAST PERFECT
ich hatte gehangen
du hattest gehangen
er hatte gehangen
wir hatten gehangen
ihr hattet gehangen
sie hatten gehangen

PRESENT INFINITIVE
hängen

PAST INFINITIVE
gehangen haben

FUTURE PERFECT
ich werde gehangen haben
du wirst gehangen haben
er wird gehangen haben
wir werden gehangen haben
ihr werdet gehangen haben
sie werden gehangen haben

PRESENT PARTICIPLE
hängend

PAST PARTICIPLE
gehangen

SUBJUNCTIVE

PRESENT I
ich hänge
du hängest
er hänge
wir hängen
ihr hänget
sie hängen

PRESENT II
ich hinge
du hingest
er hinge
wir hingen
ihr hinget
sie hingen

PRESENT CONDITIONAL
ich würde hängen
du würdest hängen
er würde hängen
wir würden hangen
ihr würdet hängen
sie würden hängen

PAST I
ich habe gehangen
du habest gehangen
er habe gehangen
wir haben gehangen
ihr habet gehangen
sie haben gehangen

PAST II
ich hätte gehangen
du hättest gehangen
er hätte gehangen
wir hätten gehangen
ihr hättet gehangen
sie hätten gehangen

IMPERATIVE
häng(e)!
hängt!
hängen Sie!
hängen wir!

Note: also weak conjugation (transitive): **ich hängte** etc, **ich habe gehängt** etc

INDICATIVE

PRESENT	FUTURE	PAST
ich haue	ich werde hauen	ich hieb
du haust	du wirst hauen	du hiebst
er haut	er wird hauen	er hieb
wir hauen	wir werden hauen	wir hieben
ihr haut	ihr werdet hauen	ihr hiebt
sie hauen	sie werden hauen	sie hieben

PRESENT PERFECT	PAST PERFECT	PRESENT INFINITIVE
ich habe gehauen	ich hatte gehauen	hauen
du hast gehauen	du hattest gehauen	
er hat gehauen	er hatte gehauen	PAST INFINITIVE
wir haben gehauen	wir hatten gehauen	gehauen haben
ihr habt gehauen	ihr hattet gehauen	
sie haben gehauen	sie hatten gehauen	

FUTURE PERFECT		PRESENT PARTICIPLE
ich werde gehauen haben		hauend
du wirst gehauen haben		
er wird gehauen haben		PAST PARTICIPLE
wir werden gehauen haben		gehauen
ihr werdet gehauen haben		
sie werden gehauen haben		

SUBJUNCTIVE

PRESENT I	PRESENT II	PRESENT CONDITIONAL
ich haue	ich hiebe	ich würde hauen
du hauest	du hiebest	du würdest hauen
er haue	er hiebe	er würde hauen
wir hauen	wir hieben	wir würden hauen
ihr hauet	ihr hiebet	ihr würdet hauen
sie hauen	sie hieben	sie würden hauen

PAST I	PAST II	IMPERATIVE
ich habe gehauen	ich hätte gehauen	hau(e)!
du habest gehauen	du hättest gehauen	haut!
er habe gehauen	er hätte gehauen	hauen Sie!
wir haben gehauen	wir hätten gehauen	hauen wir!
ihr habet gehauen	ihr hättet gehauen	
sie haben gehauen	sie hätten gehauen	

Note: **hauen** is now used almost exclusively as a weak verb: **ich haute** etc, but **gehaut** is restricted to regional and dialect usage

HEBEN to lift 71

INDICATIVE

PRESENT
ich hebe
du hebst
er hebt
wir heben
ihr hebt
sie heben

FUTURE
ich werde heben
du wirst heben
er wird heben
wir werden heben
ihr werdet heben
sie werden heben

PAST
ich hob
du hobst
er hob
wir hoben
ihr hobt
sie hoben

PRESENT PERFECT
ich habe gehoben
du hast gehoben
er hat gehoben
wir haben gehoben
ihr habt gehoben
sie haben gehoben

PAST PERFECT
ich hatte gehoben
du hattest gehoben
er hatte gehoben
wir hatten gehoben
ihr hattet gehoben
sie hatten gehoben

PRESENT INFINITIVE
heben

PAST INFINITIVE
gehoben haben

FUTURE PERFECT
ich werde gehoben haben
du wirst gehoben haben
er wird gehoben haben
wir werden gehoben haben
ihr werdet gehoben haben
sie werden gehoben haben

PRESENT PARTICIPLE
hebend

PAST PARTICIPLE
gehoben

SUBJUNCTIVE

PRESENT I
ich hebe
du hebest
er hebe
wir heben
ihr hebet
sie heben

PRESENT II
ich höbe
du höbest
er höbe
wir höben
ihr höbet
sie höben

PRESENT CONDITIONAL
ich würde heben
du würdest heben
er würde heben
wir würden heben
ihr würdet heben
sie würden heben

PAST I
ich habe gehoben
du habest gehoben
er habe gehoben
wir haben gehoben
ihr habet gehoben
sie haben gehoben

PAST II
ich hätte gehoben
du hättest gehoben
er hätte gehoben
wir hätten gehoben
ihr hättet gehoben
sie hätten gehoben

IMPERATIVE
heb(e)!
hebt!
heben Sie!
heben wir!

INDICATIVE

PRESENT

ich heiße
du heißt
er heißt
wir heißen
ihr heißt
sie heißen

FUTURE

ich werde heißen
du wirst heißen
er wird heißen
wir werden heißen
ihr werdet heißen
sie werden heißen

PAST

ich hieß
du hießest
er hieß
wir hießen
ihr hießt
sie hießen

PRESENT PERFECT

ich habe geheißen
du hast geheißen
er hat geheißen
wir haben geheißen
ihr habt geheißen
sie haben geheißen

PAST PERFECT

ich hatte geheißen
du hattest geheißen
er hatte geheißen
wir hatten geheißen
ihr hattet geheißen
sie hatten geheißen

*PRESENT
INFINITIVE*

heißen

*PAST
INFINITIVE*

geheißen haben

FUTURE PERFECT

ich werde geheißen haben
du wirst geheißen haben
er wird geheißen haben
wir werden geheißen haben
ihr werdet geheißen haben
sie werden geheißen haben

*PRESENT
PARTICIPLE*

heißend

*PAST
PARTICIPLE*

geheißen

SUBJUNCTIVE

PRESENT I

ich heiße
du heißest
er heiße
wir heißen
ihr heißet
sie heißen

PRESENT II

ich hieße
du hießest
er hieße
wir hießen
ihr hießet
sie hießen

*PRESENT
CONDITIONAL*

ich würde heißen
du würdest heißen
er würde heißen
wir würden heißen
ihr würdet heißen
sie würden heißen

PAST I

ich habe geheißen
du habest geheißen
er habe geheißen
wir haben geheißen
ihr habet geheißen
sie haben geheißen

PAST II

ich hätte geheißen
du hättest geheißen
er hätte geheißen
wir hätten geheißen
ihr hättet geheißen
sie hätten geheißen

IMPERATIVE

heiß(e)!
heißt!
heißen Sie!
heißen wir!

INDICATIVE

PRESENT	FUTURE	PAST
ich helfe	ich werde helfen	ich half
du hilfst	du wirst helfen	du halfst
er hilft	er wird helfen	er half
wir helfen	wir werden helfen	wir halfen
ihr helft	ihr werdet helfen	ihr halft
sie helfen	sie werden helfen	sie halfen

PRESENT PERFECT	PAST PERFECT	PRESENT INFINITIVE
ich habe geholfen	ich hatte geholfen	helfen
du hast geholfen	du hattest geholfen	
er hat geholfen	er hatte geholfen	PAST INFINITIVE
wir haben geholfen	wir hatten geholfen	geholfen haben
ihr habt geholfen	ihr hattet geholfen	
sie haben geholfen	sie hatten geholfen	

FUTURE PERFECT		PRESENT PARTICIPLE
ich werde geholfen haben		helfend
du wirst geholfen haben		
er wird geholfen haben		PAST PARTICIPLE
wir werden geholfen haben		geholfen
ihr werdet geholfen haben		
sie werden geholfen haben		

SUBJUNCTIVE

PRESENT I	PRESENT II	PRESENT CONDITIONAL
ich helfe	ich hülfe	ich würde helfen
du helfest	du hülfest	du würdest helfen
er helfe	er hülfe	er würde helfen
wir helfen	wir hülfen	wir würden helfen
ihr helfet	ihr hülfet	ihr würdet helfen
sie helfen	sie hülfen	sie würden helfen

PAST I	PAST II	IMPERATIVE
ich habe geholfen	ich hätte geholfen	hilf!
du habest geholfen	du hättest geholfen	helft!
er habe geholfen	er hätte geholfen	helfen Sie!
wir haben geholfen	wir hätten geholfen	helfen wir!
ihr habet geholfen	ihr hättet geholfen	
sie haben geholfen	sie hätten geholfen	

KENNEN to know

INDICATIVE
PRESENT

ich kenne
du kennst
er kennt
wir kennen
ihr kennt
sie kennen

FUTURE

ich werde kennen
du wirst kennen
er wird kennen
wir werden kennen
ihr werdet kennen
sie werden kennen

PAST

ich kannte
du kanntest
er kannte
wir kannten
ihr kanntet
sie kannten

PRESENT PERFECT

ich habe gekannt
du hast gekannt
er hat gekannt
wir haben gekannt
ihr habt gekannt
sie haben gekannt

PAST PERFECT

ich hatte gekannt
du hattest gekannt
er hatte gekannt
wir hatten gekannt
ihr hattet gekannt
sie hatten gekannt

*PRESENT
INFINITIVE*

kennen

*PAST
INFINITIVE*

gekannt haben

FUTURE PERFECT

ich werde gekannt haben
du wirst gekannt haben
er wird gekannt haben
wir werden gekannt haben
ihr werdet gekannt haben
sie werden gekannt haben

*PRESENT
PARTICIPLE*

kennend

*PAST
PARTICIPLE*

gekannt

SUBJUNCTIVE
PRESENT I

ich kenne
du kennest
er kenne
wir kennen
ihr kennet
sie kennen

PRESENT II

ich kennte
du kenntest
er kennte
wir kennten
ihr kenntet
sie kennten

*PRESENT
CONDITIONAL*

ich würde kennen
du würdest kennen
er würde kennen
wir würden kennen
ihr würdet kennen
sie würden kennen

PAST I

ich habe gekannt
du habest gekannt
er habe gekannt
wir haben gekannt
ihr habet gekannt
sie haben gekannt

PAST II

ich hätte gekannt
du hättest gekannt
er hätte gekannt
wir hätten gekannt
ihr hättet gekannt
sie hätten gekannt

IMPERATIVE

kenn(e)!
kennt!
kennen Sie!
kennen wir!

NOTES

1   <u>MEANING</u>

to know, to be familiar with, to be acquainted with

2   <u>USAGE</u>

a *transitive* **mixed** *verb:*

Whereas **wissen** means to know **factually**, kennen means to be familiar with.

wir kennen ihn schon lange	we've known him for a long time
ich kenne ihn als Dramatiker	I know him as a dramatist
Sie kennen die Stadt aber gut!	you really do know the town well
ich habe ihn persönlich gekannt	I was personally acquainted with him
von Goethe kenne ich nur den Faust	of Goethe's works I only know Faust
ich kenne ihn als zuverlässig	I know him to be reliable

b *reflexive verb:*

kennen Sie sich schon?	do you know one another?
wie lange kennt ihr euch schon?	how long have you known one another?

3   <u>PHRASES AND IDIOMS</u>

er kennt sich in der Stadt gut aus	he knows his way around town
sie lernten sich in Wien kennen	they got to know one another in Vienna
ich kenne das auswendig	I know that by heart
er kannte sich nicht mehr vor Wut	he was beside himself with anger
ich kenne ihn nur vom Sehen	I only know him by sight
ich kenne sie nur dem Namen nach	I only know her by name
so wie ich ihn kenne ...	if I know him ...
ich kenne Augsburg wie meine Westentasche	I know Augsburg like the back of my hand
da kennst du mich aber falsch!	don't underestimate me!
kennst du mich noch?	do you still remember me?
keine Rücksicht kennen	to be ruthless

KLATSCHEN to clap, to gossip

INDICATIVE

PRESENT

ich klatsche
du klatschst
er klatscht
wir klatschen
ihr klatscht
sie klatschen

FUTURE

ich werde klatschen
du wirst klatschen
er wird klatschen
wir werden klatschen
ihr werdet klatschen
sie werden klatschen

PAST

ich klatschte
du klatschtest
er klatschte
wir klatschten
ihr klatschtet
sie klatschten

PRESENT PERFECT

ich habe geklatscht
du hast geklatscht
er hat geklatscht
wir haben geklatscht
ihr habt geklatscht
sie haben geklatscht

PAST PERFECT

ich hatte geklatscht
du hattest geklatscht
er hatte geklatscht
wir hatten geklatscht
ihr hattet geklatscht
sie hatten geklatscht

PRESENT INFINITIVE

klatschen

PAST INFINITIVE

geklatscht haben

FUTURE PERFECT

ich werde geklatscht haben
du wirst geklatscht haben
er wird geklatscht haben
wir werden geklatscht haben
ihr werdet geklatscht haben
sie werden geklatscht haben

PRESENT PARTICIPLE

klatschend

PAST PARTICIPLE

geklatscht

SUBJUNCTIVE

PRESENT I

ich klatsche
du klatschest
er klatsche
wir klatschen
ihr klatschet
sie klatschen

PRESENT II

ich klatschte
du klatschtest
er klatschte
wir klatschten
ihr klatschtet
sie klatschten

PRESENT CONDITIONAL

ich würde klatschen
du würdest klatschen
er würde klatschen
wir würden klatschen
ihr würdet klatschen
sie würden klatschen

PAST I

ich habe geklatscht
du habest geklatscht
er habe geklatscht
wir haben geklatscht
ihr habet geklatscht
sie haben geklatscht

PAST II

ich hätte geklatscht
du hättest geklatscht
er hätte geklatscht
wir hätten geklatscht
ihr hättet geklatscht
sie hätten geklatscht

IMPERATIVE

klatsch(e)!
klatscht!
klatschen Sie!
klatschen wir!

KLIMMEN to clamber 76

INDICATIVE

PRESENT
ich klimme
du klimmst
er klimmt
wir klimmen
ihr klimmt
sie klimmen

FUTURE
ich werde klimmen
du wirst klimmen
er wird klimmen
wir werden klimmen
ihr werdet klimmen
sie werden klimmen

PAST
ich klomm
du klommst
er klomm
wir klommen
ihr klommt
sie klommen

PRESENT PERFECT
ich bin geklommen
du bist geklommen
er ist geklommen
wir sind geklommen
ihr seid geklommen
sie sind geklommen

PAST PERFECT
ich war geklommen
du warst geklommen
er war geklommen
wir waren geklommen
ihr wart geklommen
sie waren geklommen

PRESENT INFINITIVE
klimmen

PAST INFINITIVE
geklommen sein

FUTURE PERFECT
ich werde geklommen sein
du wirst geklommen sein
er wird geklommen sein
wir werden geklommen sein
ihr werdet geklommen sein
sie werden geklommen sein

PRESENT PARTICIPLE
klimmend

PAST PARTICIPLE
geklommen

SUBJUNCTIVE

PRESENT I
ich klimme
du klimmest
er klimme
wir klimmen
ihr klimmet
sie klimmen

PRESENT II
ich klömme
du klömmest
er klömme
wir klömmen
ihr klömmet
sie klömmen

PRESENT CONDITIONAL
ich würde klimmen
du würdest klimmen
er würde klimmen
wir würden klimmen
ihr würdet klimmen
sie würden klimmen

PAST I
ich sei geklommen
du sei(e)st geklommen
er sei geklommen
wir seien geklommen
ihr seiet geklommen
sie seien geklommen

PAST II
ich wäre geklommen
du wär(e)st geklommen
er wäre geklommen
wir wären geklommen
ihr wär(e)t geklommen
sie wären geklommen

IMPERATIVE
klimm(e)!
klimmt!
klimmen Sie!
klimmen wir!

INDICATIVE
PRESENT

ich klinge
du klingst
er klingt
wir klingen
ihr klingt
sie klingen

FUTURE

ich werde klingen
du wirst klingen
er wird klingen
wir werden klingen
ihr werdet klingen
sie werden klingen

PAST

ich klang
du klangst
er klang
wir klangen
ihr klangt
sie klangen

PRESENT PERFECT

ich habe geklungen
du hast geklungen
er hat geklungen
wir haben geklungen
ihr habt geklungen
sie haben geklungen

PAST PERFECT

ich hatte geklungen
du hattest geklungen
er hatte geklungen
wir hatten geklungen
ihr hattet geklungen
sie hatten geklungen

*PRESENT
INFINITIVE*

klingen

*PAST
INFINITIVE*

geklungen haben

FUTURE PERFECT

ich werde geklungen haben
du wirst geklungen haben
er wird geklungen haben
wir werden geklungen haben
ihr werdet geklungen haben
sie werden geklungen haben

*PRESENT
PARTICIPLE*

klingend

*PAST
PARTICIPLE*

geklungen

SUBJUNCTIVE
PRESENT I

ich klinge
du klingest
er klinge
wir klingen
ihr klinget
sie klingen

PRESENT II

ich klänge
du klängest
er klänge
wir klängen
ihr klänget
sie klängen

*PRESENT
CONDITIONAL*

ich würde klingen
du würdest klingen
er würde klingen
wir würden klingen
ihr würdet klingen
sie würden klingen

PAST I

ich habe geklungen
du habest geklungen
er habe geklungen
wir haben geklungen
ihr habet geklungen
sie haben geklungen

PAST II

ich hätte geklungen
du hättest geklungen
er hätte geklungen
wir hätten geklungen
ihr hättet geklungen
sie hätten geklungen

IMPERATIVE

kling(e)!
klingt!
klingen Sie!
klingen wir!

KNEIFEN to pinch 78

INDICATIVE

PRESENT	FUTURE	PAST
ich kneife	ich werde kneifen	ich kniff
du kneifst	du wirst kneifen	du kniffst
er kneift	er wird kneifen	er kniff
wir kneifen	wir werden kneifen	wir kniffen
ihr kneift	ihr werdet kneifen	ihr knifft
sie kneifen	sie werden kneifen	sie kniffen

PRESENT PERFECT	PAST PERFECT	
ich habe gekniffen	ich hatte gekniffen	**PRESENT INFINITIVE**
du hast gekniffen	du hattest gekniffen	kneifen
er hat gekniffen	er hatte gekniffen	
wir haben gekniffen	wir hatten gekniffen	**PAST INFINITIVE**
ihr habt gekniffen	ihr hattet gekniffen	gekniffen haben
sie haben gekniffen	sie hatten gekniffen	

FUTURE PERFECT		
ich werde gekniffen haben		**PRESENT PARTICIPLE**
du wirst gekniffen haben		kneifend
er wird gekniffen haben		
wir werden gekniffen haben		**PAST PARTICIPLE**
ihr werdet gekniffen haben		gekniffen
sie werden gekniffen haben		

SUBJUNCTIVE

PRESENT I	PRESENT II	PRESENT CONDITIONAL
ich kneife	ich kniffe	ich würde kneifen
du kneifest	du kniffest	du würdest kneifen
er kneife	er kniffe	er würde kneifen
wir kneifen	wir kniffen	wir würden kneifen
ihr kneifet	ihr kniffet	ihr würdet kneifen
sie kneifen	sie kniffen	sie würden kneifen

PAST I	PAST II	IMPERATIVE
ich habe gekniffen	ich hätte gekniffen	kneif(e)!
du habest gekniffen	du hättest gekniffen	kneif!
er habe gekniffen	er hätte gekniffen	kneifen Sie!
wir haben gekniffen	wir hätten gekniffen	kneifen wir!
ihr habet gekniffen	ihr hättet gekniffen	
sie haben gekniffen	sie hätten gekniffen	

INDICATIVE

PRESENT

ich komme
du kommst
er kommt
wir kommen
ihr kommt
sie kommen

FUTURE

ich werde kommen
du wirst kommen
er wird kommen
wir werden kommen
ihr werdet kommen
sie werden kommen

PAST

ich kam
du kamst
er kam
wir kamen
ihr kamt
sie kamen

PRESENT PERFECT

ich bin gekommen
du bist gekommen
er ist gekommen
wir sind gekommen
ihr seid gekommen
sie sind gekommen

PAST PERFECT

ich war gekommen
du warst gekommen
er war gekommen
wir waren gekommen
ihr wart gekommen
sie waren gekommen

PRESENT INFINITIVE

kommen

PAST INFINITIVE

gekommen sein

FUTURE PERFECT

ich werde gekommen sein
du wirst gekommen sein
er wird gekommen sein
wir werden gekommen sein
ihr werdet gekommen sein
sie werden gekommen sein

PRESENT PARTICIPLE

kommend

PAST PARTICIPLE

gekommen

SUBJUNCTIVE

PRESENT I

ich komme
du kommest
er komme
wir kommen
ihr kommet
sie kommen

PRESENT II

ich käme
du kämest
er käme
wir kämen
ihr kämet
sie kämen

PRESENT CONDITIONAL

ich würde kommen
du würdest kommen
er würde kommen
wir würden kommen
ihr würdet kommen
sie würden kommen

PAST I

ich sei gekommen
du sei(e)st gekommen
er sei gekommen
wir seien gekommen
ihr seiet gekommen
sie seien gekommen

PAST II

ich wäre gekommen
du wär(e)st gekommen
er wäre gekommen
wir wären gekommen
ihr wär(e)t gekommen
sie wären gekommen

IMPERATIVE

komm(e)!
kommt!
kommen Sie!
kommen wir!

NOTES

1 MEANING

to come, to arrive

2 USAGE

intransitive verb (auxiliary **sein**):

er kommt zum Abendessen	he's coming for dinner
er ist mit dem Fahrrad gekommen	he came on his bicycle
wann kommst du nach Hause?	when are you coming home?
ich komme gleich	I'll come right away
er kam angelaufen	he came running
ich komme spät	I'm late, I shall be late
ich komme nicht aus dem Haus	I can't get out of the house
er kam mit 18 auf die Universität	he went to university at 18
kommenden Samstag	next Saturday

3 PHRASES AND IDIOMS

kommt er heute nicht,so kommt er morgen	he's unreliable
das kommt nicht in Frage	that's out of the question
er ist zu Bewußtsein gekommen	he regained consciousness
wir kommen aus Österreich	we come from Austria
an den Tag/ans Licht kommen	to come to light, to be revealed
so weit kommt es noch!	that's what it will come to in the end! *(spoken ironically)*
er kommt immer mit derselben alten Geschichte	he always has the same tale to tell
das hätte nicht kommen dürfen	that should not have happened
das habe ich schon lange kommen sehen	I saw that coming a long time ago
wann komme ich an die Reihe?	when is it my turn?
wie bist du darauf gekommen?	what made you think that?
er kam mit mir ins Gespräch	he struck up a conversation with me
ich bin kaum zu Wort gekommen	I could hardly get a word in edgeways
wie kommt es, daß ...?	how does it happen that ...?

INDICATIVE

PRESENT	FUTURE	PAST
ich kann	ich werde können	ich konnte
du kannst	du wirst können	du konntest
er kann	er wird können	er konnte
wir können	wir werden können	wir konnten
ihr könnt	ihr werdet können	ihr konntet
sie können	sie werden können	sie konnten

PRESENT PERFECT	PAST PERFECT	*PRESENT INFINITIVE*
ich habe gekonnt	ich hatte gekonnt	können
du hast gekonnt	du hattest gekonnt	
er hat gekonnt	er hatte gekonnt	*PAST INFINITIVE*
wir haben gekonnt	wir hatten gekonnt	gekonnt haben
ihr habt gekonnt	ihr hattet gekonnt	
sie haben gekonnt	sie hatten gekonnt	

FUTURE PERFECT		*PRESENT PARTICIPLE*
ich werde gekonnt haben		könnend
du wirst gekonnt haben		
er wird gekonnt haben		*PAST PARTICIPLE*
wir werden gekonnt haben		gekonnt
ihr werdet gekonnt haben		
sie werden gekonnt haben		

SUBJUNCTIVE

PRESENT I	PRESENT II	*PRESENT CONDITIONAL*
ich könne	ich könnte	ich würde können
du könnest	du könntest	du würdest können
er könne	er könnte	er würde können
wir können	wir könnten	wir würden können
ihr könnet	ihr könntet	ihr würdet können
sie können	sie könnten	sie würden können

PAST I	PAST II	*IMPERATIVE*
ich habe gekonnt	ich hätte gekonnt	
du habest gekonnt	du hättest gekonnt	
er habe gekonnt	er hätte gekonnt	
wir haben gekonnt	wir hätten gekonnt	
ihr habet gekonnt	ihr hättet gekonnt	
sie haben gekonnt	sie hätten gekonnt	

NOTES

I MEANING

can, to be able to, to be capable of

2 USAGE

a *transitive/intransitive verb* (past participle **gekonnt**):

Often **können** can be used on its own if the verb omitted can be inferred.

ich habe das gekonnt	I was able to do that
ich könnte in die Stadt	I could go into town
können wir mit?	can we come too?
ich kann es nicht	I can't do it
er kann alles	he can do everything/anything
sie kann Russisch	she can speak Russian
gekonnt	skillful
er hat gekonnt gespielt	he played skillfully

b *modal verb* (past participle **können**):

er kann nicht kommen	he cannot come
das Flugzeug kann 400 Passagiere fassen	the plane can take/has room for 400 passengers
mir kann keiner!	I'm all right Jack!

Note the difference between the standard present perfect (**haben** + *infinitive* + **können**) and **können** + *past participle* + **haben** or **sein** to indicate possibility:

er hat das nicht vergessen können	he wasn't able to forget it
er kann das vergessen haben	he may have forgotten it

3 PHRASES AND IDIOMS

was kann ich dafür?	what can I do about it? (*it's not my fault*)
ich kann nicht mehr	I can't go on, I'm finished
wir hätten den Wagen kaufen können	we would have been able to buy the car

INDICATIVE

PRESENT
ich krieche
du kriechst
er kriecht
wir kriechen
ihr kriecht
sie kriechen

FUTURE
ich werde kriechen
du wirst kriechen
er wird kriechen
wir werden kriechen
ihr werdet kriechen
sie werden kriechen

PAST
ich kroch
du krochst
er kroch
wir krochen
ihr krocht
sie krochen

PRESENT PERFECT
ich bin gekrochen
du bist gekrochen
er ist gekrochen
wir sind gekrochen
ihr seid gekrochen
sie sind gekrochen

PAST PERFECT
ich war gekrochen
du warst gekrochen
er war gekrochen
wir waren gekrochen
ihr wart gekrochen
sie waren gekrochen

PRESENT INFINITIVE
kriechen

PAST INFINITIVE
gekrochen sein

FUTURE PERFECT
ich werde gekrochen sein
du wirst gekrochen sein
er wird gekrochen sein
wir werden gekrochen sein
ihr werdet gekrochen sein
sie werden gekrochen sein

PRESENT PARTICIPLE
kriechend

PAST PARTICIPLE
gekrochen

SUBJUNCTIVE

PRESENT I
ich krieche
du kriechest
er krieche
wir kriechen
ihr kriechet
sie kriechen

PRESENT II
ich kröche
du kröchest
er kröche
wir kröchen
ihr kröchet
sie kröchen

PRESENT CONDITIONAL
ich würde kriechen
du würdest kriechen
er würde kriechen
wir würden kriechen
ihr würdet kriechen
sie würden kriechen

PAST I
ich sei gekrochen
du sei(e)st gekrochen
er sei gekrochen
wir seien gekrochen
ihr seiet gekrochen
sie seien gekrochen

PAST II
ich wäre gekrochen
du wär(e)st gekrochen
er wäre gekrochen
wir wären gekrochen
ihr wär(e)t gekrochen
sie wären gekrochen

IMPERATIVE
kriech(e)!
kriecht!
kriechen Sie!
kriechen wir!

LADEN to load 82

INDICATIVE

PRESENT
ich lade
du lädst
er lädt
wir laden
ihr ladet
sie laden

FUTURE
ich werde laden
du wirst laden
er wird laden
wir werden laden
ihr werdet laden
sie werden laden

PAST
ich lud
du ludst
er lud
wir luden
ihr ludet
sie luden

PRESENT PERFECT
ich habe geladen
du hast geladen
er hat geladen
wir haben geladen
ihr habt geladen
sie haben geladen

PAST PERFECT
ich hatte geladen
du hattest geladen
er hatte geladen
wir hatten geladen
ihr hattet geladen
sie hatten geladen

PRESENT INFINITIVE
laden

PAST INFINITIVE
geladen haben

FUTURE PERFECT
ich werde geladen haben
du wirst geladen haben
er wird geladen haben
wir werden geladen haben
ihr werdet geladen haben
sie werden geladen haben

PRESENT PARTICIPLE
ladend

PAST PARTICIPLE
geladen

SUBJUNCTIVE

PRESENT I
ich lade
du ladest
er lade
wir laden
ihr ladet
sie laden

PRESENT II
ich lüde
du lüdest
er lüde
wir lüden
ihr lüdet
sie lüden

PRESENT CONDITIONAL
ich würde laden
du würdest laden
er würde laden
wir würden laden
ihr würdet laden
sie würden laden

PAST I
ich habe geladen
du habest geladen
er habe geladen
wir haben geladen
ihr habet geladen
sie haben geladen

PAST II
ich hätte geladen
du hättest geladen
er hätte geladen
wir hätten geladen
ihr hättet geladen
sie hätten geladen

IMPERATIVE
lad(e)!
ladet!
laden Sie!
laden wir!

LASSEN to let, to allow

INDICATIVE

PRESENT	**FUTURE**	**PAST**
ich lasse	ich werde lassen	ich ließ
du läßt	du wirst lassen	du ließest
er läßt	er wird lassen	er ließ
wir lassen	wir werden lassen	wir ließen
ihr laßt	ihr werdet lassen	ihr ließt
sie lassen	sie werden lassen	sie ließen

PRESENT PERFECT	**PAST PERFECT**	
ich habe gelassen	ich hatte gelassen	**PRESENT INFINITIVE**
du hast gelassen	du hattest gelassen	lassen
er hat gelassen	er hatte gelassen	
wir haben gelassen	wir hatten gelassen	**PAST INFINITIVE**
ihr habt gelassen	ihr hattet gelassen	gelassen haben
sie haben gelassen	sie hatten gelassen	

FUTURE PERFECT

ich werde gelassen haben
du wirst gelassen haben
er wird gelassen haben
wir werden gelassen haben
ihr werdet gelassen haben
sie werden gelassen haben

PRESENT PARTICIPLE
lassend

PAST PARTICIPLE
gelassen

SUBJUNCTIVE

PRESENT I	**PRESENT II**	**PRESENT CONDITIONAL**
ich lasse	ich ließe	ich würde lassen
du lassest	du ließest	du würdest lassen
er lasse	er ließe	er würde lassen
wir lassen	wir ließen	wir würden lassen
ihr lasset	ihr ließet	ihr würdet lassen
sie lassen	sie ließen	sie würden lassen

PAST I	**PAST II**	**IMPERATIVE**
ich habe gelassen	ich hätte gelassen	laß!
du habest gelassen	du hättest gelassen	laßt!
er habe gelassen	er hätte gelassen	lassen Sie!
wir haben gelassen	wir hätten gelassen	lassen wir!
ihr habet gelassen	ihr hättet gelassen	
sie haben gelassen	sie hätten gelassen	

NOTES

1 MEANING

to let, to allow, to permit, to leave, to refrain from doing something

2 USAGE

a *transitive verb* (past participle **gelassen**):

er ließ mich herein	he let me in
sie ließ das geschehen	she allowed it to happen
laß alles, wie es ist	leave everything as it is
lassen Sie mich in Ruhe!	leave me in peace!
wo hast du deinen Mantel gelassen?	where did you leave your coat?
er kann das Trinken nicht lassen	he can't stop drinking

b *transitive verb* (past participle **lassen**):

Combined with an infinitive without **zu**, **lassen** often has the meaning of "to have" as in *to have something done*. In this sense it behaves like a modal verb.

etwas machen lassen	to have something done
ich lasse meine Schuhe reparieren	I'm having my shoes repaired
wir haben eine neue Garage bauen lassen	we had a new garage built

It also retains the above sense of **permit, allow, let**:

sie haben ihn entkommen lassen	they let him escape
lassen Sie mich Ihnen helfen!	let me help you

3 PHRASES AND IDIOMS

laß das!	stop that!
das läßt sich machen	that's possible
er hat die Katze aus dem Sack gelassen	he's let the cat out of the bag
er hat uns im Stich gelassen	he left us in the lurch
leben und leben lassen	live and let live
er läßt sich das nicht gefallen	he won't put up with that
lassen Sie von sich hören	keep in touch
das hätte ich mir nicht träumen lassen	I would never have dreamt of it
lassen Sie sich das gut schmecken!	enjoy your meal!

INDICATIVE

PRESENT	**FUTURE**	**PAST**
ich laufe	ich werde laufen	ich lief
du läufst	du wirst laufen	du liefst
er läuft	er wird laufen	er lief
wir laufen	wir werden laufen	wir liefen
ihr lauft	ihr werdet laufen	ihr lieft
sie laufen	sie werden laufen	sie liefen

PRESENT PERFECT	**PAST PERFECT**	
ich bin gelaufen	ich war gelaufen	*PRESENT*
du bist gelaufen	du warst gelaufen	*INFINITIVE*
er ist gelaufen	er war gelaufen	laufen
wir sind gelaufen	wir waren gelaufen	
ihr seid gelaufen	ihr wart gelaufen	*PAST*
sie sind gelaufen	sie waren gelaufen	*INFINITIVE*
		gelaufen sein

FUTURE PERFECT	
ich werde gelaufen sein	*PRESENT*
du wirst gelaufen sein	*PARTICIPLE*
er wird gelaufen sein	laufend
wir werden gelaufen sein	
ihr werdet gelaufen sein	*PAST*
sie werden gelaufen sein	*PARTICIPLE*
	gelaufen

SUBJUNCTIVE

PRESENT I	**PRESENT II**	*PRESENT CONDITIONAL*
ich laufe	ich liefe	ich würde laufen
du laufest	du liefest	du würdest laufen
er laufe	er liefe	er würde laufen
wir laufen	wir liefen	wir würden laufen
ihr laufet	ihr liefet	ihr würdet laufen
sie laufen	sie liefen	sie würden laufen

PAST I	**PAST II**	*IMPERATIVE*
ich sei gelaufen	ich wäre gelaufen	lauf(e)!
du sei(e)st gelaufen	du wär(e)st gelaufen	lauft!
er sei gelaufen	er wäre gelaufen	laufen Sie!
wir seien gelaufen	wir wären gelaufen	laufen wir!
ihr seiet gelaufen	ihr wär(e)t gelaufen	
sie seien gelaufen	sie wären gelaufen	

NOTES

1 MEANING

to run, to walk *(colloquial)*, to work or function, to be valid

2 USAGE

a *intransitive verb (auxiliary verb **sein**):*

sie ist aus dem Haus gelaufen	she ran out of the house
um die Wette laufen	to run a race
wir sind den ganzen Tag gelaufen	we've been walking all day
ein Balkon läuft um das ganze Haus	a balcony runs all around the house
die Straße läuft bergab	the street goes downhill
jetzt läuft der Motor	the engine is running now
der Wasserhahn läuft	the tap is dripping
meine Nase läuft	my nose is running
mein Paß läuft noch	my passport is still valid
die laufenden Arbeiten	the routine work
der laufende Monat	the current month

b *transitive verb (auxiliary with **sein** and **haben**):*

er ist/hat einen neuen Rekord gelaufen	he has run a new record time
er ist die Gefahr gelaufen, sein ganzes Geld zu verlieren	he ran the risk of losing all his money

c *reflexive verb:*

sie haben sich müde gelaufen	they've walked themselves into the ground

3 PHRASES AND IDIOMS

er lief, was er nur konnte	he ran as fast as he could
ein Schiff vom Stapel laufen lassen	to launch a ship
mir lief ein Schauder über den Rücken	a shudder ran down my spine
am laufenden Band	continually, without respite
ich bleibe auf dem laufenden	I keep up to date
das Konto läuft unter seinem Namen	the bank account is in his name

LEIDEN to suffer

INDICATIVE
PRESENT

ich leide
du leidest
er leidet
wir leiden
ihr leidet
sie leiden

FUTURE

ich werde leiden
du wirst leiden
er wird leiden
wir werden leiden
ihr werdet leiden
sie werden leiden

PAST

ich litt
du littst
er litt
wir litten
ihr littet
sie litten

PRESENT PERFECT

ich habe gelitten
du hast gelitten
er hat gelitten
wir haben gelitten
ihr habt gelitten
sie haben gelitten

PAST PERFECT

ich hatte gelitten
du hattest gelitten
er hatte gelitten
wir hatten gelitten
ihr hattet gelitten
sie hatten gelitten

**PRESENT
INFINITIVE**

leiden

**PAST
INFINITIVE**

gelitten haben

FUTURE PERFECT

ich werde gelitten haben
du wirst gelitten haben
er wird gelitten haben
wir werden gelitten haben
ihr werdet gelitten haben
sie werden gelitten haben

**PRESENT
PARTICIPLE**

leidend

**PAST
PARTICIPLE**

gelitten

SUBJUNCTIVE
PRESENT I

ich leide
du leidest
er leide
wir leiden
ihr leidet
sie leiden

PRESENT II

ich litte
du littest
er litte
wir litten
ihr littet
sie litten

**PRESENT
CONDITIONAL**

ich würde leiden
du würdest leiden
er würde leiden
wir würden leiden
ihr würdet leiden
sie würden leiden

PAST I

ich habe gelitten
du habest gelitten
er habe gelitten
wir haben gelitten
ihr habet gelitten
sie haben gelitten

PAST II

ich hätte gelitten
du hättest gelitten
er hätte gelitten
wir hätten gelitten
ihr hättet gelitten
sie hätten gelitten

IMPERATIVE

leide!
leidet!
leiden Sie!
leiden wir!

LEIHEN to lend, to borrow 86

INDICATIVE

PRESENT	FUTURE	PAST
ich leihe	ich werde leihen	ich lieh
du leihst	du wirst leihen	du liehst
er leiht	er wird leihen	er lieh
wir leihen	wir werden leihen	wir lichen
ihr leiht	ihr werdet leihen	ihr lieht
sie leihen	sie werden leihen	sie liehen

PRESENT PERFECT	PAST PERFECT	PRESENT INFINITIVE
ich habe geliehen	ich hatte geliehen	leihen
du hast geliehen	du hattest geliehen	
er hat geliehen	er hatte geliehen	PAST INFINITIVE
wir haben geliehen	wir hatten geliehen	
ihr habt geliehen	ihr hattet geliehen	geliehen haben
sie haben geliehen	sie hatten geliehen	

FUTURE PERFECT		PRESENT PARTICIPLE
ich werde geliehen haben		leihend
du wirst geliehen haben		
er wird geliehen haben		PAST PARTICIPLE
wir werden geliehen haben		
ihr werdet geliehen haben		geliehen
sie werden geliehen haben		

SUBJUNCTIVE

PRESENT I	PRESENT II	PRESENT CONDITIONAL
ich leihe	ich liehe	ich würde leihen
du leihest	du liehest	du würdest leihen
er leihe	er liehe	er würde leihen
wir leihen	wir liehen	wir würden leihen
ihr leihet	ihr liehet	ihr würdet leihen
sie leihen	sie liehen	sie würden leihen

PAST I	PAST II	IMPERATIVE
ich habe geliehen	ich hätte geliehen	leih(e)!
du habest geliehen	du hättest geliehen	leiht!
er habe geliehen	er hätte geliehen	leihen Sie!
wir haben geliehen	wir hätten geliehen	leihen wir!
ihr habet geliehen	ihr hättet geliehen	
sie haben geliehen	sie hätten geliehen	

INDICATIVE

PRESENT	FUTURE	PAST
ich lese	ich werde lesen	ich las
du liest	du wirst lesen	du lasest
er liest	er wird lesen	er las
wir lesen	wir werden lesen	wir lasen
ihr lest	ihr werdet lesen	ihr last
sie lesen	sie werden lesen	sie lasen

PRESENT PERFECT	PAST PERFECT	
ich habe gelesen	ich hatte gelesen	*PRESENT INFINITIVE*
du hast gelesen	du hattest gelesen	lesen
er hat gelesen	er hatte gelesen	
wir haben gelesen	wir hatten gelesen	*PAST INFINITIVE*
ihr habt gelesen	ihr hattet gelesen	
sie haben gelesen	sie hatten gelesen	gelesen haben

FUTURE PERFECT		
ich werde gelesen haben		*PRESENT PARTICIPLE*
du wirst gelesen haben		
er wird gelesen haben		lesend
wir werden gelesen haben		
ihr werdet gelesen haben		*PAST PARTICIPLE*
sie werden gelesen haben		gelesen

SUBJUNCTIVE

PRESENT I	PRESENT II	*PRESENT CONDITIONAL*
ich lese	ich läse	ich würde lesen
du lesest	du läsest	du würdest lesen
er lese	er läse	er würde lesen
wir lesen	wir läsen	wir würden lesen
ihr leset	ihr läset	ihr würdet lesen
sie lesen	sie läsen	sie würden lesen

PAST I	PAST II	*IMPERATIVE*
ich habe gelesen	ich hätte gelesen	lies!
du habest gelesen	du hättest gelesen	lest!
er habe gelesen	er hätte gelesen	lesen Sie!
wir haben gelesen	wir hätten gelesen	lesen wir!
ihr habet gelesen	ihr hättet gelesen	
sie haben gelesen	sie hätten gelesen	

LIEFERN to deliver 88

INDICATIVE

PRESENT
ich liefere
du lieferst
er liefert
wir liefern
ihr liefert
sie liefern

FUTURE
ich werde liefern
du wirst liefern
er wird liefern
wir werden liefern
ihr werdet liefern
sie werden liefern

PAST
ich lieferte
du liefertest
er lieferte
wir lieferten
ihr liefertet
sie lieferten

PRESENT PERFECT
ich habe geliefert
du hast geliefert
er hat geliefert
wir haben geliefert
ihr habt geliefert
sie haben geliefert

PAST PERFECT
ich hatte geliefert
du hattest geliefert
er hatte geliefert
wir hatten geliefert
ihr hattet geliefert
sie hatten geliefert

PRESENT INFINITIVE
liefern

PAST INFINITIVE
geliefert haben

FUTURE PERFECT
ich werde geliefert haben
du wirst geliefert haben
er wird geliefert haben
wir werden geliefert haben
ihr werdet geliefert haben
sie werden geliefert haben

PRESENT PARTICIPLE
liefernd

PAST PARTICIPLE
geliefert

SUBJUNCTIVE

PRESENT I
ich liefere
du lieferest
er liefere
wir lieferen
ihr lieferet
sie lieferen

PRESENT II
ich lieferte
du liefertest
er lieferte
wir lieferten
ihr liefertet
sie lieferten

PRESENT CONDITIONAL
ich würde liefern
du würdest liefern
er würde liefern
wir würden liefern
ihr würdet liefern
sie würden liefern

PAST I
ich habe geliefert
du habest geliefert
er habe geliefert
wir haben geliefert
ihr habet geliefert
sie haben geliefert

PAST II
ich hätte geliefert
du hättest geliefert
er hätte geliefert
wir hätten geliefert
ihr hättet geliefert
sie hätten geliefert

IMPERATIVE
lief(e)re!
liefert!
liefern Sie!
liefern wir!

Note: **knien** – the 1st person singular of the present indicative is **knie**

INDICATIVE

PRESENT	FUTURE	PAST
ich liege	ich werde liegen	ich lag
du liegst	du wirst liegen	du lagst
er liegt	er wird liegen	er lag
wir liegen	wir werden liegen	wir lagen
ihr liegt	ihr werdet liegen	ihr lagt
sie liegen	sie werden liegen	sie lagen

PRESENT PERFECT	PAST PERFECT	
ich habe gelegen	ich hatte gelegen	*PRESENT INFINITIVE*
du hast gelegen	du hattest gelegen	liegen
er hat gelegen	er hatte gelegen	
wir haben gelegen	wir hatten gelegen	*PAST INFINITIVE*
ihr habt gelegen	ihr hattet gelegen	gelegen haben
sie haben gelegen	sie hatten gelegen	

FUTURE PERFECT		
ich werde gelegen haben		*PRESENT PARTICIPLE*
du wirst gelegen haben		liegend
er wird gelegen haben		
wir werden gelegen haben		*PAST PARTICIPLE*
ihr werdet gelegen haben		gelegen
sie werden gelegen haben		

SUBJUNCTIVE

PRESENT I	PRESENT II	*PRESENT CONDITIONAL*
ich liege	ich läge	ich würde liegen
du liegest	du lägest	du würdest liegen
er liege	er läge	er würde liegen
wir liegen	wir lägen	wir würden liegen
ihr lieget	ihr läget	ihr würdet liegen
sie liegen	sie lägen	sie würden liegen

PAST I	PAST II	*IMPERATIVE*
ich habe gelegen	ich hätte gelegen	lieg(e)!
du habest gelegen	du hättest gelegen	liegt!
er habe gelegen	er hätte gelegen	liegen Sie!
wir haben gelegen	wir hätten gelegen	liegen wir!
ihr habet gelegen	ihr hättet gelegen	
sie haben gelegen	sie hätten gelegen	

NOTES

I MEANING

to lie, to be

2 USAGE

intransitive verb: not to be confused with **legen**, which means to **to lay** and is a weak verb.

er liegt im Bett	he's lying in bed
wir liegen hier sehr bequem	we're comfortable lying here
sie liegt seit zwei Monaten krank	she's been ill in bed for two months
ihr Zimmer liegt über meinem	her room is above mine
die Bergwerke liegen nördlich der Ruhr	the mines lie to the North of the Ruhr
der Schnee liegt	the snow is lying
wie die Sache jetzt liegt ...	as things are now ...
er hat eine Menge Geld auf der Bank liegen	he's got a lot of money in the bank
die Einwohnerzahl der Stadt liegt bei 70 000	the population of the town stands at 70,000

gelegen: the past participle of **liegen** also means *convenient*:

das kam mir sehr gelegen	that was very convenient for me
zu gelegener Zeit	when it's convenient

3 PHRASES AND IDIOMS

die Arbeit liegt mir sehr	the work suits me
das liegt mir nicht	I'm not good at it
das liegt mir am Herzen	it's of great concern to me
es liegt an ihm, ob ...	it depends on him, whether ...
es liegt auf der Hand	it's obvious
auf der faulen Haut liegen	to be idle, to laze about
das Schiff liegt vor Anker	the ship is riding at anchor

INDICATIVE

PRESENT	FUTURE	PAST
ich lüge	ich werde lügen	ich log
du lügst	du wirst lügen	du logst
er lügt	er wird lügen	er log
wir lügen	wir werden lügen	wir logen
ihr lügt	ihr werdet lügen	ihr logt
sie lügen	sie werden lügen	sie logen

PRESENT PERFECT	PAST PERFECT	
ich habe gelogen	ich hatte gelogen	*PRESENT INFINITIVE*
du hast gelogen	du hattest gelogen	lügen
er hat gelogen	er hatte gelogen	
wir haben gelogen	wir hatten gelogen	*PAST INFINITIVE*
ihr habt gelogen	ihr hattet gelogen	
sie haben gelogen	sie hatten gelogen	gelogen haben

FUTURE PERFECT		
ich werde gelogen haben		*PRESENT PARTICIPLE*
du wirst gelogen haben		lügend
er wird gelogen haben		
wir werden gelogen haben		*PAST PARTICIPLE*
ihr werdet gelogen haben		
sie werden gelogen haben		gelogen

SUBJUNCTIVE

PRESENT I	PRESENT II	*PRESENT CONDITIONAL*
ich lüge	ich löge	ich würde lügen
du lügest	du lögest	du würdest lügen
er lüge	er löge	er würde lügen
wir lügen	wir lögen	wir würden lügen
ihr lüget	ihr löget	ihr würdet lügen
sie lügen	sie lögen	sie würden lügen

PAST I	PAST II	*IMPERATIVE*
ich habe gelogen	ich hätte gelogen	lüg(e)!
du habest gelogen	du hättest gelogen	lügt!
er habe gelogen	er hätte gelogen	lügen Sie!
wir haben gelogen	wir hätten gelogen	lügen wir!
ihr habet gelogen	ihr hättet gelogen	
sie haben gelogen	sie hätten gelogen	

INDICATIVE

PRESENT	**FUTURE**	**PAST**
ich mahle	ich werde mahlen	ich mahlte
du mahlst	du wirst mahlen	du mahltest
er mahlt	er wird mahlen	er mahlte
wir mahlen	wir werden mahlen	wir mahlten
ihr mahlt	ihr werdet mahlen	ihr mahltet
sie mahlen	sie werden mahlen	sie mahlten

PRESENT PERFECT	**PAST PERFECT**	
ich habe gemahlen	ich hatte gemahlen	*PRESENT INFINITIVE*
du hast gemahlen	du hattest gemahlen	mahlen
er hat gemahlen	er hatte gemahlen	
wir haben gemahlen	wir hatten gemahlen	*PAST INFINITIVE*
ihr habt gemahlen	ihr hattet gemahlen	gemahlen haben
sie haben gemahlen	sie hatten gemahlen	

FUTURE PERFECT

ich werde gemahlen haben
du wirst gemahlen haben
er wird gemahlen haben
wir werden gemahlen haben
ihr werdet gemahlen haben
sie werden gemahlen haben

PRESENT PARTICIPLE
mahlend

PAST PARTICIPLE
gemahlen

SUBJUNCTIVE

PRESENT I	**PRESENT II**	*PRESENT CONDITIONAL*
ich mahle	ich mahlte	ich würde mahlen
du mahlest	du mahltest	du würdest mahlen
er mahle	er mahlte	er würde mahlen
wir mahlen	wir mahlten	wir würden mahlen
ihr mahlet	ihr mahltet	ihr würdet mahlen
sie mahlen	sie mahlten	sie würden mahlen

PAST I	**PAST II**	*IMPERATIVE*
ich habe gemahlen	ich hätte gemahlen	mahl(e)!
du habest gemahlen	du hättest gemahlen	mahlt!
er habe gemahlen	er hätte gemahlen	mahlen Sie!
wir haben gemahlen	wir hätten gemahlen	mahlen wir!
ihr habet gemahlen	ihr hättet gemahlen	
sie haben gemahlen	sie hätten gemahlen	

INDICATIVE

PRESENT	FUTURE	PAST
ich meide	ich werde meiden	ich mied
du meidest	du wirst meiden	du miedest
er meidet	er wird meiden	er mied
wir meiden	wir werden meiden	wir mieden
ihr meidet	ihr werdet meiden	ihr miedet
sie meiden	sie werden meiden	sie mieden

PRESENT PERFECT	PAST PERFECT	
ich habe gemieden	ich hatte gemieden	
du hast gemieden	du hattest gemieden	
er hat gemieden	er hatte gemieden	
wir haben gemieden	wir hatten gemieden	
ihr habt gemieden	ihr hattet gemieden	
sie haben gemieden	sie hatten gemieden	

PRESENT INFINITIVE
meiden

PAST INFINITIVE
gemieden haben

FUTURE PERFECT
ich werde gemieden haben
du wirst gemieden haben
er wird gemieden haben
wir werden gemieden haben
ihr werdet gemieden haben
sie werden gemieden haben

PRESENT PARTICIPLE
meidend

PAST PARTICIPLE
gemieden

SUBJUNCTIVE

PRESENT I	PRESENT II	PRESENT CONDITIONAL
ich meide	ich miede	ich würde meiden
du meidest	du miedest	du würdest meiden
er meide	er miede	er würde meiden
wir meiden	wir mieden	wir würden meiden
ihr meidet	ihr miedet	ihr würdet meiden
sie meiden	sie mieden	sie würden meiden

PAST I	PAST II	IMPERATIVE
ich habe gemieden	ich hätte gemieden	meide!
du habest gemieden	du hättest gemieden	meidet!
er habe gemieden	er hätte gemieden	meiden Sie!
wir haben gemieden	wir hätten gemieden	meiden wir!
ihr habet gemieden	ihr hättet gemieden	
sie haben gemieden	sie hätten gemieden	

MELKEN to milk 93

INDICATIVE

PRESENT
ich melke
du melkst
er melkt
wir melken
ihr melkt
sie melken

FUTURE
ich werde melken
du wirst melken
er wird melken
wir werden melken
ihr werdet melken
sie werden melken

PAST
ich melkte
du melktest
er melkte
wir melkten
ihr melktet
sie melkten

PRESENT PERFECT
ich habe gemolken
du hast gemolken
er hat gemolken
wir haben gemolken
ihr habt gemolken
sie haben gemolken

PAST PERFECT
ich hatte gemolken
du hattest gemolken
er hatte gemolken
wir hatten gemolken
ihr hattet gemolken
sie hatten gemolken

**PRESENT
INFINITIVE**
melken

**PAST
INFINITIVE**
gemolken haben

FUTURE PERFECT
ich werde gemolken haben
du wirst gemolken haben
er wird gemolken haben
wir werden gemolken haben
ihr werdet gemolken haben
sie werden gemolken haben

**PRESENT
PARTICIPLE**
melkend

**PAST
PARTICIPLE**
gemolken

SUBJUNCTIVE

PRESENT I
ich melke
du melkest
er melke
wir melken
ihr melket
sie melken

PRESENT II
ich melkte
du melktest
er melkte
wir melkten
ihr melktet
sie melkten

**PRESENT
CONDITIONAL**
ich würde melken
du würdest melken
er würde melken
wir würden melken
ihr würdet melken
sie würden melken

PAST I
ich habe gemolken
du habest gemolken
er habe gemolken
wir haben gemolken
ihr habet gemolken
sie haben gemolken

PAST II
ich hätte gemolken
du hättest gemolken
er hätte gemolken
wir hätten gemolken
ihr hättet gemolken
sie hätten gemolken

IMPERATIVE
melk(e)!
melkt!
melken Sie!
melken wir!

INDICATIVE

PRESENT	FUTURE	PAST
ich messe	ich werde messen	ich maß
du mißt	du wirst messen	du maßest
er mißt	er wird messen	er maß
wir messen	wir werden messen	wir maßen
ihr meßt	ihr werdet messen	ihr maßt
sie messen	sie werden messen	sie maßen

PRESENT PERFECT	PAST PERFECT
ich habe gemessen	ich hatte gemessen
du hast gemessen	du hattest gemessen
er hat gemessen	er hatte gemessen
wir haben gemessen	wir hatten gemessen
ihr habt gemessen	ihr hattet gemessen
sie haben gemessen	sie hatten gemessen

PRESENT INFINITIVE
messen

PAST INFINITIVE
gemessen haben

FUTURE PERFECT
ich werde gemessen haben
du wirst gemessen haben
er wird gemessen haben
wir werden gemessen haben
ihr werdet gemessen haben
sie werden gemessen haben

PRESENT PARTICIPLE
messend

PAST PARTICIPLE
gemessen

SUBJUNCTIVE

PRESENT I	PRESENT II
ich messe	ich mäße
du messest	du mäßest
er messe	er mäße
wir messen	wir mäßen
ihr messet	ihr mäßet
sie messen	sie mäßen

PRESENT CONDITIONAL
ich würde messen
du würdest messen
er würde messen
wir würden messen
ihr würdet messen
sie würden messen

PAST I	PAST II
ich habe gemessen	ich hätte gemessen
du habest gemessen	du hättest gemessen
er habe gemessen	er hätte gemessen
wir haben gemessen	wir hätten gemessen
ihr habet gemessen	ihr hättet gemessen
sie haben gemessen	sie hätten gemessen

IMPERATIVE
miß!
meßt!
messen Sie!
messen wir!

INDICATIVE

PRESENT

ich mißtraue
du mißtraust
er mißtraut
wir mißtrauen
ihr mißtraut
sie mißtrauen

FUTURE

ich werde mißtrauen
du wirst mißtrauen
er wird mißtrauen
wir werden mißtrauen
ihr werdet mißtrauen
sie werden mißtrauen

PAST

ich mißtraute
du mißtrautest
er mißtraute
wir mißtrauten
ihr mißtrautet
sie mißtrauten

PRESENT PERFECT

ich habe mißtraut
du hast mißtraut
er hat mißtraut
wir haben mißtraut
ihr habt mißtraut
sie haben mißtraut

PAST PERFECT

ich hatte mißtraut
du hattest mißtraut
er hatte mißtraut
wir hatten mißtraut
ihr hattet mißtraut
sie hatten mißtraut

*PRESENT
INFINITIVE*

mißtrauen

*PAST
INFINITIVE*

mißtraut haben

FUTURE PERFECT

ich werde mißtraut haben
du wirst mißtraut haben
er wird mißtraut haben
wir werden mißtraut haben
ihr werdet mißtraut haben
sie werden mißtraut haben

*PRESENT
PARTICIPLE*

mißtrauend

*PAST
PARTICIPLE*

mißtraut

SUBJUNCTIVE

PRESENT I

ich mißtraue
du mißtrauest
er mißtraue
wir mißtrauen
ihr mißtrauet
sie mißtrauen

PRESENT II

ich mißtraute
du mißtrautest
er mißtraute
wir mißtrauten
ihr mißtrautet
sie mißtrauten

*PRESENT
CONDITIONAL*

ich würde mißtrauen
du würdest mißtrauen
er würde mißtrauen
wir würden mißtrauen
ihr würdet mißtrauen
sie würden mißtrauen

PAST I

ich habe mißtraut
du habest mißtraut
er habe mißtraut
wir haben mißtraut
ihr habet mißtraut
sie haben mißtraut

PAST II

ich hätte mißtraut
du hättest mißtraut
er hätte mißtraut
wir hätten mißtraut
ihr hättet mißtraut
sie hätten mißtraut

IMPERATIVE

mißtrau(e)!
mißtraut!
mißtrauen Sie!
mißtrauen wir!

INDICATIVE
PRESENT

ich mag
du magst
er mag
wir mögen
ihr mögt
sie mögen

FUTURE

ich werde mögen
du wirst mögen
er wird mögen
wir werden mögen
ihr werdet mögen
sie werden mögen

PAST

ich mochte
du mochtest
er mochte
wir mochten
ihr mochtet
sie mochten

PRESENT PERFECT

ich habe gemocht
du hast gemocht
er hat gemocht
wir haben gemocht
ihr habt gemocht
sie haben gemocht

PAST PERFECT

ich hatte gemocht
du hattest gemocht
er hatte gemocht
wir hatten gemocht
ihr hattet gemocht
sie hatten gemocht

PRESENT INFINITIVE

mögen

PAST INFINITIVE

gemocht haben

FUTURE PERFECT

ich werde gemocht haben
du wirst gemocht haben
er wird gemocht haben
wir werden gemocht haben
ihr werdet gemocht haben
sie werden gemocht haben

PRESENT PARTICIPLE

mögend

PAST PARTICIPLE

gemocht

SUBJUNCTIVE
PRESENT I

ich möge
du mögest
er möge
wir mögen
ihr möget
sie mögen

PRESENT II

ich möchte
du möchtest
er möchte
wir möchten
ihr möchtet
sie möchten

PRESENT CONDITIONAL

ich würde mögen
du würdest mögen
er würde mögen
wir würden mögen
ihr würdet mögen
sie würden mögen

PAST I

ich habe gemocht
du habest gemocht
er habe gemocht
wir haben gemocht
ihr habet gemocht
sie haben gemocht

PAST II

ich hätte gemocht
du hättest gemocht
er hätte gemocht
wir hätten gemocht
ihr hättet gemocht
sie hätten gemocht

IMPERATIVE

NOTES

I MEANING

to like, may

2 USAGE

a *transitive/intransitive verb* (past participle **gemocht**):

The present subjunctive II form **möchte** (would like) is used to express a polite wish:

ich möchte etwas Schokolade	I'd like some chocolate
ich mag keine Schokolade	I don't like chocolate
hier ist nichts, was wir mögen	there's nothing here that we like
hast du das gemocht?	did you like it?
du hättest ihn nicht gemocht	you wouldn't have liked him

b *modal verb* (past participle **mögen**):

ich möchte jetzt nach Hause gehen	I would like to go home now
ich mag nichts mehr davon hören	I don't want to hear anything more about it
ich möchte, daß Sie es wissen	I would like you to know
nur qualifizierte Kräfte mögen sich um diese Stelle bewerben	only qualified workers should apply for this job
was sie auch immer tun mag ...	whatever she might do ...
möge er lange leben!	may he have a long life!
du magst das behalten	you may keep it
wer mag das getan haben?	who could have done that?
ich hätte den Film sehen mögen	I would like to have seen the film

This last construction with **mögen** is not as frequent as with the other modal verbs, because the construction **hätte gern** + *past participle* is often preferred:

ich hätte den Film gern gesehen	I would have liked to see the film

3 PHRASES AND IDIOMS

magst du ihn leiden!	do you like him?

INDICATIVE

PRESENT	FUTURE	PAST
ich muß	ich werde müssen	ich mußte
du mußt	du wirst müssen	du mußtest
er muß	er wird müssen	er mußte
wir müssen	wir werden müssen	wir mußten
ihr müßt	ihr werdet müssen	ihr mußtet
sie müssen	sie werden müssen	sie mußten

PRESENT PERFECT	PAST PERFECT	
ich habe gemußt	ich hatte gemußt	*PRESENT INFINITIVE*
du hast gemußt	du hattest gemußt	müssen
er hat gemußt	er hatte gemußt	
wir haben gemußt	wir hatten gemußt	*PAST INFINITIVE*
ihr habt gemußt	ihr hattet gemußt	gemußt haben
sie haben gemußt	sie hatten gemußt	

FUTURE PERFECT		
ich werde gemußt haben		*PRESENT PARTICIPLE*
du wirst gemußt haben		müssend
er wird gemußt haben		
wir werden gemußt haben		*PAST PARTICIPLE*
ihr werdet gemußt haben		gemußt
sie werden gemußt haben		

SUBJUNCTIVE

PRESENT I	PRESENT II	PRESENT CONDITIONAL
ich müsse	ich müßte	ich würde müssen
du müssest	du müßtest	du würdest müssen
er müsse	er müßte	er würde müssen
wir müssen	wir müßten	wir würden müssen
ihr müsset	ihr müßtet	ihr würdet müssen
sie müssen	sie müßten	sie würden müssen

PAST I	PAST II	IMPERATIVE
ich habe gemußt	ich hätte gemußt	
du habest gemußt	du hättest gemußt	
er habe gemußt	er hätte gemußt	
wir haben gemußt	wir hätten gemußt	
ihr habet gemußt	ihr hättet gemußt	
sie haben gemußt	sie hätten gemußt	

NOTES

I **MEANING**

must, to have to, to be obliged to

2 **USAGE**

a *transitive/intransitive verb* (past participle **gemußt**)

Often **müssen** can be used on its own if the verb omitted can be inferred:

ich muß jetzt in die Stadt	I have to go into town now
wir haben das gemußt	we had to do that
muß ich?	do I have to?

b *modal verb* (past participle **müssen**):

er muß zu Hause bleiben	he has to stay at home

some meaning variants:

obligation/compulsion:

du mußt ihm helfen	you have to help him
wir mußten unsere Hausaufgaben machen	we had to do our homework

should:

du hättest pünktlicher sein müssen	you should have been more punctual

need:

ich muß nicht alles gleich haben	I don't have to have everything at once

want to:

er muß immer alles gleich haben	he always has to have everything at once

probability:

sie muß die Einladung vergessen haben	she must have forgotten the invitation
es muß geregnet haben	it must have rained
sie muß in die Stadt gegangen sein	she must have gone into town

3 **PHRASES AND IDIOMS**

ich mußte lachen	I had to laugh, I couldn't help laughing
ich muß schon sagen!	well!

INDICATIVE

PRESENT	**FUTURE**	**PAST**
ich nehme	ich werde nehmen	ich nahm
du nimmst	du wirst nehmen	du nahmst
er nimmt	er wird nehmen	er nahm
wir nehmen	wir werden nehmen	wir nahmen
ihr nehmt	ihr werdet nehmen	ihr nahmt
sie nehmen	sie werden nehmen	sie nahmen

PRESENT PERFECT	**PAST PERFECT**	*PRESENT INFINITIVE*
ich habe genommen	ich hatte genommen	nehmen
du hast genommen	du hattest genommen	
er hat genommen	er hatte genommen	*PAST INFINITIVE*
wir haben genommen	wir hatten genommen	genommen haben
ihr habt genommen	ihr hattet genommen	
sie haben genommen	sie hatten genommen	

FUTURE PERFECT		*PRESENT PARTICIPLE*
ich werde genommen haben		nehmend
du wirst genommen haben		
er wird genommen haben		*PAST PARTICIPLE*
wir werden genommen haben		genommen
ihr werdet genommen haben		
sie werden genommen haben		

SUBJUNCTIVE

PRESENT I	**PRESENT II**	*PRESENT CONDITIONAL*
ich nehme	ich nähme	ich würde nehmen
du nehmest	du nähmest	du würdest nehmen
er nehme	er nähme	er würde nehmen
wir nehmen	wir nähmen	wir würden nehmen
ihr nehmet	ihr nähmet	ihr würdet nehmen
sie nehmen	sie nähmen	sie würden nehmen

PAST I	**PAST II**	*IMPERATIVE*
ich habe genommen	ich hätte genommen	nimm!
du habest genommen	du hättest genommen	nehmt!
er habe genommen	er hätte genommen	nehmen Sie!
wir haben genommen	wir hätten genommen	nehmen wir!
ihr habet genommen	ihr hättet genommen	
sie haben genommen	sie hätten genommen	

NOTES

I MEANING

to take, to take away, to accept

2 USAGE

a *transitive verb:*

er nimmt Zucker	he takes sugar
ich nehme jetzt die Gelegenheit ...	I'm taking the opportunity ...
nehmen Sie unseren herzlichen Dank!	accept our sincerest thanks
nehmen wir den Fall...	let's assume...
das hat mir die Lust genommen	that has taken away my enthusiasm
man nehme ein Pfund Mehl ...	you take a pound of flour ...
sie nimmt die Pillen seit drei Monaten	she's been taking the pills for three months
wir nehmen die U-Bahn	we'll take the subway
ich habe ihn beim Wort genommen	I took him at his word

b *reflexive verb (dative reflexive pronoun):*

du mußt dir die Zeit nehmen	you must allow yourself time
er hat sich das Leben genommen	he took his own life

2 PHRASES AND IDIOMS

er hat die Arbeit in Angriff genommen	he made a start on the work
das nimmt viel Zeit in Anspruch	that takes up a lot of time
er nahm es auf seine Kappe	he took responsibility for it
das nimmt kein Ende	it just goes on and on
nehmen Sie es nicht für ungut	don't take it amiss
sie nehmen es von den Lebendigen!	they charge extortionate prices!

NENNEN to call

INDICATIVE

PRESENT
ich nenne
du nennst
er nennt
wir nennen
ihr nennt
sie nennen

FUTURE
ich werde nennen
du wirst nennen
er wird nennen
wir werden nennen
ihr werdet nennen
sie werden nennen

PAST
ich nannte
du nanntest
er nannte
wir nannten
ihr nanntet
sie nannten

PRESENT PERFECT
ich habe genannt
du hast genannt
er hat genannt
wir haben genannt
ihr habt genannt
sie haben genannt

PAST PERFECT
ich hatte genannt
du hattest genannt
er hatte genannt
wir hatten genannt
ihr hattet genannt
sie hatten genannt

PRESENT INFINITIVE
nennen

PAST INFINITIVE
genannt haben

FUTURE PERFECT
ich werde genannt haben
du wirst genannt haben
er wird genannt haben
wir werden genannt haben
ihr werdet genannt haben
sie werden genannt haben

PRESENT PARTICIPLE
nennend

PAST PARTICIPLE
genannt

SUBJUNCTIVE

PRESENT I
ich nenne
du nennest
er nenne
wir nennen
ihr nennet
sie nennen

PRESENT II
ich nennte
du nenntest
er nennte
wir nennten
ihr nenntet
sie nennten

PRESENT CONDITIONAL
ich würde nennen
du würdest nennen
er würde nennen
wir würden nennen
ihr würdet nennen
sie würden nennen

PAST I
ich habe genannt
du habest genannt
er habe genannt
wir haben genannt
ihr habet genannt
sie haben genannt

PAST II
ich hätte genannt
du hättest genannt
er hätte genannt
wir hätten genannt
ihr hättet genannt
sie hätten genannt

IMPERATIVE
nenn(e)!
nennt!
nennen Sie!
nennen wir!

PFEIFEN to whistle 100

INDICATIVE

PRESENT	FUTURE	PAST
ich pfeife	ich werde pfeifen	ich pfiff
du pfeifst	du wirst pfeifen	du pfiffst
er pfeift	er wird pfeifen	er pfiff
wir pfeifen	wir werden pfeifen	wir pfiffen
ihr pfeift	ihr werdet pfeifen	ihr pfifft
sie pfeifen	sie werden pfeifen	sie pfiffen

PRESENT PERFECT / **PAST PERFECT**

PRESENT INFINITIVE

PRESENT PERFECT	PAST PERFECT	
ich habe gepfiffen	ich hatte gepfiffen	pfeifen
du hast gepfiffen	du hattest gepfiffen	
er hat gepfiffen	er hatte gepfiffen	**PAST INFINITIVE**
wir haben gepfiffen	wir hatten gepfiffen	
ihr habt gepfiffen	ihr hattet gepfiffen	gepfiffen haben
sie haben gepfiffen	sie hatten gepfiffen	

FUTURE PERFECT

PRESENT PARTICIPLE

ich werde gepfiffen haben
du wirst gepfiffen haben
er wird gepfiffen haben — pfeifend
wir werden gepfiffen haben
ihr werdet gepfiffen haben — **PAST PARTICIPLE**
sie werden gepfiffen haben — gepfiffen

SUBJUNCTIVE

PRESENT I	PRESENT II	PRESENT CONDITIONAL
ich pfeife	ich pfiffe	ich würde pfeifen
du pfeifest	du pfiffest	du würdest pfeifen
er pfeife	er pfiffe	er würde pfeifen
wir pfeifen	wir pfiffen	wir würden pfeifen
ihr pfeifet	ihr pfiffet	ihr würdet pfeifen
sie pfeifen	sie pfiffen	sie würden pfeifen

PAST I	PAST II	IMPERATIVE
ich habe gepfiffen	ich hätte gepfiffen	pfeif(e)!
du habest gepfiffen	du hättest gepfiffen	pfeift!
er habe gepfiffen	er hätte gepfiffen	pfeifen Sie!
wir haben gepfiffen	wir hätten gepfiffen	pfeifen wir!
ihr habet gepfiffen	ihr hättet gepfiffen	
sie haben gepfiffen	sie hätten gepfiffen	

PREISEN to praise

INDICATIVE

PRESENT	**FUTURE**	**PAST**
ich preise	ich werde preisen	ich pries
du preist	du wirst preisen	du priesest
er preist	er wird preisen	er pries
wir preisen	wir werden preisen	wir priesen
ihr preist	ihr werdet preisen	ihr priest
sie preisen	sie werden preisen	sie priesen

PRESENT PERFECT	**PAST PERFECT**	
ich habe gepriesen	ich hatte gepriesen	*PRESENT INFINITIVE*
du hast gepriesen	du hattest gepriesen	preisen
er hat gepriesen	er hatte gepriesen	
wir haben gepriesen	wir hatten gepriesen	*PAST INFINITIVE*
ihr habt gepriesen	ihr hattet gepriesen	
sie haben gepriesen	sie hatten gepriesen	gepriesen haben

FUTURE PERFECT	
ich werde gepriesen haben	*PRESENT PARTICIPLE*
du wirst gepriesen haben	preisend
er wird gepriesen haben	
wir werden gepriesen haben	*PAST PARTICIPLE*
ihr werdet gepriesen haben	
sie werden gepriesen haben	gepriesen

SUBJUNCTIVE

PRESENT I	**PRESENT II**	*PRESENT CONDITIONAL*
ich preise	ich priese	ich würde preisen
du preisest	du priesest	du würdest preisen
er preise	er priese	er würde preisen
wir preisen	wir priesen	wir würden preisen
ihr preiset	ihr prieset	ihr würdet preisen
sie preisen	sie priesen	sie würden preisen

PAST I	**PAST II**	*IMPERATIVE*
ich habe gepriesen	ich hätte gepriesen	preis(e)!
du habest gepriesen	du hättest gepriesen	preist!
er habe gepriesen	er hätte gepriesen	preisen Sie!
wir haben gepriesen	wir hätten gepriesen	preisen wir!
ihr habet gepriesen	ihr hättet gepriesen	
sie haben gepriesen	sie hätten gepriesen	

INDICATIVE

PRESENT	FUTURE	PAST
ich quelle	ich werde quellen	ich quoll
du quillst	du wirst quellen	du quollst
er quillt	er wird quellen	er quoll
wir quellen	wir werden quellen	wir quollen
ihr quellt	ihr werdet quellen	ihr quollt
sie quellen	sie werden quellen	sie quollen

PRESENT PERFECT	PAST PERFECT	
ich bin gequollen	ich war gequollen	**PRESENT**
du bist gequollen	du warst gequollen	**INFINITIVE**
er ist gequollen	er war gequollen	quellen
wir sind gequollen	wir waren gequollen	
ihr seid gequollen	ihr wart gequollen	**PAST**
sie sind gequollen	sie waren gequollen	**INFINITIVE**
		gequollen sein

FUTURE PERFECT

ich werde gequollen sein
du wirst gequollen sein
er wird gequollen sein
wir werden gequollen sein
ihr werdet gequollen sein
sie werden gequollen sein

PRESENT PARTICIPLE

quellend

PAST PARTICIPLE

gequollen

SUBJUNCTIVE

PRESENT I	PRESENT II	PRESENT CONDITIONAL
ich quelle	ich eilte	ich würde quellen
du quellest	du eiltest	du würdest quellen
er quelle	er eilte	er würde quellen
wir quellen	wir eilten	wir würden quellen
ihr quellet	ihr eiltet	ihr würdet quellen
sie quellen	sie eilten	sie würden quellen

PAST I	PAST II	IMPERATIVE
ich sei gequollen	ich wäre gequollen	quill!
du sei(e)st gequollen	du wär(e)st gequollen	quillt!
er sei gequollen	er wäre gequollen	quellen Sie!
wir seien gequollen	wir wären gequollen	quellen wir!
ihr seiet gequollen	ihr wär(e)t gequollen	
sie seien gequollen	sie wären gequollen	

INDICATIVE

PRESENT	**FUTURE**	**PAST**
ich rate	ich werde raten	ich riet
du rätst	du wirst raten	du rietest
er rät	er wird raten	er riet
wir raten	wir werden raten	wir rieten
ihr ratet	ihr werdet raten	ihr rietet
sie raten	sie werden raten	sie rieten

PRESENT PERFECT	**PAST PERFECT**	
ich habe geraten	ich hatte geraten	*PRESENT INFINITIVE*
du hast geraten	du hattest geraten	raten
er hat geraten	er hatte geraten	
wir haben geraten	wir hatten geraten	*PAST INFINITIVE*
ihr habt geraten	ihr hattet geraten	
sie haben geraten	sie hatten geraten	geraten haben

FUTURE PERFECT

PRESENT PARTICIPLE

ich werde geraten haben
du wirst geraten haben
er wird geraten haben
wir werden geraten haben
ihr werdet geraten haben
sie werden geraten haben

ratend

PAST PARTICIPLE

geraten

SUBJUNCTIVE

PRESENT I	**PRESENT II**	*PRESENT CONDITIONAL*
ich rate	ich riete	ich würde raten
du ratest	du rietest	du würdest raten
er rate	er riete	er würde raten
wir raten	wir rieten	wir würden raten
ihr ratet	ihr rietet	ihr würdet raten
sie raten	sie rieten	sie würden raten

PAST I	**PAST II**	*IMPERATIVE*
ich habe geraten	ich hätte geraten	rat(e)!
du habest geraten	du hättest geraten	ratet!
er habe geraten	er hätte geraten	raten Sie!
wir haben geraten	wir hätten geraten	raten wir!
ihr habet geraten	ihr hättet geraten	
sie haben geraten	sie hätten geraten	

REIBEN to rub

104

INDICATIVE

PRESENT	**FUTURE**	**PAST**
ich reibe	ich werde reiben	ich rieb
du reibst	du wirst reiben	du riebst
er reibt	er wird reiben	er rieb
wir reiben	wir werden reiben	wir rieben
ihr reibt	ihr werdet reiben	ihr riebt
sie reiben	sie werden reiben	sie rieben

PRESENT PERFECT	**PAST PERFECT**	*PRESENT INFINITIVE*
ich habe gerieben	ich hatte gerieben	reiben
du hast gerieben	du hattest gerieben	
er hat gerieben	er hatte gerieben	*PAST INFINITIVE*
wir haben gerieben	wir hatten gerieben	
ihr habt gerieben	ihr hattet gerieben	gerieben haben
sie haben gerieben	sie hatten gerieben	

FUTURE PERFECT	*PRESENT PARTICIPLE*
ich werde gerieben haben	reibend
du wirst gerieben haben	
er wird gerieben haben	
wir werden gerieben haben	*PAST PARTICIPLE*
ihr werdet gerieben haben	
sie werden gerieben haben	gerieben

SUBJUNCTIVE

PRESENT I	**PRESENT II**	*PRESENT CONDITIONAL*
ich reibe	ich riebe	ich würde reiben
du reibest	du riebest	du würdest reiben
er reibe	er riebe	er würde reiben
wir reiben	wir rieben	wir würden reiben
ihr reibet	ihr riebet	ihr würdet reiben
sie reiben	sie rieben	sie würden reiben

PAST I	**PAST II**	*IMPERATIVE*
ich habe gerieben	ich hätte gerieben	reib(e)!
du habest gerieben	du hättest gerieben	reibt!
er habe gerieben	er hätte gerieben	reiben Sie!
wir haben gerieben	wir hätten gerieben	reiben wir!
ihr habet gerieben	ihr hättet gerieben	
sie haben gerieben	sie hätten gerieben	

INDICATIVE

PRESENT	**FUTURE**	**PAST**
ich reiße	ich werde reißen	ich riß
du reißt	du wirst reißen	du rissest
er reißt	er wird reißen	er riß
wir reißen	wir werden reißen	wir rissen
ihr reißt	ihr werdet reißen	ihr rißt
sie reißen	sie werden reißen	sie rissen

PRESENT PERFECT	**PAST PERFECT**	
ich habe gerissen	ich hatte gerissen	*PRESENT INFINITIVE*
du hast gerissen	du hattest gerissen	reißen
er hat gerissen	er hatte gerissen	
wir haben gerissen	wir hatten gerissen	*PAST INFINITIVE*
ihr habt gerissen	ihr hattet gerissen	
sie haben gerissen	sie hatten gerissen	gerissen haben

FUTURE PERFECT	
ich werde gerissen haben	*PRESENT PARTICIPLE*
du wirst gerissen haben	reißend
er wird gerissen haben	
wir werden gerissen haben	*PAST PARTICIPLE*
ihr werdet gerissen haben	
sie werden gerissen haben	gerissen

SUBJUNCTIVE

PRESENT I	**PRESENT II**	*PRESENT CONDITIONAL*
ich reiße	ich risse	ich würde reißen
du reißest	du rissest	du würdest reißen
er reiße	er risse	er würde reißen
wir reißen	wir rissen	wir würden reißen
ihr reißet	ihr risset	ihr würdet reißen
sie reißen	sie rissen	sie würden reißen

PAST I	**PAST II**	*IMPERATIVE*
ich habe gerissen	ich hätte gerissen	reiß(e)!
du habest gerissen	du hättest gerissen	reißt!
er habe gerissen	er hätte gerissen	reißen Sie!
wir haben gerissen	wir hätten gerissen	reißen wir!
ihr habet gerissen	ihr hättet gerissen	
sie haben gerissen	sie hätten gerissen	

REITEN to ride

INDICATIVE

PRESENT	**FUTURE**	**PAST**
ich reite	ich werde reiten	ich ritt
du reitest	du wirst reiten	du rittst
er reitet	er wird reiten	er ritt
wir reiten	wir werden reiten	wir ritten
ihr reitet	ihr werdet reiten	ihr rittet
sie reiten	sie werden reiten	sie ritten

PRESENT PERFECT	**PAST PERFECT**	
ich bin geritten	ich war geritten	***PRESENT***
du bist geritten	du warst geritten	***INFINITIVE***
er ist geritten	er war geritten	reiten
wir sind geritten	wir waren geritten	***PAST***
ihr seid geritten	ihr wart geritten	***INFINITIVE***
sie sind geritten	sie waren geritten	geritten sein

FUTURE PERFECT		
ich werde geritten sein		***PRESENT***
du wirst geritten sein		***PARTICIPLE***
er wird geritten sein		reitend
wir werden geritten sein		***PAST***
ihr werdet geritten sein		***PARTICIPLE***
sie werden geritten sein		geritten

SUBJUNCTIVE

PRESENT I	**PRESENT II**	***PRESENT*** ***CONDITIONAL***
ich reite	ich ritte	ich würde reiten
du reitest	du rittest	du würdest reiten
er reite	er ritte	er würde reiten
wir reiten	wir ritten	wir würden reiten
ihr reitet	ihr rittet	ihr würdet reiten
sie reiten	sie ritten	sie würden reiten

PAST I	**PAST II**	***IMPERATIVE***
ich sei geritten	ich wäre geritten	reit(e)!
du sei(e)st geritten	du wär(e)st geritten	reitet!
er sei geritten	er wäre geritten	reiten Sie!
wir seien geritten	wir wären geritten	reiten wir!
ihr seiet geritten	ihr wär(e)t geritten	
sie seien geritten	sie wären geritten	

RENNEN to run

INDICATIVE

PRESENT	**FUTURE**	**PAST**
ich renne	ich werde rennen	ich rannte
du rennst	du wirst rennen	du ranntest
er rennt	er wird rennen	er rannte
wir rennen	wir werden rennen	wir rannten
ihr rennt	ihr werdet rennen	ihr ranntet
sie rennen	sie werden rennen	sie rannten

PRESENT PERFECT	**PAST PERFECT**	
ich bin gerannt	ich war gerannt	***PRESENT***
du bist gerannt	du warst gerannt	***INFINITIVE***
er ist gerannt	er war gerannt	rennen
wir sind gerannt	wir waren gerannt	
ihr seid gerannt	ihr wart gerannt	***PAST***
sie sind gerannt	sie waren gerannt	***INFINITIVE***
		gerannt sein

FUTURE PERFECT		
ich werde gerannt sein		***PRESENT***
du wirst gerannt sein		***PARTICIPLE***
er wird gerannt sein		rennend
wir werden gerannt sein		
ihr werdet gerannt sein		***PAST***
sie werden gerannt sein		***PARTICIPLE***
		gerannt

SUBJUNCTIVE

PRESENT I	**PRESENT II**	***PRESENT*** ***CONDITIONAL***
ich renne	ich rennte	ich würde rennen
du rennest	du renntest	du würdest rennen
er renne	er rennte	er würde rennen
wir rennen	wir rennten	wir würden rennen
ihr rennet	ihr renntet	ihr würdet rennen
sie rennen	sie rennten	sie würden rennen

PAST I	**PAST II**	***IMPERATIVE***
ich sei gerannt	ich wäre gerannt	renn(e)!
du sei(e)st gerannt	du wär(e)st gerannt	rennt!
er sei gerannt	er wäre gerannt	rennen Sie!
wir seien gerannt	wir wären gerannt	rennen wir!
ihr seiet gerannt	ihr wär(e)t gerannt	
sie seien gerannt	sie wären gerannt	

RIECHEN to smell

INDICATIVE

PRESENT	FUTURE	PAST
ich rieche	ich werde riechen	ich roch
du riechst	du wirst riechen	du rochst
er riecht	er wird riechen	er roch
wir riechen	wir werden riechen	wir rochen
ihr riecht	ihr werdet riechen	ihr rocht
sie riechen	sie werden riechen	sie rochen

PRESENT PERFECT	PAST PERFECT	
ich habe gerochen	ich hatte gerochen	**PRESENT INFINITIVE**
du hast gerochen	du hattest gerochen	riechen
er hat gerochen	er hatte gerochen	
wir haben gerochen	wir hatten gerochen	**PAST INFINITIVE**
ihr habt gerochen	ihr hattet gerochen	
sie haben gerochen	sie hatten gerochen	gerochen haben

FUTURE PERFECT		
ich werde gerochen haben		**PRESENT PARTICIPLE**
du wirst gerochen haben		riechend
er wird gerochen haben		
wir werden gerochen haben		**PAST PARTICIPLE**
ihr werdet gerochen haben		
sie werden gerochen haben		gerochen

SUBJUNCTIVE

PRESENT I	PRESENT II	PRESENT CONDITIONAL
ich rieche	ich röche	ich würde riechen
du riechest	du röchest	du würdest riechen
er rieche	er röche	er würde riechen
wir riechen	wir röchen	wir würden riechen
ihr riechet	ihr röchet	ihr würdet riechen
sie riechen	sie röchen	sie würden riechen

PAST I	PAST II	IMPERATIVE
ich habe gerochen	ich hätte gerochen	riech(e)!
du habest gerochen	du hättest gerochen	riecht!
er habe gerochen	er hätte gerochen	riechen Sie!
wir haben gerochen	wir hätten gerochen	riechen wir!
ihr habet gerochen	ihr hättet gerochen	
sie haben gerochen	sie hätten gerochen	

RINGEN to wrestle

INDICATIVE

PRESENT
ich ringe
du ringst
er ringt
wir ringen
ihr ringt
sie ringen

FUTURE
ich werde ringen
du wirst ringen
er wird ringen
wir werden ringen
ihr werdet ringen
sie werden ringen

PAST
ich rang
du rangst
er rang
wir rangen
ihr rangt
sie rangen

PRESENT PERFECT
ich habe gerungen
du hast gerungen
er hat gerungen
wir haben gerungen
ihr habt gerungen
sie haben gerungen

PAST PERFECT
ich hatte gerungen
du hattest gerungen
er hatte gerungen
wir hatten gerungen
ihr hattet gerungen
sie hatten gerungen

PRESENT INFINITIVE
ringen

PAST INFINITIVE
gerungen haben

FUTURE PERFECT
ich werde gerungen haben
du wirst gerungen haben
er wird gerungen haben
wir werden gerungen haben
ihr werdet gerungen haben
sie werden gerungen haben

PRESENT PARTICIPLE
ringend

PAST PARTICIPLE
gerungen

SUBJUNCTIVE

PRESENT I
ich ringe
du ringest
er ringe
wir ringen
ihr ringet
sie ringen

PRESENT II
ich ränge
du rängest
er ränge
wir rängen
ihr ränget
sie rängen

PRESENT CONDITIONAL
ich würde ringen
du würdest ringen
er würde ringen
wir würden ringen
ihr würdet ringen
sie würden ringen

PAST I
ich habe gerungen
du habest gerungen
er habe gerungen
wir haben gerungen
ihr habet gerungen
sie haben gerungen

PAST II
ich hätte gerungen
du hättest gerungen
er hätte gerungen
wir hätten gerungen
ihr hättet gerungen
sie hätten gerungen

IMPERATIVE
ring(e)!
ringt!
ringen Sie!
ringen wir!

RINNEN to run, to flow **110**

INDICATIVE

PRESENT	**FUTURE**	**PAST**
ich rinne	ich werde rinnen	ich rann
du rinnst	du wirst rinnen	du rannst
er rinnt	er wird rinnen	er rann
wir rinnen	wir werden rinnen	wir rannen
ihr rinnt	ihr werdet rinnen	ihr rannt
sie rinnen	sie werden rinnen	sie rannen

PRESENT PERFECT	**PAST PERFECT**	*PRESENT INFINITIVE*
ich bin geronnen	ich war geronnen	rinnen
du bist geronnen	du warst geronnen	
er ist geronnen	er war geronnen	*PAST INFINITIVE*
wir sind geronnen	wir waren geronnen	
ihr seid geronnen	ihr wart geronnen	geronnen sein
sie sind geronnen	sie waren geronnen	

FUTURE PERFECT		*PRESENT PARTICIPLE*
ich werde geronnen sein		rinnend
du wirst geronnen sein		
er wird geronnen sein		
wir werden geronnen sein		*PAST PARTICIPLE*
ihr werdet geronnen sein		
sie werden geronnen sein		geronnen

SUBJUNCTIVE

PRESENT I	**PRESENT II**	*PRESENT CONDITIONAL*
ich rinne	ich ränne	ich würde rinnen
du rinnest	du rännest	du würdest rinnen
er rinne	er ränne	er würde rinnen
wir rinnen	wir rännen	wir würden rinnen
ihr rinnet	ihr rännet	ihr würdet rinnen
sie rinnen	sie rännen	sie würden rinnen

PAST I	**PAST II**	*IMPERATIVE*
ich sei geronnen	ich wäre geronnen	rinn(e)!
du sei(e)st geronnen	du wär(e)st geronnen	rinnt!
er sei geronnen	er wäre geronnen	rinnen Sie!
wir seien geronnen	wir wären geronnen	rinnen wir!
ihr seiet geronnen	ihr wär(e)t geronnen	
sie seien geronnen	sie wären geronnen	

RUFEN to call

INDICATIVE

PRESENT
ich rufe
du rufst
er ruft
wir rufen
ihr ruft
sie rufen

FUTURE
ich werde rufen
du wirst rufen
er wird rufen
wir werden rufen
ihr werdet rufen
sie werden rufen

PAST
ich rief
du riefst
er rief
wir riefen
ihr rieft
sie riefen

PRESENT PERFECT
ich habe gerufen
du hast gerufen
er hat gerufen
wir haben gerufen
ihr habt gerufen
sie haben gerufen

PAST PERFECT
ich hatte gerufen
du hattest gerufen
er hatte gerufen
wir hatten gerufen
ihr hattet gerufen
sie hatten gerufen

PRESENT
INFINITIVE
rufen

PAST
INFINITIVE
gerufen haben

FUTURE PERFECT
ich werde gerufen haben
du wirst gerufen haben
er wird gerufen haben
wir werden gerufen haben
ihr werdet gerufen haben
sie werden gerufen haben

PRESENT
PARTICIPLE
rufend

PAST
PARTICIPLE
gerufen

SUBJUNCTIVE

PRESENT I
ich rufe
du rufest
er rufe
wir rufen
ihr rufet
sie rufen

PRESENT II
ich riefe
du riefest
er riefe
wir riefen
ihr riefet
sie riefen

PRESENT
CONDITIONAL
ich würde rufen
du würdest rufen
er würde rufen
wir würden rufen
ihr würdet rufen
sie würden rufen

PAST I
ich habe gerufen
du habest gerufen
er habe gerufen
wir haben gerufen
ihr habet gerufen
sie haben gerufen

PAST II
ich hätte gerufen
du hättest gerufen
er hätte gerufen
wir hätten gerufen
ihr hättet gerufen
sie hätten gerufen

IMPERATIVE
ruf(e)!
ruft!
rufen Sie!
rufen wir!

SAUFEN to drink, to booze   112

INDICATIVE

PRESENT
ich saufe
du säufst
er säuft
wir saufen
ihr sauft
sie saufen

FUTURE
ich werde saufen
du wirst saufen
er wird saufen
wir werden saufen
ihr werdet saufen
sie werden saufen

PAST
ich soff
du soffst
er soff
wir soffen
ihr sofft
sie soffen

PRESENT PERFECT
ich habe gesoffen
du hast gesoffen
er hat gesoffen
wir haben gesoffen
ihr habt gesoffen
sie haben gesoffen

PAST PERFECT
ich hatte gesoffen
du hattest gesoffen
er hatte gesoffen
wir hatten gesoffen
ihr hattet gesoffen
sie hatten gesoffen

PRESENT INFINITIVE
saufen

PAST INFINITIVE
gesoffen haben

FUTURE PERFECT
ich werde gesoffen haben
du wirst gesoffen haben
er wird gesoffen haben
wir werden gesoffen haben
ihr werdet gesoffen haben
sie werden gesoffen haben

PRESENT PARTICIPLE
saufend

PAST PARTICIPLE
gesoffen

SUBJUNCTIVE

PRESENT I
ich saufe
du saufest
er saufe
wir saufen
ihr saufet
sie saufen

PRESENT II
ich söffe
du söffest
er söffe
wir söffen
ihr söffet
sie söffen

PRESENT CONDITIONAL
ich würde saufen
du würdest saufen
er würde saufen
wir würden saufen
ihr würdet saufen
sie würden saufen

PAST I
ich habe gesoffen
du habest gesoffen
er habe gesoffen
wir haben gesoffen
ihr habet gesoffen
sie haben gesoffen

PAST II
ich hätte gesoffen
du hättest gesoffen
er hätte gesoffen
wir hätten gesoffen
ihr hättet gesoffen
sie hätten gesoffen

IMPERATIVE
sauf(e)!
sauft!
saufen Sie!
saufen wir!

113   **SAUGEN** to suck

INDICATIVE

PRESENT	**FUTURE**	**PAST**
ich sauge	ich werde saugen	ich sog
du saugst	du wirst saugen	du sogst
er saugt	er wird saugen	er sog
wir saugen	wir werden saugen	wir sogen
ihr saugt	ihr werdet saugen	ihr sogt
sie saugen	sie werden saugen	sie sogen

PRESENT PERFECT	**PAST PERFECT**	
ich habe gesogen	ich hatte gesogen	
du hast gesogen	du hattest gesogen	
er hat gesogen	er hatte gesogen	
wir haben gesogen	wir hatten gesogen	
ihr habt gesogen	ihr hattet gesogen	
sie haben gesogen	sie hatten gesogen	

PRESENT INFINITIVE
saugen

PAST INFINITIVE
gesogen haben

FUTURE PERFECT
ich werde gesogen haben
du wirst gesogen haben
er wird gesogen haben
wir werden gesogen haben
ihr werdet gesogen haben
sie werden gesogen haben

PRESENT PARTICIPLE
saugend

PAST PARTICIPLE
gesogen

SUBJUNCTIVE

PRESENT I	**PRESENT II**	*PRESENT CONDITIONAL*
ich sauge	ich söge	ich würde saugen
du saugest	du sögest	du würdest saugen
er sauge	er söge	er würde saugen
wir saugen	wir sögen	wir würden saugen
ihr sauget	ihr söget	ihr würdet saugen
sie saugen	sie sögen	sie würden saugen

PAST I	**PAST II**	*IMPERATIVE*
ich habe gesogen	ich hätte gesogen	saug(e)!
du habest gesogen	du hättest gesogen	saugt!
er habe gesogen	er hätte gesogen	saugen Sie!
wir haben gesogen	wir hätten gesogen	saugen wir!
ihr habet gesogen	ihr hättet gesogen	
sie haben gesogen	sie hätten gesogen	

Note: weak conjugation quite common, especially in technical language, eg **ich saugte, ich habe gesaugt**

SCHAFFEN to create 114

INDICATIVE
PRESENT

ich schaffe
du schaffst
er schafft
wir schaffen
ihr schafft
sie schaffen

FUTURE

ich werde schaffen
du wirst schaffen
er wird schaffen
wir werden schaffen
ihr werdet schaffen
sie werden schaffen

PAST

ich schuf
du schufst
er schuf
wir schufen
ihr schuft
sie schufen

PRESENT PERFECT

ich habe geschaffen
du hast geschaffen
er hat geschaffen
wir haben geschaffen
ihr habt geschaffen
sie haben geschaffen

PAST PERFECT

ich hatte geschaffen
du hattest geschaffen
er hatte geschaffen
wir hatten geschaffen
ihr hattet geschaffen
sie hatten geschaffen

*PRESENT
INFINITIVE*

schaffen

*PAST
INFINITIVE*

geschaffen haben

FUTURE PERFECT

ich werde geschaffen haben
du wirst geschaffen haben
er wird geschaffen haben
wir werden geschaffen haben
ihr werdet geschaffen haben
sie werden geschaffen haben

*PRESENT
PARTICIPLE*

schaffend

*PAST
PARTICIPLE*

geschaffen

SUBJUNCTIVE
PRESENT I

ich schaffe
du schaffest
er schaffe
wir schaffen
ihr schaffet
sie schaffen

PRESENT II

ich schüfe
du schüfest
er schüfe
wir schüfen
ihr schüfet
sie schüfen

*PRESENT
CONDITIONAL*

ich würde schaffen
du würdest schaffen
er würde schaffen
wir würden schaffen
ihr würdet schaffen
sie würden schaffen

PAST I

ich habe geschaffen
du habest geschaffen
er habe geschaffen
wir haben geschaffen
ihr habet geschaffen
sie haben geschaffen

PAST II

ich hätte geschaffen
du hättest geschaffen
er hätte geschaffen
wir hätten geschaffen
ihr hättet geschaffen
sie hätten geschaffen

IMPERATIVE

schaff(e)!
schafft!
schaffen Sie!
schaffen wir!

Note: other meaning: to do, to manage (weak conjugation: **ich schaffte** etc, **ich habe geschafft** etc)

SCHALLEN to resound

INDICATIVE

PRESENT

ich schalle
du schallst
er schallt
wir schallen
ihr schallt
sie schallen

FUTURE

ich werde schallen
du wirst schallen
er wird schallen
wir werden schallen
ihr werdet schallen
sie werden schallen

PAST

ich scholl
du schollst
er scholl
wir schollen
ihr schollt
sie schollen

PRESENT PERFECT

ich habe geschallt
du hast geschallt
er hat geschallt
wir haben geschallt
ihr habt geschallt
sie haben geschallt

PAST PERFECT

ich hatte geschallt
du hattest geschallt
er hatte geschallt
wir hatten geschallt
ihr hattet geschallt
sie hatten geschallt

*PRESENT
INFINITIVE*

schallen

*PAST
INFINITIVE*

geschallt haben

FUTURE PERFECT

ich werde geschallt haben
du wirst geschallt haben
er wird geschallt haben
wir werden geschallt haben
ihr werdet geschallt haben
sie werden geschallt haben

*PRESENT
PARTICIPLE*

schallend

*PAST
PARTICIPLE*

geschallt

SUBJUNCTIVE

PRESENT I

ich schalle
du schallest
er schalle
wir schallen
ihr schallet
sie schallen

PRESENT II

ich schölle
du schöllest
er schölle
wir schöllen
ihr schöllet
sie schöllen

*PRESENT
CONDITIONAL*

ich würde schallen
du würdest schallen
er würde schallen
wir würden schallen
ihr würdet schallen
sie würden schallen

PAST I

ich habe geschallt
du habest geschallt
er habe geschallt
wir haben geschallt
ihr habet geschallt
sie haben geschallt

PAST II

ich hätte geschallt
du hättest geschallt
er hätte geschallt
wir hätten geschallt
ihr hättet geschallt
sie hätten geschallt

IMPERATIVE

schall(e)
schallt!
schallen Sie!
schallen wir!

SICH SCHÄMEN to be ashamed   116

INDICATIVE

PRESENT
ich schäme mich
du schämst dich
er schämt sich
wir schämen uns
ihr schämt euch
sie schämen sich

FUTURE
ich werde mich schämen
du wirst dich schämen
er wird sich schämen
wir werden uns schämen
ihr werdet euch schämen
sie werden sich schämen

PAST
ich schämte mich
du schämtest dich
er schämte sich
wir schämten uns
ihr schämtet euch
sie schämten sich

PRESENT PERFECT
ich habe mich geschämt
du hast dich geschämt
er hat sich geschämt
wir haben uns geschämt
ihr habt euch geschämt
sie haben sich geschämt

PAST PERFECT
ich hatte mich geschämt
du hattest dich geschämt
er hatte sich geschämt
wir hatten uns geschämt
ihr hattet euch geschämt
sie hatten sich geschämt

*PRESENT
INFINITIVE*
sich schämen

*PAST
INFINITIVE*
sich geschämt haben

FUTURE PERFECT
ich werde mich geschämt haben
du wirst dich geschämt haben
er wird sich geschämt haben
wir werden uns geschämt haben
ihr werdet euch geschämt haben
sie werden sich geschämt haben

*PRESENT
PARTICIPLE*
sich schämend

*PAST
PARTICIPLE*
geschämt

SUBJUNCTIVE

PRESENT I
ich schäme mich
du schämest dich
er schäme sich
wir schämen uns
ihr schämet euch
sie schämen sich

PRESENT II
ich schämte mich
du schämtest dich
er schämte sich
wir schämten uns
ihr schämtet euch
sie schämten sich

*PRESENT
CONDITIONAL*
ich würde mich schämen
du würdest dich schämen
er würde sich schämen
wir würden uns schämen
ihr würdet euch schämen
sie würden sich schämen

PAST I
ich habe mich geschämt
du habest dich geschämt
er habe sich geschämt
wir haben uns geschämt
ihr habet euch geschämt
sie haben sich geschämt

PAST II
Ich hatte mich geschämt
du hättest dich geschämt
er hätte sich geschämt
wir hätten uns geschämt
ihr hättet euch geschämt
sie hätten sich geschämt

IMPERATIVE
schäm(e) dich!
schämt euch!
schämen Sie sich!
schämen wir uns!

SCHEIDEN to separate

INDICATIVE

PRESENT	FUTURE	PAST
ich scheide	ich werde scheiden	ich schied
du scheidest	du wirst scheiden	du schiedest
er scheidet	er wird scheiden	er schied
wir scheiden	wir werden scheiden	wir schieden
ihr scheidet	ihr werdet scheiden	ihr schiedet
sie scheiden	sie werden scheiden	sie schieden

PRESENT PERFECT	PAST PERFECT
ich habe geschieden	ich hatte geschieden
du hast geschieden	du hattest geschieden
er hat geschieden	er hatte geschieden
wir haben geschieden	wir hatten geschieden
ihr habt geschieden	ihr hattet geschieden
sie haben geschieden	sie hatten geschieden

PRESENT INFINITIVE
scheiden

PAST INFINITIVE
geschieden haben

FUTURE PERFECT
ich werde geschieden haben
du wirst geschieden haben
er wird geschieden haben
wir werden geschieden haben
ihr werdet geschieden haben
sie werden geschieden haben

PRESENT PARTICIPLE
scheidend

PAST PARTICIPLE
geschieden

SUBJUNCTIVE

PRESENT I	PRESENT II	PRESENT CONDITIONAL
ich scheide	ich schiede	ich würde scheiden
du scheidest	du schiedest	du würdest scheiden
er scheide	er schiede	er würde scheiden
wir scheiden	wir schieden	wir würden scheiden
ihr scheidet	ihr schiedet	ihr würdet scheiden
sie scheiden	sie schieden	sie würden scheiden

PAST I	PAST II	IMPERATIVE
ich habe geschieden	ich hätte geschieden	scheid(e)!
du habest geschieden	du hättest geschieden	scheidet!
er habe geschieden	er hätte geschieden	scheiden Sie!
wir haben geschieden	wir hätten geschieden	scheiden wir!
ihr habet geschieden	ihr hättet geschieden	
sie haben geschieden	sie hätten geschieden	

SCHEINEN to shine, to seem 118

INDICATIVE

PRESENT	FUTURE	PAST
ich scheine	ich werde scheinen	ich schien
du scheinst	du wirst scheinen	du schienst
er scheint	er wird scheinen	er schien
wir scheinen	wir werden scheinen	wir schienen
ihr scheint	ihr werdet scheinen	ihr schient
sie scheinen	sie werden scheinen	sie schienen

PRESENT PERFECT	PAST PERFECT	
ich habe geschienen	ich hatte geschienen	*PRESENT INFINITIVE*
du hast geschienen	du hattest geschienen	scheinen
er hat geschienen	er hatte geschienen	
wir haben geschienen	wir hatten geschienen	*PAST INFINITIVE*
ihr habt geschienen	ihr hattet geschienen	
sie haben geschienen	sie hatten geschienen	geschienen haben

FUTURE PERFECT	
ich werde geschienen haben	*PRESENT PARTICIPLE*
du wirst geschienen haben	
er wird geschienen haben	scheinend
wir werden geschienen haben	
ihr werdet geschienen haben	*PAST PARTICIPLE*
sie werden geschienen haben	geschienen

SUBJUNCTIVE

PRESENT I	PRESENT II	*PRESENT CONDITIONAL*
ich scheine	ich schiene	ich würde scheinen
du scheinest	du schienest	du würdest scheinen
er scheine	er schiene	er würde scheinen
wir scheinen	wir schienen	wir würden scheinen
ihr scheinet	ihr schienet	ihr würdet scheinen
sie scheinen	sie schienen	sie würden scheinen

PAST I	PAST II	*IMPERATIVE*
ich habe geschienen	ich hätte geschienen	schein(e)!
du habest geschienen	du hättest geschienen	scheint!
er habe geschienen	er hätte geschienen	scheinen Sie!
wir haben geschienen	wir hätten geschienen	scheinen wir!
ihr habet geschienen	ihr hättet geschienen	
sie haben geschienen	sie hätten geschienen	

SCHELTEN to scold

INDICATIVE

PRESENT
ich schelte
du schiltst
er schilt
wir schelten
ihr scheltet
sie schelten

FUTURE
ich werde schelten
du wirst schelten
er wird schelten
wir werden schelten
ihr werdet schelten
sie werden schelten

PAST
ich schalt
du schaltst
er schalt
wir schalten
ihr schaltet
sie schalten

PRESENT PERFECT
ich habe gescholten
du hast gescholten
er hat gescholten
wir haben gescholten
ihr habt gescholten
sie haben gescholten

PAST PERFECT
ich hatte gescholten
du hattest gescholten
er hatte gescholten
wir hatten gescholten
ihr hattet gescholten
sie hatten gescholten

PRESENT INFINITIVE
schelten

PAST INFINITIVE
gescholten haben

FUTURE PERFECT
ich werde gescholten haben
du wirst gescholten haben
er wird gescholten haben
wir werden gescholten haben
ihr werdet gescholten haben
sie werden gescholten haben

PRESENT PARTICIPLE
scheltend

PAST PARTICIPLE
gescholten

SUBJUNCTIVE

PRESENT I
ich schelte
du scheltest
er schelte
wir schelten
ihr scheltet
sie schelten

PRESENT II
ich schölte
du schöltest
er schölte
wir schölten
ihr schöltet
sie schölten

PRESENT CONDITIONAL
ich würde schelten
du würdest schelten
er würde schelten
wir würden schelten
ihr würdet schelten
sie würden schelten

PAST I
ich habe gescholten
du habest gescholten
er habe gescholten
wir haben gescholten
ihr habet gescholten
sie haben gescholten

PAST II
ich hätte gescholten
du hättest gescholten
er hätte gescholten
wir hätten gescholten
ihr hättet gescholten
sie hätten gescholten

IMPERATIVE
schilt!
scheltet!
schelten Sie!
schelten wir!

SCHEREN to shear   120

INDICATIVE

PRESENT	**FUTURE**	**PAST**
ich schere	ich werde scheren	Ich schor
du scherst	du wirst scheren	du schorst
er schert	er wird scheren	er schor
wir scheren	wir werden scheren	wir schoren
ihr schert	ihr werdet scheren	ihr schort
sie scheren	sie werden scheren	sie schoren

PRESENT PERFECT	**PAST PERFECT**	**PRESENT INFINITIVE**
Ich habe geschoren	ich hatte geschoren	scheren
du hast geschoren	du hattest geschoren	
er hat geschoren	er hatte geschoren	**PAST INFINITIVE**
wir haben geschoren	wir hatten geschoren	
Ihr habt geschoren	ihr hattet geschoren	geschoren haben
sie haben geschoren	sie hatten geschoren	

FUTURE PERFECT		**PRESENT PARTICIPLE**
Ich werde geschoren haben		scherend
du wirst geschoren haben		
er wird geschoren haben		**PAST PARTICIPLE**
wir werden geschoren haben		
ihr werdet geschoren haben		geschoren
sie werden geschoren haben		

SUBJUNCTIVE

PRESENT I	**PRESENT II**	**PRESENT CONDITIONAL**
ich schere	ich schöre	ich würde scheren
du scherest	du schörest	du würdest scheren
er schere	er schöre	er würde scheren
wir scheren	wir schören	wir würden scheren
ihr scheret	ihr schöret	ihr würdet scheren
sie scheren	sie schören	sie würden scheren

PAST I	**PAST II**	**IMPERATIVE**
ich habe geschoren	ich hätte geschoren	scher(e)!
du habest geschoren	du hättest geschoren	schert!
er habe geschoren	er hätte geschoren	scheren Sie!
wir haben geschoren	wir hätten geschoren	scheren wir!
ihr habet geschoren	ihr hättet geschoren	
sie haben geschoren	sie hätten geschoren	

SCHIEBEN to push

INDICATIVE

PRESENT

ich schiebe
du schiebst
er schiebt
wir schieben
ihr schiebt
sie schieben

FUTURE

ich werde schieben
du wirst schieben
er wird schieben
wir werden schieben
ihr werdet schieben
sie werden schieben

PAST

ich schob
du schobst
er schob
wir schoben
ihr schobt
sie schoben

PRESENT PERFECT

ich habe geschoben
du hast geschoben
er hat geschoben
wir haben geschoben
ihr habt geschoben
sie haben geschoben

PAST PERFECT

ich hatte geschoben
du hattest geschoben
er hatte geschoben
wir hatten geschoben
ihr hattet geschoben
sie hatten geschoben

*PRESENT
INFINITIVE*

schieben

*PAST
INFINITIVE*

geschoben haben

FUTURE PERFECT

ich werde geschoben haben
du wirst geschoben haben
er wird geschoben haben
wir werden geschoben haben
ihr werdet geschoben haben
sie werden geschoben haben

*PRESENT
PARTICIPLE*

schiebend

*PAST
PARTICIPLE*

geschoben

SUBJUNCTIVE

PRESENT I

ich schiebe
du schiebest
er schiebe
wir schieben
ihr schiebet
sie schieben

PRESENT II

ich schöbe
du schöbest
er schöbe
wir schöben
ihr schöbet
sie schöben

*PRESENT
CONDITIONAL*

ich würde schieben
du würdest schieben
er würde schieben
wir würden schieben
ihr würdet schieben
sie würden schieben

PAST I

ich habe geschoben
du habest geschoben
er habe geschoben
wir haben geschoben
ihr habet geschoben
sie haben geschoben

PAST II

ich hätte geschoben
du hättest geschoben
er hätte geschoben
wir hätten geschoben
ihr hättet geschoben
sie hätten geschoben

IMPERATIVE

schieb(e)!
schiebt!
schieben Sie!
schieben wir!

SCHIESSEN to shoot 122

INDICATIVE

PRESENT
ich schieße
du schießt
er schießt
wir schießen
ihr schießt
sie schießen

FUTURE
ich werde schießen
du wirst schießen
er wird schießen
wir werden schießen
ihr werdet schießen
sie werden schießen

PAST
ich schoß
du schossest
er schoß
wir schossen
ihr schoßt
sie schossen

PRESENT PERFECT
ich habe geschossen
du hast geschossen
er hat geschossen
wir haben geschossen
ihr habt geschossen
sie haben geschossen

PAST PERFECT
ich hatte geschossen
du hattest geschossen
er hatte geschossen
wir hatten geschossen
ihr hattet geschossen
sie hatten geschossen

PRESENT INFINITIVE
schießen

PAST INFINITIVE
geschossen haben

FUTURE PERFECT
ich werde geschossen haben
du wirst geschossen haben
er wird geschossen haben
wir werden geschossen haben
ihr werdet geschossen haben
sie werden geschossen haben

PRESENT PARTICIPLE
schießend

PAST PARTICIPLE
geschossen

SUBJUNCTIVE

PRESENT I
ich schieße
du schießest
er schieße
wir schießen
ihr schießet
sie schießen

PRESENT II
ich schösse
du schössest
er schösse
wir schössen
ihr schösset
sie schössen

PRESENT CONDITIONAL
ich würde schießen
du würdest schießen
er würde schießen
wir würden schießen
ihr würdet schießen
sie würden schießen

PAST I
ich habe geschossen
du habest geschossen
er habe geschossen
wir haben geschossen
ihr habet geschossen
sie haben geschossen

PAST II
ich hätte geschossen
du hättest geschossen
er hätte geschossen
wir hätten geschossen
ihr hättet geschossen
sie hätten geschossen

IMPERATIVE
schieß(e)!
schießt!
schießen Sie!
schießen wir!

SCHLAFEN to sleep

INDICATIVE

PRESENT	**FUTURE**	**PAST**
ich schlafe	ich werde schlafen	ich schlief
du schläfst	du wirst schlafen	du schliefst
er schläft	er wird schlafen	er schlief
wir schlafen	wir werden schlafen	wir schliefen
ihr schlaft	ihr werdet schlafen	ihr schlieft
sie schlafen	sie werden schlafen	sie schliefen

PRESENT PERFECT	**PAST PERFECT**	
ich habe geschlafen	ich hatte geschlafen	*PRESENT INFINITIVE*
du hast geschlafen	du hattest geschlafen	schlafen
er hat geschlafen	er hatte geschlafen	
wir haben geschlafen	wir hatten geschlafen	*PAST INFINITIVE*
ihr habt geschlafen	ihr hattet geschlafen	
sie haben geschlafen	sie hatten geschlafen	geschlafen haben

FUTURE PERFECT

ich werde geschlafen haben
du wirst geschlafen haben
er wird geschlafen haben
wir werden geschlafen haben
ihr werdet geschlafen haben
sie werden geschlafen haben

PRESENT PARTICIPLE

schlafend

PAST PARTICIPLE

geschlafen

SUBJUNCTIVE

PRESENT I	**PRESENT II**	*PRESENT CONDITIONAL*
ich schlafe	ich schliefe	ich würde schlafen
du schlafest	du schliefest	du würdest schlafen
er schlafe	er schliefe	er würde schlafen
wir schlafen	wir schliefen	wir würden schlafen
ihr schlafet	ihr schliefet	ihr würdet schlafen
sie schlafen	sie schliefen	sie würden schlafen

PAST I	**PAST II**	*IMPERATIVE*
ich habe geschlafen	ich hätte geschlafen	schlaf(e)!
du habest geschlafen	du hättest geschlafen	schlaft!
er habe geschlafen	er hätte geschlafen	schlafen Sie!
wir haben geschlafen	wir hätten geschlafen	schlafen wir!
ihr habet geschlafen	ihr hättet geschlafen	
sie haben geschlafen	sie hätten geschlafen	

SCHLAGEN to beat, to hit 124

INDICATIVE

PRESENT
ich schlage
du schlägst
er schlägt
wir schlagen
ihr schlagt
sie schlagen

FUTURE
ich werde schlagen
du wirst schlagen
er wird schlagen
wir werden schlagen
ihr werdet schlagen
sie werden schlagen

PAST
ich schlug
du schlugst
er schlug
wir schlugen
ihr schlugt
sie schlugen

PRESENT PERFECT
ich habe geschlagen
du hast geschlagen
er hat geschlagen
wir haben geschlagen
ihr habt geschlagen
sie haben geschlagen

PAST PERFECT
ich hatte geschlagen
du hattest geschlagen
er hatte geschlagen
wir hatten geschlagen
ihr hattet geschlagen
sie hatten geschlagen

PRESENT INFINITIVE
schlagen

PAST INFINITIVE
geschlagen haben

FUTURE PERFECT
ich werde geschlagen haben
du wirst geschlagen haben
er wird geschlagen haben
wir werden geschlagen haben
ihr werdet geschlagen haben
sie werden geschlagen haben

PRESENT PARTICIPLE
schlagend

PAST PARTICIPLE
geschlagen

SUBJUNCTIVE

PRESENT I
ich schlage
du schlagest
er schlage
wir schlagen
ihr schlaget
sie schlagen

PRESENT II
ich schlüge
du schlügest
er schlüge
wir schlügen
ihr schlüget
sie schlügen

PRESENT CONDITIONAL
ich würde schlagen
du würdest schlagen
er würde schlagen
wir würden schlagen
ihr würdet schlagen
sie würden schlagen

PAST I
ich habe geschlagen
du habest geschlagen
er habe geschlagen
wir haben geschlagen
ihr habet geschlagen
sie haben geschlagen

PAST II
ich hätte geschlagen
du hättest geschlagen
er hätte geschlagen
wir hätten geschlagen
ihr hättet geschlagen
sie hätten geschlagen

IMPERATIVE
schlag(e)!
schlagt!
schlagen Sie!
schlagen wir!

SCHLEICHEN to creep

INDICATIVE

PRESENT
ich schleiche
du schleichst
er schleicht
wir schleichen
ihr schleicht
sie schleichen

FUTURE
ich werde schleichen
du wirst schleichen
er wird schleichen
wir werden schleichen
ihr werdet schleichen
sie werden schleichen

PAST
ich schlich
du schlichst
er schlich
wir schlichen
ihr schlicht
sie schlichen

PRESENT PERFECT
ich bin geschlichen
du bist geschlichen
er ist geschlichen
wir sind geschlichen
ihr seid geschlichen
sie sind geschlichen

PAST PERFECT
ich war geschlichen
du warst geschlichen
er war geschlichen
wir waren geschlichen
ihr wart geschlichen
sie waren geschlichen

PRESENT INFINITIVE
schleichen

PAST INFINITIVE
geschlichen sein

FUTURE PERFECT
ich werde geschlichen sein
du wirst geschlichen sein
er wird geschlichen sein
wir werden geschlichen sein
ihr werdet geschlichen sein
sie werden geschlichen sein

PRESENT PARTICIPLE
schleichend

PAST PARTICIPLE
geschlichen

SUBJUNCTIVE

PRESENT I
ich schleiche
du schleichest
er schleiche
wir schleichen
ihr schleichet
sie schleichen

PRESENT II
ich schliche
du schlichest
er schliche
wir schlichen
ihr schlichet
sie schlichen

PRESENT CONDITIONAL
ich würde schleichen
du würdest schleichen
er würde schleichen
wir würden schleichen
ihr würdet schleichen
sie würden schleichen

PAST I
ich sei geschlichen
du sei(e)st geschlichen
er sei geschlichen
wir seien geschlichen
ihr seiet geschlichen
sie seien geschlichen

PAST II
ich wäre geschlichen
du wär(e)st geschlichen
er wäre geschlichen
wir wären geschlichen
ihr wär(e)t geschlichen
sie wären geschlichen

IMPERATIVE
schleich(e)!
schleicht!
schleichen Sie!
schleichen wir!

SCHLEIFEN to grind 126

INDICATIVE

PRESENT
ich schleife
du schleifst
er schleift
wir schleifen
ihr schleift
sie schleifen

FUTURE
ich werde schleifen
du wirst schleifen
er wird schleifen
wir werden schleifen
ihr werdet schleifen
sie werden schleifen

PAST
ich schliff
du schliffst
er schliff
wir schliffen
ihr schlifft
sie schliffen

PRESENT PERFECT
ich habe geschliffen
du hast geschliffen
er hat geschliffen
wir haben geschliffen
ihr habt geschliffen
sie haben geschliffen

PAST PERFECT
ich hatte geschliffen
du hattest geschliffen
er hatte geschliffen
wir hatten geschliffen
ihr hattet geschliffen
sie hatten geschliffen

PRESENT
INFINITIVE
schleifen

PAST
INFINITIVE
geschliffen haben

FUTURE PERFECT
ich werde geschliffen haben
du wirst geschliffen haben
er wird geschliffen haben
wir werden geschliffen haben
ihr werdet geschliffen haben
sie werden geschliffen haben

PRESENT
PARTICIPLE
schleifend

PAST
PARTICIPLE
geschliffen

SUBJUNCTIVE

PRESENT I
ich schleife
du schleifest
er schleife
wir schleifen
ihr schleifet
sie schleifen

PRESENT II
ich schliffe
du schliffest
er schliffe
wir schliffen
ihr schliffet
sie schliffen

PRESENT
CONDITIONAL
ich würde schleifen
du würdest schleifen
er würde schleifen
wir würden schleifen
ihr würdet schleifen
sie würden schleifen

PAST I
ich habe geschliffen
du habest geschliffen
er habe geschliffen
wir haben geschliffen
ihr habet geschliffen
sie haben geschliffen

PAST II
ich hätte geschliffen
du hättest geschliffen
er hätte geschliffen
wir hätten geschliffen
ihr hättet geschliffen
sie hätten geschliffen

IMPERATIVE
schleif(e)!
schleift!
schleifen Sie!
schleifen wir!

Note: other meaning: to drag (weak conjugation: **ich schleifte** etc, **ich habe geschleift** etc)

SCHLIESSEN to shut

INDICATIVE

PRESENT	FUTURE	PAST
ich schließe	ich werde schließen	ich schloß
du schließt	du wirst schließen	du schlossest
er schließt	er wird schließen	er schloß
wir schließen	wir werden schließen	wir schlossen
ihr schließt	ihr werdet schließen	ihr schloßt
sie schließen	sie werden schließen	sie schlossen

PRESENT PERFECT	PAST PERFECT	
ich habe geschlossen	ich hatte geschlossen	**PRESENT INFINITIVE**
du hast geschlossen	du hattest geschlossen	schließen
er hat geschlossen	er hatte geschlossen	
wir haben geschlossen	wir hatten geschlossen	**PAST INFINITIVE**
ihr habt geschlossen	ihr hattet geschlossen	geschlossen haben
sie haben geschlossen	sie hatten geschlossen	

FUTURE PERFECT	
ich werde geschlossen haben	**PRESENT PARTICIPLE**
du wirst geschlossen haben	schließend
er wird geschlossen haben	
wir werden geschlossen haben	**PAST PARTICIPLE**
ihr werdet geschlossen haben	geschlossen
sie werden geschlossen haben	

SUBJUNCTIVE

PRESENT I	PRESENT II	**PRESENT CONDITIONAL**
ich schließe	ich schlösse	ich würde schließen
du schließest	du schlössest	du würdest schließen
er schließe	er schlösse	er würde schließen
wir schließen	wir schlössen	wir würden schließen
ihr schließet	ihr schlösset	ihr würdet schließen
sie schließen	sie schlössen	sie würden schließen

PAST I	PAST II	**IMPERATIVE**
ich habe geschlossen	ich hätte geschlossen	schließ(e)!
du habest geschlossen	du hättest geschlossen	schließt!
er habe geschlossen	er hätte geschlossen	schließen Sie!
wir haben geschlossen	wir hätten geschlossen	schließen wir!
ihr habet geschlossen	ihr hättet geschlossen	
sie haben geschlossen	sie hätten geschlossen	

SCHLINGEN to tie (round), to swallow, to devour 128

INDICATIVE

PRESENT
ich schlinge
du schlingt
er schlingt
wir schlingen
ihr schlingt
sie schlingen

FUTURE
ich werde schlingen
du wirst schlingen
er wird schlingen
wir werden schlingen
ihr werdet schlingen
sie werden schlingen

PAST
ich schlang
du schlangst
er schlang
wir schlangen
ihr schlangt
sie schlangen

PRESENT PERFECT
ich habe geschlungen
du hast geschlungen
er hat geschlungen
wir haben geschlungen
ihr habt geschlungen
sie haben geschlungen

PAST PERFECT
ich hatte geschlungen
du hattest geschlungen
er hatte geschlungen
wir hatten geschlungen
Ihr hattet geschlungen
sie hatten geschlungen

PRESENT INFINITIVE
schlingen

PAST INFINITIVE
geschlungen haben

FUTURE PERFECT
ich werde geschlungen haben
du wirst geschlungen haben
er wird geschlungen haben
wir werden geschlungen haben
ihr werdet geschlungen haben
sie werden geschlungen haben

PRESENT PARTICIPLE
schlingend

PAST PARTICIPLE
geschlungen

SUBJUNCTIVE

PRESENT I
ich schlinge
du schlingest
er schlinge
wir schlingen
ihr schlinget
sie schlingen

PRESENT II
ich schlänge
du schlängest
er schlänge
wir schlängen
ihr schlänget
sie schlängen

PRESENT CONDITIONAL
ich würde schlingen
du würdest schlingen
er würde schlingen
wir würden schlingen
ihr würdet schlingen
sie würden schlingen

PAST I
ich habe geschlungen
du habest geschlungen
er habe geschlungen
wir haben geschlungen
ihr habet geschlungen
sie haben geschlungen

PAST II
ich hätte geschlungen
du hättest geschlungen
er hätte geschlungen
wir hätten geschlungen
ihr hättet geschlungen
sie hätten geschlungen

IMPERATIVE
schling(e)!
schlingt!
schlingen Sie!
schlingen wir!

INDICATIVE

PRESENT
ich schmeiße
du schmeißt
er schmeißt
wir schmeißen
ihr schmeißt
sie schmeißen

FUTURE
ich werde schmeißen
du wirst schmeißen
er wird schmeißen
wir werden schmeißen
ihr werdet schmeißen
sie werden schmeißen

PAST
ich schmiß
du schmissest
er schmiß
wir schmissen
ihr schmißt
sie schmissen

PRESENT PERFECT
ich habe geschmissen
du hast geschmissen
er hat geschmissen
wir haben geschmissen
ihr habt geschmissen
sie haben geschmissen

PAST PERFECT
ich hatte geschmissen
du hattest geschmissen
er hatte geschmissen
wir hatten geschmissen
ihr hattet geschmissen
sie hatten geschmissen

*PRESENT
INFINITIVE*
schmeißen

*PAST
INFINITIVE*
geschmissen haben

FUTURE PERFECT
ich werde geschmissen haben
du wirst geschmissen haben
er wird geschmissen haben
wir werden geschmissen haben
ihr werdet geschmissen haben
sie werden geschmissen haben

*PRESENT
PARTICIPLE*
schmeißend

*PAST
PARTICIPLE*
geschmissen

SUBJUNCTIVE

PRESENT I
ich schmeiße
du schmeißest
er schmeiße
wir schmeißen
ihr schmeißet
sie schmeißen

PRESENT II
ich schmisse
du schmissest
er schmisse
wir schmissen
ihr schmisset
sie schmissen

*PRESENT
CONDITIONAL*
ich würde schmeißen
du würdest schmeißen
er würde schmeißen
wir würden schmeißen
ihr würdet schmeißen
sie würden schmeißen

PAST I
ich habe geschmissen
du habest geschmissen
er habe geschmissen
wir haben geschmissen
ihr habet geschmissen
sie haben geschmissen

PAST II
ich hätte geschmissen
du hättest geschmissen
er hätte geschmissen
wir hätten geschmissen
ihr hättet geschmissen
sie hätten geschmissen

IMPERATIVE
schmeiß(e)!
schmeißt!
schmeißen Sie!
schmeißen wir!

SCHMELZEN to melt 130

INDICATIVE

PRESENT	FUTURE	PAST
ich schmelze	ich werde schmelzen	ich schmolz
du schmilzt	du wirst schmelzen	du schmolzest
er schmilzt	er wird schmelzen	er schmolz
wir schmelzen	wir werden schmelzen	wir schmolzen
ihr schmelzt	ihr werdet schmelzen	ihr schmolzt
sie schmelzen	sie werden schmelzen	sie schmolzen

PRESENT PERFECT	PAST PERFECT	
ich habe geschmolzen	ich hatte geschmolzen	**PRESENT INFINITIVE**
du hast geschmolzen	du hattest geschmolzen	schmelzen
er hat geschmolzen	er hatte geschmolzen	
wir haben geschmolzen	wir hatten geschmolzen	**PAST INFINITIVE**
ihr habt geschmolzen	ihr hattet geschmolzen	geschmolzen haben
sie haben geschmolzen	sie hatten geschmolzen	

FUTURE PERFECT		
ich werde geschmolzen haben		**PRESENT PARTICIPLE**
du wirst geschmolzen haben		schmelzend
er wird geschmolzen haben		
wir werden geschmolzen haben		**PAST PARTICIPLE**
ihr werdet geschmolzen haben		geschmolzen
sie werden geschmolzen haben		

SUBJUNCTIVE

PRESENT I	PRESENT II	PRESENT CONDITIONAL
ich schmelze	ich schmölze	ich würde schmelzen
du schmelzest	du schmölzest	du würdest schmelzen
er schmelze	er schmölze	er würde schmelzen
wir schmelzen	wir schmölzen	wir würden schmelzen
ihr schmelzet	ihr schmölzet	ihr würdet schmelzen
sie schmelzen	sie schmölzen	sie würden schmelzen

PAST I	PAST II	IMPERATIVE
ich habe geschmolzen	ich hätte geschmolzen	schmelze!
du habest geschmolzen	du hättest geschmolzen	schmelzt!
er habe geschmolzen	er hätte geschmolzen	schmelzen Sie!
wir haben geschmolzen	wir hätten geschmolzen	schmelzen wir!
ihr habet geschmolzen	ihr hättet geschmolzen	
sie haben geschmolzen	sie hätten geschmolzen	

Note: as an intransitive verb with the auxiliary verb **sein**, eg **das Eis ist/ war/sei/wäre geschmolzen** (the ice has/had etc melted)

SCHNEIDEN to cut

INDICATIVE

PRESENT

ich schneide
du schneidest
er schneidet
wir schneiden
ihr schneidet
sie schneiden

FUTURE

ich werde schneiden
du wirst schneiden
er wird schneiden
wir werden schneiden
ihr werdet schneiden
sie werden schneiden

PAST

ich schnitt
du schnittst
er schnitt
wir schnitten
ihr schnittet
sie schnitten

PRESENT PERFECT

ich habe geschnitten
du hast geschnitten
er hat geschnitten
wir haben geschnitten
ihr habt geschnitten
sie haben geschnitten

PAST PERFECT

ich hatte geschnitten
du hattest geschnitten
er hatte geschnitten
wir hatten geschnitten
ihr hattet geschnitten
sie hatten geschnitten

PRESENT INFINITIVE

schneiden

PAST INFINITIVE

geschnitten haben

FUTURE PERFECT

ich werde geschnitten haben
du wirst geschnitten haben
er wird geschnitten haben
wir werden geschnitten haben
ihr werdet geschnitten haben
sie werden geschnitten haben

PRESENT PARTICIPLE

schneidend

PAST PARTICIPLE

geschnitten

SUBJUNCTIVE

PRESENT I

ich schneide
du schneidest
er schneide
wir schneiden
ihr schneidet
sie schneiden

PRESENT II

ich schnitte
du schnittest
er schnitte
wir schnitten
ihr schnittet
sie schnitten

PRESENT CONDITIONAL

ich würde schneiden
du würdest schneiden
er würde schneiden
wir würden schneiden
ihr würdet schneiden
sie würden schneiden

PAST I

ich habe geschnitten
du habest geschnitten
er habe geschnitten
wir haben geschnitten
ihr habet geschnitten
sie haben geschnitten

PAST II

ich hätte geschnitten
du hättest geschnitten
er hätte geschnitten
wir hätten geschnitten
ihr hättet geschnitten
sie hätten geschnitten

IMPERATIVE

schneid(e)!
schneidet!
schneiden Sie!
schneiden wir!

SCHREIBEN to write

INDICATIVE

PRESENT	**FUTURE**	**PAST**
ich schreibe	ich werde schreiben	ich schrieb
du schreibst	du wirst schreiben	du schriebst
er schreibt	er wird schreiben	er schrieb
wir schreiben	wir werden schreiben	wir schrieben
ihr schreibt	ihr werdet schreiben	ihr schriebt
sie schreiben	sie werden schreiben	sie schrieben

PRESENT PERFECT	**PAST PERFECT**	
ich habe geschrieben	ich hatte geschrieben	*PRESENT INFINITIVE*
du hast geschrieben	du hattest geschrieben	schreiben
er hat geschrieben	er hatte geschrieben	
wir haben geschrieben	wir hatten geschrieben	*PAST INFINITIVE*
ihr habt geschrieben	ihr hattet geschrieben	
sie haben geschrieben	sie hatten geschrieben	geschrieben haben

FUTURE PERFECT

ich werde geschrieben haben
du wirst geschrieben haben
er wird geschrieben haben
wir werden geschrieben haben
ihr werdet geschrieben haben
sie werden geschrieben haben

PRESENT PARTICIPLE
schreibend

PAST PARTICIPLE
geschrieben

SUBJUNCTIVE

PRESENT I	**PRESENT II**	*PRESENT CONDITIONAL*
ich schreibe	ich schriebe	ich würde schreiben
du schreibest	du schriebest	du würdest schreiben
er schreibe	er schriebe	er würde schreiben
wir schreiben	wir schrieben	wir würden schreiben
ihr schreibet	ihr schriebet	ihr würdet schreiben
sie schreiben	sie schrieben	sie würden schreiben

PAST I	**PAST II**	*IMPERATIVE*
ich habe geschrieben	ich hätte geschrieben	schreib(e)!
du habest geschrieben	du hättest geschrieben	schreibt!
er habe geschrieben	er hätte geschrieben	schreiben Sie!
wir haben geschrieben	wir hätten geschrieben	schreiben wir!
ihr habet geschrieben	ihr hättet geschrieben	
sie haben geschrieben	sie hätten geschrieben	

133   **SCHREIEN** to cry, to scream

INDICATIVE

PRESENT	FUTURE	PAST
ich schreie	ich werde schreien	ich schrie
du schreist	du wirst schreien	du schriest
er schreit	er wird schreien	er schrie
wir schreien	wir werden schreien	wir schrien
ihr schreit	ihr werdet schreien	ihr schriet
sie schreien	sie werden schreien	sie schrien

PRESENT PERFECT	PAST PERFECT	
ich habe geschrie(e)n	ich hatte geschrie(e)n	***PRESENT INFINITIVE***
du hast geschrie(e)n	du hattest geschrie(e)n	schreien
er hat geschrie(e)n	er hatte geschrie(e)n	
wir haben geschrie(e)n	wir hatten geschrie(e)n	***PAST INFINITIVE***
ihr habt geschrie(e)n	ihr hattet geschrie(e)n	geschrie(e)n haben
sie haben geschrie(e)n	sie hatten geschrie(e)n	

FUTURE PERFECT		
ich werde geschrie(e)n haben		***PRESENT PARTICIPLE***
du wirst geschrie(e)n haben		schreiend
er wird geschrie(e)n haben		
wir werden geschrie(e)n haben		***PAST PARTICIPLE***
ihr werdet geschrie(e)n haben		geschrie(e)n
sie werden geschrie(e)n haben		

SUBJUNCTIVE

PRESENT I	PRESENT II	***PRESENT CONDITIONAL***
ich schreie	ich schriee	ich würde schreien
du schreiest	du schrieest	du würdest schreien
er schreie	er schriee	er würde schreien
wir schreien	wir schrieen	wir würden schreien
ihr schreiet	ihr schrieet	ihr würdet schreien
sie schreien	sie schrieen	sie würden schreien

PAST I	PAST II	***IMPERATIVE***
ich habe geschrie(e)n	ich hätte geschrie(e)n	schrei(e)!
du habest geschrie(e)n	du hättest geschrie(e)n	schreit!
er habe geschrie(e)n	er hätte geschrie(e)n	schreien Sie!
wir haben geschrie(e)n	wir hätten geschrie(e)n	schreien wir!
ihr habet geschrie(e)n	ihr hättet geschrie(e)n	
sie haben geschrie(e)n	sie hätten geschrie(e)n	

SCHREITEN to walk, to stride 134

INDICATIVE

PRESENT

ich schreite
du schreitest
er schreitet
wir schreiten
ihr schreitet
sie schreiten

FUTURE

ich werde schreiten
du wirst schreiten
er wird schreiten
wir werden schreiten
ihr werdet schreiten
sie werden schreiten

PAST

ich schritt
du schritt(e)st
er schritt
wir schritten
ihr schrittet
sie schritten

PRESENT PERFECT

ich bin geschritten
du bist geschritten
er ist geschritten
wir sind geschritten
ihr seid geschritten
sie sind geschritten

PAST PERFECT

ich war geschritten
du warst geschritten
er war geschritten
wir waren geschritten
ihr wart geschritten
sie waren geschritten

**PRESENT
INFINITIVE**

schreiten

**PAST
INFINITIVE**

geschritten sein

FUTURE PERFECT

ich werde geschritten sein
du wirst geschritten sein
er wird geschritten sein
wir werden geschritten sein
ihr werdet geschritten sein
sie werden geschritten sein

**PRESENT
PARTICIPLE**

schreitend

**PAST
PARTICIPLE**

geschritten

SUBJUNCTIVE

PRESENT I

ich schreite
du schreitest
er schreite
wir schreiten
ihr schreitet
sie schreiten

PRESENT II

ich schritte
du schrittest
er schritte
wir schritten
ihr schrittet
sie schritten

**PRESENT
CONDITIONAL**

ich würde schreiten
du würdest schreiten
er würde schreiten
wir würden schreiten
ihr würdet schreiten
sie würden schreiten

PAST I

ich sei geschritten
du sei(e)st geschritten
er sei geschritten
wir seien geschritten
ihr seiet geschritten
sie seien geschritten

PAST II

ich wäre geschritten
du wär(e)st geschritten
er wäre geschritten
wir wären geschritten
ihr wär(e)t geschritten
sie wären geschritten

IMPERATIVE

schreit(e)!
schreitet!
schreiten Sie!
schreiten wir!

INDICATIVE

PRESENT

ich schweige
du schweigst
er schweigt
wir schweigen
ihr schweigt
sie schweigen

FUTURE

ich werde schweigen
du wirst schweigen
er wird schweigen
wir werden schweigen
ihr werdet schweigen
sie werden schweigen

PAST

ich schwieg
du schwiegst
er schwieg
wir schwiegen
ihr schwiegt
sie schwiegen

PRESENT PERFECT

ich habe geschwiegen
du hast geschwiegen
er hat geschwiegen
wir haben geschwiegen
ihr habt geschwiegen
sie haben geschwiegen

PAST PERFECT

ich hatte geschwiegen
du hattest geschwiegen
er hatte geschwiegen
wir hatten geschwiegen
ihr hattet geschwiegen
sie hatten geschwiegen

PRESENT INFINITIVE

schweigen

PAST INFINITIVE

geschwiegen haben

FUTURE PERFECT

ich werde geschwiegen haben
du wirst geschwiegen haben
er wird geschwiegen haben
wir werden geschwiegen haben
ihr werdet geschwiegen haben
sie werden geschwiegen haben

PRESENT PARTICIPLE

schweigend

PAST PARTICIPLE

geschwiegen

SUBJUNCTIVE

PRESENT I

ich schweige
du schweigest
er schweige
wir schweigen
ihr schweiget
sie schweigen

PRESENT II

ich schwiege
du schwiegest
er schwiege
wir schwiegen
ihr schwieget
sie schwiegen

PRESENT CONDITIONAL

ich würde schweigen
du würdest schweigen
er würde schweigen
wir würden schweigen
ihr würdet schweigen
sie würden schweigen

PAST I

ich habe geschwiegen
du habest geschwiegen
er habe geschwiegen
wir haben geschwiegen
ihr habet geschwiegen
sie haben geschwiegen

PAST II

ich hätte geschwiegen
du hättest geschwiegen
er hätte geschwiegen
wir hätten geschwiegen
ihr hättet geschwiegen
sie hätten geschwiegen

IMPERATIVE

schweig(e)!
schweigt!
schweigen Sie!
schweigen wir!

SCHWELLEN to swell 136

INDICATIVE

PRESENT
ich schwelle
du schwillst
er schwillt
wir schwellen
ihr schwellt
sie schwellen

FUTURE
ich werde schwellen
du wirst schwellen
er wird schwellen
wir werden schwellen
ihr werdet schwellen
sie werden schwellen

PAST
ich schwoll
du schwollst
er schwoll
wir schwollen
ihr schwollt
sie schwollen

PRESENT PERFECT
ich bin geschwollen
du bist geschwollen
er ist geschwollen
wir sind geschwollen
ihr seid geschwollen
sie sind geschwollen

PAST PERFECT
ich war geschwollen
du warst geschwollen
er war geschwollen
wir waren geschwollen
ihr wart geschwollen
sie waren geschwollen

PRESENT INFINITIVE
schwellen

PAST INFINITIVE
geschwollen sein

FUTURE PERFECT
ich werde geschwollen sein
du wirst geschwollen sein
er wird geschwollen sein
wir werden geschwollen sein
ihr werdet geschwollen sein
sie werden geschwollen sein

PRESENT PARTICIPLE
schwellend

PAST PARTICIPLE
geschwollen

SUBJUNCTIVE

PRESENT I
ich schwelle
du schwellest
er schwelle
wir schwellen
ihr schwellet
sie schwellen

PRESENT II
ich schwölle
du schwöllest
er schwölle
wir schwöllen
ihr schwöllet
sie schwöllen

PRESENT CONDITIONAL
ich würde schwellen
du würdest schwellen
er würde schwellen
wir würden schwellen
ihr würdet schwellen
sie würden schwellen

PAST I
ich sei geschwollen
du sei(e)st geschwollen
er sei geschwollen
wir seien geschwollen
ihr seiet geschwollen
sie seien geschwollen

PAST II
ich wäre geschwollen
du wär(e)st geschwollen
er wäre geschwollen
wir wären geschwollen
ihr wär(e)t geschwollen
sie wären geschwollen

IMPERATIVE
schwill!
schwellt!
schwellen Sie!
schwellen wir!

INDICATIVE

PRESENT

ich schwimme
du schwimmst
er schwimmt
wir schwimmen
ihr schwimmt
sie schwimmen

FUTURE

ich werde schwimmen
du wirst schwimmen
er wird schwimmen
wir werden schwimmen
ihr werdet schwimmen
sie werden schwimmen

PAST

ich schwamm
du schwammst
er schwamm
wir schwammen
ihr schwammt
sie schwammen

PRESENT PERFECT

ich bin geschwommen
du bist geschwommen
er ist geschwommen
wir sind geschwommen
ihr seid geschwommen
sie sind geschwommen

PAST PERFECT

ich war geschwommen
du warst geschwommen
er war geschwommen
wir waren geschwommen
ihr wart geschwommen
sie waren geschwommen

PRESENT INFINITIVE

schwimmen

PAST INFINITIVE

geschwommen sein

FUTURE PERFECT

ich werde geschwommen sein
du wirst geschwommen sein
er wird geschwommen sein
wir werden geschwommen sein
ihr werdet geschwommen sein
sie werden geschwommen sein

PRESENT PARTICIPLE

schwimmend

PAST PARTICIPLE

geschwommen

SUBJUNCTIVE

PRESENT I

ich schwimme
du schwimmest
er schwimme
wir schwimmen
ihr schwimmet
sie schwimmen

PRESENT II

ich schwömme
du schwömmest
er schwömme
wir schwömmen
ihr schwömmet
sie schwömmen

PRESENT CONDITIONAL

ich würde schwimmen
du würdest schwimmen
er würde schwimmen
wir würden schwimmen
ihr würdet schwimmen
sie würden schwimmen

PAST I

ich sei geschwommen
du sei(e)st geschwommen
er sei geschwommen
wir seien geschwommen
ihr seiet geschwommen
sie seien geschwommen

PAST II

ich wäre geschwommen
du wär(e)st geschwommen
er wäre geschwommen
wir wären geschwommen
ihr wär(e)t geschwommen
sie wären geschwommen

IMPERATIVE

schwimm(e)!
schwimmet!
schwimmen Sie!
schwimmen wir!

SCHWINDEN to fade, to wane 138

INDICATIVE

PRESENT
ich schwinde
du schwindest
er schwindet
wir schwinden
ihr schwindet
sie schwinden

FUTURE
ich werde schwinden
du wirst schwinden
er wird schwinden
wir werden schwinden
ihr werdet schwinden
sie werden schwinden

PAST
ich schwand
du schwandest
er schwand
wir schwanden
ihr schwandet
sie schwanden

PRESENT PERFECT
ich bin geschwunden
du bist geschwunden
er ist geschwunden
wir sind geschwunden
ihr seid geschwunden
sie sind geschwunden

PAST PERFECT
ich war geschwunden
du warst geschwunden
er war geschwunden
wir waren geschwunden
ihr wart geschwunden
sie waren geschwunden

PRESENT INFINITIVE
schwinden

PAST INFINITIVE
geschwunden sein

FUTURE PERFECT
ich werde geschwunden sein
du wirst geschwunden sein
er wird geschwunden sein
wir werden geschwunden sein
ihr werdet geschwunden sein
sie werden geschwunden sein

PRESENT PARTICIPLE
schwindend

PAST PARTICIPLE
geschwunden

SUBJUNCTIVE

PRESENT I
ich schwinde
du schwindest
er schwinde
wir schwinden
ihr schwindet
sie schwinden

PRESENT II
ich schwände
du schwändest
er schwände
wir schwänden
ihr schwändet
sie schwänden

PRESENT CONDITIONAL
ich würde schwinden
du würdest schwinden
er würde schwinden
wir würden schwinden
ihr würdet schwinden
sie würden schwinden

PAST I
ich sei geschwunden
du sei(e)st geschwunden
er sei geschwunden
wir seien geschwunden
ihr seiet geschwunden
sie seien geschwunden

PAST II
ich wäre geschwunden
du wär(e)st geschwunden
er wäre geschwunden
wir wären geschwunden
ihr wär(e)t geschwunden
sie wären geschwunden

IMPERATIVE
schwinde!
schwindet!
schwinden Sie!
schwinden wir!

INDICATIVE

PRESENT

ich schwinge
du schwingst
er schwingt
wir schwingen
ihr schwingt
sie schwingen

FUTURE

ich werde schwingen
du wirst schwingen
er wird schwingen
wir werden schwingen
ihr werdet schwingen
sie werden schwingen

PAST

ich schwang
du schwangst
er schwang
wir schwangen
ihr schwangt
sie schwangen

PRESENT PERFECT

ich habe geschwungen
du hast geschwungen
er hat geschwungen
wir haben geschwungen
ihr habt geschwungen
sie haben geschwungen

PAST PERFECT

ich hatte geschwungen
du hattest geschwungen
er hatte geschwungen
wir hatten geschwungen
ihr hattet geschwungen
sie hatten geschwungen

PRESENT INFINITIVE

schwingen

PAST INFINITIVE

geschwungen sein

FUTURE PERFECT

ich werde geschwungen haben
du wirst geschwungen haben
er wird geschwungen haben
wir werden geschwungen haben
ihr werdet geschwungen haben
sie werden geschwungen haben

PRESENT PARTICIPLE

schwingend

PAST PARTICIPLE

geschwungen

SUBJUNCTIVE

PRESENT I

ich schwinge
du schwingest
er schwinge
wir schwingen
ihr schwinget
sie schwingen

PRESENT II

ich schwänge
du schwängest
er schwänge
wir schwängen
ihr schwänget
sie schwängen

PRESENT CONDITIONAL

ich würde schwingen
du würdest schwingen
er würde schwingen
wir würden schwingen
ihr würdet schwingen
sie würden schwingen

PAST I

ich habe geschwungen
du habest geschwungen
er habe geschwungen
wir haben geschwungen
ihr habet geschwungen
sie haben geschwungen

PAST II

ich hätte geschwungen
du hättest geschwungen
er hätte geschwungen
wir hätten geschwungen
ihr hättet geschwungen
sie hätten geschwungen

IMPERATIVE

schwing(e)!
schwingt!
schwingen Sie!
schwingen wir!

SCHWÖREN to swear 140

INDICATIVE

PRESENT
ich schwöre
du schwörst
er schwört
wir schwören
ihr schwört
sie schwören

FUTURE
ich werde schwören
du wirst schwören
er wird schwören
wir werden schwören
ihr werdet schwören
sie werden schwören

PAST
ich schwor
du schworst
er schwor
wir schworen
ihr schwort
sie schworen

PRESENT PERFECT
ich habe geschworen
du hast geschworen
er hat geschworen
wir haben geschworen
ihr habt geschworen
sie haben geschworen

PAST PERFECT
ich hatte geschworen
du hattest geschworen
er hatte geschworen
wir hatten geschworen
ihr hattet geschworen
sie hatten geschworen

PRESENT INFINITIVE
schwören

PAST INFINITIVE
geschworen haben

FUTURE PERFECT
ich werde geschworen haben
du wirst geschworen haben
er wird geschworen haben
wir werden geschworen haben
ihr werdet geschworen haben
sie werden geschworen haben

PRESENT PARTICIPLE
schwörend

PAST PARTICIPLE
geschworen

SUBJUNCTIVE

PRESENT I
ich schwöre
du schwörest
er schwöre
wir schwören
ihr schwöret
sie schwören

PRESENT II
ich schwüre
du schwürest
er schwüre
wir schwüren
ihr schwüret
sie schwüren

PRESENT CONDITIONAL
ich würde schwören
du würdest schwören
er würde schwören
wir würden schwören
ihr würdet schwören
sie würden schwören

PAST I
ich habe geschworen
du habest geschworen
er habe geschworen
wir haben geschworen
ihr habet geschworen
sie haben geschworen

PAST II
ich hätte geschworen
du hättest geschworen
er hätte geschworen
wir hätten geschworen
ihr hättet geschworen
sie hätten geschworen

IMPERATIVE
schwör(e)!
schwört!
schwören Sie!
schwören wir!

INDICATIVE

PRESENT
ich sehe
du siehst
er sieht
wir sehen
ihr seht
sie sehen

FUTURE
ich werde sehen
du wirst sehen
er wird sehen
wir werden sehen
ihr werdet sehen
sie werden sehen

PAST
ich sah
du sahst
er sah
wir sahen
ihr saht
sie sahen

PRESENT PERFECT
ich habe gesehen
du hast gesehen
er hat gesehen
wir haben gesehen
ihr habt gesehen
sie haben gesehen

PAST PERFECT
ich hatte gesehen
du hattest gesehen
er hatte gesehen
wir hatten gesehen
ihr hattet gesehen
sie hatten gesehen

PRESENT INFINITIVE
sehen

PAST INFINITIVE
gesehen haben

FUTURE PERFECT
ich werde gesehen haben
du wirst gesehen haben
er wird gesehen haben
wir werden gesehen haben
ihr werdet gesehen haben
sie werden gesehen haben

PRESENT PARTICIPLE
sehend

PAST PARTICIPLE
gesehen

SUBJUNCTIVE

PRESENT I
ich sehe
du sehest
er sehe
wir sehen
ihr sehet
sie sehen

PRESENT II
ich sähe
du sähest
er sähe
wir sähen
ihr sähet
sie sähen

PRESENT CONDITIONAL
ich würde sehen
du würdest sehen
er würde sehen
wir würden sehen
ihr würdet sehen
sie würden sehen

PAST I
ich habe gesehen
du habest gesehen
er habe gesehen
wir haben gesehen
ihr habet gesehen
sie haben gesehen

PAST II
ich hätte gesehen
du hättest gesehen
er hätte gesehen
wir hätten gesehen
ihr hättet gesehen
sie hätten gesehen

IMPERATIVE
sieh(e)!
seht!
sehen Sie!
sehen wir!

NOTES

1   MEANING

to see, to look, to perceive, to ascertain

2   USAGE

a   *transitive verb:*

siehst du den Mann?	can you see that man?
haben Sie den Film gesehen?	did you see the movie?
von hier aus kann man den Kirchturm sehen	from here you can see the church spire
ich sah sie kommen	I saw her coming
ich sehe das anders	I see this differently
ich sah, daß ihm nicht mehr zu helfen war	I saw that he could not be helped any more

b   *intransitive verb:*

das Fenster sieht auf den Garten	the window looks out onto the garden
sie sah auf ihre Uhr	she looked at her watch
ich muß nach meiner Tochter sehen	I must see to my daughter
er sah mir tief in die Augen	he looked deeply into my eyes

c   *reflexive verb:*

sie sah sich im Spiegel	she saw herself in the mirror
er sieht sich schon als hervorragender Dichter	he fancies himself as an outstanding poet

3   PHRASES AND IDIOMS

das läßt sich sehen	that's quite respectable
er darf sich bei uns nicht mehr sehen lassen	he does't dare show his face at our place any more
kein Mensch war zu sehen	nobody was to be seen
den Wald vor lauter Bäumen nicht sehen	not to see the wood for the trees

INDICATIVE

PRESENT

ich bin
du bist
er ist
wir sind
ihr seid
sie sind

FUTURE

ich werde sein
du wirst sein
er wird sein
wir werden sein
ihr werdet sein
sie werden sein

PAST

ich war
du warst
er war
wir waren
ihr wart
sie waren

PRESENT PERFECT

ich bin gewesen
du bist gewesen
er ist gewesen
wir sind gewesen
ihr seid gewesen
sie sind gewesen

PAST PERFECT

ich war gewesen
du warst gewesen
er war gewesen
wir waren gewesen
ihr wart gewesen
sie waren gewesen

*PRESENT
INFINITIVE*

sein

*PAST
INFINITIVE*

gewesen sein

FUTURE PERFECT

ich werde gewesen sein
du wirst gewesen sein
er wird gewesen sein
wir werden gewesen sein
ihr werdet gewesen sein
sie werden gewesen sein

*PRESENT
PARTICIPLE*

seiend

*PAST
PARTICIPLE*

gewesen

SUBJUNCTIVE

PRESENT I

ich sei
du sei(e)st
er sei
wir seien
ihr seiet
sie seien

PRESENT II

ich wäre
du wär(e)st
er wäre
wir wären
ihr wär(e)t
sie wären

*PRESENT
CONDITIONAL*

ich würde sein
du würdest sein
er würde sein
wir würden sein
ihr würdet sein
sie würden sein

PAST I

ich sei gewesen
du sei(e)st gewesen
er sei gewesen
wir seien gewesen
ihr seiet gewesen
sie seien gewesen

PAST II

ich wäre gewesen
du wär(e)st gewesen
er wäre gewesen
wir wären gewesen
ihr wär(e)t gewesen
sie wären gewesen

IMPERATIVE

sei!
seid!
seien Sie!
seien wir!

NOTES

1 MEANING

to be, to exist

2 USAGE

a *intransitive verb:*

der Wein hier ist gut	the wine is good here
er ist Arzt von Beruf	he's a doctor by profession
sie ist aus der Schweiz	she's from Switzerland
am Wochenende sind wir zu Hause	we'll be at home over the weekend
waren Sie schon in Berlin?	have you already been to Berlin?
das Problem ist zu lösen	the problem can be solved

b *auxiliary verb:*

This is used to form the present and past perfect tenses with verbs of motion and change of state:

der Zug nach Zürich ist abgefahren	the Zürich train has left
sein Flug ist schon gelandet	his flight has already landed

The auxiliary of **sein** itself is **sein**:

wenn er nicht da gewesen wäre	if he hadn't been there ...

c Although in German the passive is usually formed with **werden** + past participle, if the activity is already completed, **sein** + past participle can sometimes be used (see also INTRODUCTION, p. xv)

die Stadt ist von Truppen umringt	the city is surrounded by troops
das Auto ist verkauft	the car's sold
er ist davon überzeugt	he is convinced of it

3 PHRASES AND IDIOMS

mir war, als ob er lächelte	it seemed to me as though he was smiling
wie wäre es mit einem Eis?	how about an ice-cream?
es war/waren einmal ...	once upon a time there was/were ...

SENDEN to send

INDICATIVE

PRESENT
ich sende
du sendest
er sendet
wir senden
ihr sendet
sie senden

FUTURE
ich werde senden
du wirst senden
er wird senden
wir werden senden
ihr werdet senden
sie werden senden

PAST
ich sandte
du sandtest
er sandte
wir sandten
ihr sandtet
sie sandten

PRESENT PERFECT
ich habe gesandt
du hast gesandt
er hat gesandt
wir haben gesandt
ihr habt gesandt
sie haben gesandt

PAST PERFECT
ich hatte gesandt
du hattest gesandt
er hatte gesandt
wir hatten gesandt
ihr hattet gesandt
sie hatten gesandt

PRESENT INFINITIVE
senden

PAST INFINITIVE
gesandt haben

FUTURE PERFECT
ich werde gesandt haben
du wirst gesandt haben
er wird gesandt haben
wir werden gesandt haben
ihr werdet gesandt haben
sie werden gesandt haben

PRESENT PARTICIPLE
sendend

PAST PARTICIPLE
gesandt

SUBJUNCTIVE

PRESENT I
ich sende
du sendest
er sende
wir senden
ihr sendet
sie senden

PRESENT II
ich sendete
du sendetest
er sendete
wir sendeten
ihr sendetet
sie sendeten

PRESENT CONDITIONAL
ich würde senden
du würdest senden
er würde senden
wir würden senden
ihr würdet senden
sie würden senden

PAST I
ich habe gesandt
du habest gesandt
er habe gesandt
wir haben gesandt
ihr habet gesandt
sie haben gesandt

PAST II
ich hätte gesandt
du hättest gesandt
er hätte gesandt
wir hätten gesandt
ihr hättet gesandt
sie hätten gesandt

IMPERATIVE
send(e)!
sendet!
senden Sie!
senden wir!

Note: other meaning: to broadcast (weak conjugation: **ich sendete** etc, **ich habe gesendet** etc)

SICHERSTELLEN to confiscate, to ensure 144

INDICATIVE

PRESENT	FUTURE	PAST
ich stelle sicher	ich werde sicherstellen	ich stellte sicher
du stellst sicher	du wirst sicherstellen	du stelltest sicher
er stellt sicher	er wird sicherstellen	er stellte sicher
wir stellen sicher	wir werden sicherstellen	wir stellten sicher
ihr stellt sicher	ihr werdet sicherstellen	ihr stelltet sicher
sie stellen sicher	sie werden sicherstellen	sie stellten sicher

PRESENT PERFECT	PAST PERFECT	PRESENT INFINITIVE
ich habe sichergestellt	ich hatte sichergestellt	sicherstellen
du hast sichergestellt	du hattest sichergestellt	
er hat sichergestellt	er hatte sichergestellt	PAST INFINITIVE
wir haben sichergestellt	wir hatten sichergestellt	
ihr habt sichergestellt	ihr hattet sichergestellt	sichergestellt haben
sie haben sichergestellt	sie hatten sichergestellt	

FUTURE PERFECT	PRESENT PARTICIPLE
ich werde sichergestellt haben	sicherstellend
du wirst sichergestellt haben	
er wird sichergestellt haben	PAST PARTICIPLE
wir werden sichergestellt haben	
ihr werdet sichergestellt haben	sichergestellt
sie werden sichergestellt haben	

SUBJUNCTIVE

PRESENT I	PRESENT II	PRESENT CONDITIONAL
ich stelle sicher	ich stellte sicher	ich würde sicherstellen
du stellest sicher	du stelltest sicher	du würdest sicherstellen
er stelle sicher	er stellte sicher	er würde sicherstellen
wir stellen sicher	wir stellten sicher	wir würden sicherstellen
ihr stellet sicher	ihr stelltet sicher	ihr würdet sicherstellen
sie stellen sicher	sie stellten sicher	sie würden sicherstellen

PAST I	PAST II	IMPERATIVE
ich habe sichergestellt	ich hätte sichergestellt	stell(e) sicher!
du habest sichergestellt	du hättest sichergestellt	stellt sicher!
er habe sichergestellt	er hätte sichergestellt	stellen Sie sicher!
wir haben sichergestellt	wir hätten sichergestellt	stellen wir sicher!
ihr habet sichergestellt	ihr hättet sichergestellt	
sie haben sichergestellt	sie hätten sichergestellt	

INDICATIVE

PRESENT

ich singe
du singst
er singt
wir singen
ihr singt
sie singen

FUTURE

ich werde singen
du wirst singen
er wird singen
wir werden singen
ihr werdet singen
sie werden singen

PAST

ich sang
du sangst
er sang
wir sangen
ihr sangt
sie sangen

PRESENT PERFECT

ich habe gesungen
du hast gesungen
er hat gesungen
wir haben gesungen
ihr habt gesungen
sie haben gesungen

PAST PERFECT

ich hatte gesungen
du hattest gesungen
er hatte gesungen
wir hatten gesungen
ihr hattet gesungen
sie hatten gesungen

PRESENT INFINITIVE

singen

PAST INFINITIVE

gesungen haben

FUTURE PERFECT

ich werde gesungen haben
du wirst gesungen haben
er wird gesungen haben
wir werden gesungen haben
ihr werdet gesungen haben
sie werden gesungen haben

PRESENT PARTICIPLE

singend

PAST PARTICIPLE

gesungen

SUBJUNCTIVE

PRESENT I

ich singe
du singest
er singe
wir singen
ihr singet
sie singen

PRESENT II

ich sänge
du sängest
er sänge
wir sängen
ihr sänget
sie sängen

PRESENT CONDITIONAL

ich würde singen
du würdest singen
er würde singen
wir würden singen
ihr würdet singen
sie würden singen

PAST I

ich habe gesungen
du habest gesungen
er habe gesungen
wir haben gesungen
ihr habet gesungen
sie haben gesungen

PAST II

ich hätte gesungen
du hättest gesungen
er hätte gesungen
wir hätten gesungen
ihr hättet gesungen
sie hätten gesungen

IMPERATIVE

sing(e)!
singt!
singen Sie!
singen wir!

SINKEN to sink 146

INDICATIVE

PRESENT
ich sinke
du sinkst
er sinkt
wir sinken
ihr sinkt
sie sinken

FUTURE
ich werde sinken
du wirst sinken
er wird sinken
wir werden sinken
ihr werdet sinken
sie werden sinken

PAST
ich sank
du sankst
er sank
wir sanken
ihr sankt
sie sanken

PRESENT PERFECT
ich bin gesunken
du bist gesunken
er ist gesunken
wir sind gesunken
ihr seid gesunken
sie sind gesunken

PAST PERFECT
ich war gesunken
du warst gesunken
er war gesunken
wir waren gesunken
ihr wart gesunken
sie waren gesunken

PRESENT INFINITIVE
sinken

PAST INFINITIVE
gesunken sein

FUTURE PERFECT
ich werde gesunken sein
du wirst gesunken sein
er wird gesunken sein
wir werden gesunken sein
ihr werdet gesunken sein
sie werden gesunken sein

PRESENT PARTICIPLE
sinkend

PAST PARTICIPLE
gesunken

SUBJUNCTIVE

PRESENT I
ich sinke
du sinkest
er sinke
wir sinken
ihr sinket
sie sinken

PRESENT II
ich sänke
du sänkest
er sänke
wir sänken
ihr sänket
sie sänken

PRESENT CONDITIONAL
ich würde sinken
du würdest sinken
er würde sinken
wir würden sinken
ihr würdet sinken
sie würden sinken

PAST I
ich sei gesunken
du sei(e)st gesunken
er sei gesunken
wir seien gesunken
ihr seiet gesunken
sie seien gesunken

PAST II
ich wäre gesunken
du wär(e)st gesunken
er wäre gesunken
wir wären gesunken
ihr wär(e)t gesunken
sie wären gesunken

IMPERATIVE
sink(e)!
sinkt!
sinken Sie!
sinken wir!

SINNEN to think, to ponder

INDICATIVE

PRESENT

ich sinne
du sinnst
er sinnt
wir sinnen
ihr sinnt
sie sinnen

FUTURE

ich werde sinnen
du wirst sinnen
er wird sinnen
wir werden sinnen
ihr werdet sinnen
sie werden sinnen

PAST

ich sann
du sannst
er sann
wir sannen
ihr sannt
sie sannen

PRESENT PERFECT

ich habe gesonnen
du hast gesonnen
er hat gesonnen
wir haben gesonnen
ihr habt gesonnen
sie haben gesonnen

PAST PERFECT

ich hatte gesonnen
du hattest gesonnen
er hatte gesonnen
wir hatten gesonnen
ihr hattet gesonnen
sie hatten gesonnen

PRESENT INFINITIVE

sinnen

PAST INFINITIVE

gesonnen haben

FUTURE PERFECT

ich werde gesonnen haben
du wirst gesonnen haben
er wird gesonnen haben
wir werden gesonnen haben
ihr werdet gesonnen haben
sie werden gesonnen haben

PRESENT PARTICIPLE

sinnend

PAST PARTICIPLE

gesonnen

SUBJUNCTIVE

PRESENT I

ich sinne
du sinnest
er sinne
wir sinnen
ihr sinnet
sie sinnen

PRESENT II

ich sänne
du sännest
er sänne
wir sännen
ihr sännet
sie sännen

PRESENT CONDITIONAL

ich würde sinnen
du würdest sinnen
er würde sinnen
wir würden sinnen
ihr würdet sinnen
sie würden sinnen

PAST I

ich habe gesonnen
du habest gesonnen
er habe gesonnen
wir haben gesonnen
ihr habet gesonnen
sie haben gesonnen

PAST II

ich hätte gesonnen
du hättest gesonnen
er hätte gesonnen
wir hätten gesonnen
ihr hättet gesonnen
sie hätten gesonnen

IMPERATIVE

sinn(e)!
sinnt!
sinnen Sie!
sinnen wir!

INDICATIVE

PRESENT	FUTURE	PAST
ich sitze	ich werde sitzen	ich saß
du sitzt	du wirst sitzen	du saßest
er sitzt	er wird sitzen	er saß
wir sitzen	wir werden sitzen	wir saßen
ihr sitzt	ihr werdet sitzen	ihr saßt
sie sitzen	sie werden sitzen	sie saßen

PRESENT PERFECT	PAST PERFECT	
ich habe gesessen	ich hatte gesessen	**PRESENT INFINITIVE**
du hast gesessen	du hattest gesessen	sitzen
er hat gesessen	er hatte gesessen	
wir haben gesessen	wir hatten gesessen	**PAST INFINITIVE**
ihr habt gesessen	ihr hattet gesessen	gesessen haben
sie haben gesessen	sie hatten gesessen	

FUTURE PERFECT		
ich werde gesessen haben		**PRESENT PARTICIPLE**
du wirst gesessen haben		sitzend
er wird gesessen haben		
wir werden gesessen haben		**PAST PARTICIPLE**
ihr werdet gesessen haben		gesessen
sie werden gesessen haben		

SUBJUNCTIVE

PRESENT I	PRESENT II	PRESENT CONDITIONAL
ich sitze	ich säße	ich würde sitzen
du sitzest	du säßest	du würdest sitzen
er sitze	er säße	er würde sitzen
wir sitzen	wir säßen	wir würden sitzen
ihr sitzet	ihr säßet	ihr würdet sitzen
sie sitzen	sie säßen	sie würden sitzen

PAST I	PAST II	IMPERATIVE
ich habe gesessen	ich hätte gesessen	sitz(e)!
du habest gesessen	du hättest gesessen	sitzt!
er habe gesessen	er hätte gesessen	sitzen Sie!
wir haben gesessen	wir hätten gesessen	sitzen wir!
ihr habet gesessen	ihr hättet gesessen	
sie haben gesessen	sie hätten gesessen	

SOLLEN to be supposed to

INDICATIVE

PRESENT	**FUTURE**	**PAST**
ich soll	ich werde sollen	ich sollte
du sollst	du wirst sollen	du solltest
er soll	er wird sollen	er sollte
wir sollen	wir werden sollen	wir sollten
ihr sollt	ihr werdet sollen	ihr solltet
sie sollen	sie werden sollen	sie sollten

PRESENT PERFECT	**PAST PERFECT**	
ich habe gesollt	ich hatte gesollt	*PRESENT INFINITIVE*
du hast gesollt	du hattest gesollt	sollen
er hat gesollt	er hatte gesollt	
wir haben gesollt	wir hatten gesollt	*PAST INFINITIVE*
ihr habt gesollt	ihr hattet gesollt	gesollt haben
sie haben gesollt	sie hatten gesollt	

FUTURE PERFECT		*PRESENT PARTICIPLE*
		sollend
		PAST PARTICIPLE
		gesollt

SUBJUNCTIVE

PRESENT I	**PRESENT II**	*PRESENT CONDITIONAL*
ich solle	ich sollte	ich würde sollen
du sollest	du solltest	du würdest sollen
er solle	er sollte	er würde sollen
wir sollen	wir sollten	wir würden sollen
ihr sollet	ihr solltet	ihr würdet sollen
sie sollen	sie sollten	sie würden sollen

PAST I	**PAST II**	*IMPERATIVE*
ich habe gesollt	ich hätte gesollt	
du habest gesollt	du hättest gesollt	
er habe gesollt	er hätte gesollt	
wir haben gesollt	wir hätten gesollt	
ihr habet gesollt	ihr hättet gesollt	
sie haben gesollt	sie hätten gesollt	

NOTES

1 MEANING

ought, should, to be to, to be supposed to

2 USAGE

a *transitive/intransitive verb* (past participle **gesollt**):

Often **sollen** can be used on its own if the verb omitted can be inferred:

sie hat das gesollt	she should have done that
was soll ich in Düsseldorf?	what am I (supposed) to do in Düsseldorf?

b *modal verb* (past participle **sollen**):

er soll jetzt hier sein	she ought to be here by now

Often the present subjunctive II is used to emphasize obligation:

wir sollten eigentlich einkaufen gehen	we really should do the shopping

In order to express that an action should have been but was not carried out, the construction **hätte** + *infinitive* + **sollen** can be used (see below). This avoids the possible ambiguity in **sollte** + *infinitive*, which could refer to an action that ought to be carried out in the future:

ich sollte ihm das sagen	I really should tell him
er hätte nach Berlin fahren sollen	he should have gone to Berlin

Compare:

er soll nach Berlin gefahren sein	he is said to have gone to Berlin, he is supposed to have gone to Berlin

3 PHRASES AND IDIOMS

ihn soll der Teufel holen!	to hell with him!
was soll das?	what's that for?, what's this?
was soll's!	what the hell!

SPEIEN to spit

INDICATIVE

PRESENT

ich speie
du speist
er speit
wir speien
ihr speit
sie speien

FUTURE

ich werde speien
du wirst speien
er wird speien
wir werden speien
ihr werdet speien
sie werden speien

PAST

ich spie
du spiest
er spie
wir spien
ihr spiet
sie spien

PRESENT PERFECT

ich habe gespie(e)n
du hast gespie(e)n
er hat gespie(e)n
wir haben gespie(e)n
ihr habt gespie(e)n
sie haben gespie(e)n

PAST PERFECT

ich hatte gespie(e)n
du hattest gespie(e)n
er hatte gespie(e)n
wir hatten gespie(e)n
ihr hattet gespie(e)n
sie hatten gespie(e)n

*PRESENT
INFINITIVE*

speien

*PAST
INFINITIVE*

gespie(e)n haben

FUTURE PERFECT

ich werde gespie(e)n haben
du wirst gespie(e)n haben
er wird gespie(e)n haben
wir werden gespie(e)n haben
ihr werdet gespie(e)n haben
sie werden gespie(e)n haben

*PRESENT
PARTICIPLE*

speiend

*PAST
PARTICIPLE*

gespie(e)n

SUBJUNCTIVE

PRESENT I

ich speie
du speiest
er speie
wir speien
ihr speiet
sie speien

PRESENT II

ich spie
du spiest
er spie
wir spieen
ihr spiet
sie spieen

*PRESENT
CONDITIONAL*

ich würde speien
du würdest speien
er würde speien
wir würden speien
ihr würdet speien
sie würden speien

PAST I

ich habe gespie(e)n
du habest gespie(e)n
er habe gespie(e)n
wir haben gespie(e)n
ihr habet gespie(e)n
sie haben gespie(e)n

PAST II

ich hätte gespie(e)n
du hättest gespie(e)n
er hätte gespie(e)n
wir hätten gespie(e)n
ihr hättet gespie(e)n
sie hätten gespie(e)n

IMPERATIVE

spei(e)!
speit!
speien Sie!
speien wir!

SPEISEN to eat, to dine 151

INDICATIVE

PRESENT
ich speise
du speist
er speist
wir speisen
ihr speist
sie speisen

FUTURE
ich werde speisen
du wirst speisen
er wird speisen
wir werden speisen
ihr werdet speisen
sie werden speisen

PAST
ich speiste
du speistest
er speiste
wir speisten
ihr speistet
sie speisten

PRESENT PERFECT
ich habe gespeist
du hast gespeist
er hat gespeist
wir haben gespeist
ihr habt gespeist
sie haben gespeist

PAST PERFECT
ich hatte gespeist
du hattest gespeist
er hatte gespeist
wir hatten gespeist
ihr hattet gespeist
sie hatten gespeist

PRESENT
INFINITIVE
speisen

PAST
INFINITIVE
gespeist haben

FUTURE PERFECT
ich werde gespeist haben
du wirst gespeist haben
er wird gespeist haben
wir werden gespeist haben
ihr werdet gespeist haben
sie werden gespeist haben

PRESENT
PARTICIPLE
speisend

PAST
PARTICIPLE
gespeist

SUBJUNCTIVE

PRESENT I
ich speise
du speisest
er speise
wir speisen
ihr speiset
sie speisen

PRESENT II
ich speiste
du speistest
er speiste
wir speisten
ihr speistet
sie speisten

PRESENT
CONDITIONAL
ich würde speisen
du würdest speisen
er würde speisen
wir würden speisen
ihr würdet speisen
sie würden speisen

PAST I
ich habe gespeist
du habest gespeist
er habe gespeist
wir haben gespeist
ihr habet gespeist
sie haben gespeist

PAST II
ich hätte gespeist
du hättest gespeist
er hätte gespeist
wir hätten gespeist
ihr hättet gespeist
sie hätten gespeist

IMPERATIVE
speis(e)!
speist!
speisen Sie!
speisen wir!

INDICATIVE

PRESENT	FUTURE	PAST
ich spinne	ich werde spinnen	ich spann
du spinnst	du wirst spinnen	du spannst
er spinnt	er wird spinnen	er spann
wir spinnen	wir werden spinnen	wir spannen
ihr spinnt	ihr werdet spinnen	ihr spannt
sie spinnen	sie werden spinnen	sie spannen

PRESENT PERFECT	PAST PERFECT	
ich habe gesponnen	ich hatte gesponnen	**PRESENT INFINITIVE**
du hast gesponnen	du hattest gesponnen	spinnen
er hat gesponnen	er hatte gesponnen	
wir haben gesponnen	wir hatten gesponnen	**PAST INFINITIVE**
ihr habt gesponnen	ihr hattet gesponnen	gesponnen haben
sie haben gesponnen	sie hatten gesponnen	

FUTURE PERFECT

ich werde gesponnen haben
du wirst gesponnen haben
er wird gesponnen haben
wir werden gesponnen haben
ihr werdet gesponnen haben
sie werden gesponnen haben

PRESENT PARTICIPLE

spinnend

PAST PARTICIPLE

gesponnen

SUBJUNCTIVE

PRESENT I	PRESENT II	PRESENT CONDITIONAL
ich spinne	ich spönne	ich würde spinnen
du spinnest	du spönnest	du würdest spinnen
er spinne	er spönne	er würde spinnen
wir spinnen	wir spönnen	wir würden spinnen
ihr spinnt	ihr spönnet	ihr würdet spinnen
sie spinnen	sie spönnen	sie würden spinnen

PAST I	PAST II	IMPERATIVE
ich habe gesponnen	ich hätte gesponnen	spinn(e)!
du habest gesponnen	du hättest gesponnen	spinnt!
er habe gesponnen	er hätte gesponnen	spinnen Sie!
wir haben gesponnen	wir hätten gesponnen	spinnen wir!
ihr habet gesponnen	ihr hättet gesponnen	
sie haben gesponnen	sie hätten gesponnen	

SPRECHEN to speak 153

INDICATIVE

PRESENT
ich spreche
du sprichst
er spricht
wir sprechen
ihr sprecht
sie sprechen

FUTURE
ich werde sprechen
du wirst sprechen
er wird sprechen
wir werden sprechen
ihr werdet sprechen
sie werden sprechen

PAST
ich sprach
du sprachst
er sprach
wir sprachen
ihr spracht
sie sprachen

PRESENT PERFECT
ich habe gesprochen
du hast gesprochen
er hat gesprochen
wir haben gesprochen
ihr habt gesprochen
sie haben gesprochen

PAST PERFECT
ich hatte gesprochen
du hattest gesprochen
er hatte gesprochen
wir hatten gesprochen
ihr hattet gesprochen
sie hatten gesprochen

PRESENT INFINITIVE
sprechen

PAST INFINITIVE
gesprochen haben

FUTURE PERFECT
ich werde gesprochen haben
du wirst gesprochen haben
er wird gesprochen haben
wir werden gesprochen haben
ihr werdet gesprochen haben
sie werden gesprochen haben

PRESENT PARTICIPLE
sprechend

PAST PARTICIPLE
gesprochen

SUBJUNCTIVE

PRESENT I
ich spreche
du sprechest
er spreche
wir sprechen
ihr sprechet
sie sprechen

PRESENT II
ich spräche
du sprächest
er spräche
wir sprächen
ihr sprächet
sie sprächen

PRESENT CONDITIONAL
ich würde sprechen
du würdest sprechen
er würde sprechen
wir würden sprechen
ihr würdet sprechen
sie würden sprechen

PAST I
ich habe gesprochen
du habest gesprochen
er habe gesprochen
wir haben gesprochen
ihr habet gesprochen
sie haben gesprochen

PAST II
ich hätte gesprochen
du hättest gesprochen
er hätte gesprochen
wir hätten gesprochen
ihr hättet gesprochen
sie hätten gesprochen

IMPERATIVE
sprech(e)!
sprecht!
sprechen Sie!
sprechen wir!

INDICATIVE

PRESENT

ich sprieße
du sprießt
er sprießt
wir sprießen
ihr sprießt
sie sprießen

FUTURE

ich werde sprießen
du wirst sprießen
er wird sprießen
wir werden sprießen
ihr werdet sprießen
sie werden sprießen

PAST

ich sproß
du sprossest
er sproß
wir sprossen
ihr sproßt
sie sprossen

PRESENT PERFECT

ich bin gesprossen
du bist gesprossen
er ist gesprossen
wir sind gesprossen
ihr seid gesprossen
sie sind gesprossen

PAST PERFECT

ich war gesprossen
du warst gesprossen
er war gesprossen
wir waren gesprossen
ihr wart gesprossen
sie waren gesprossen

PRESENT INFINITIVE

sprießen

PAST INFINITIVE

gesprossen sein

FUTURE PERFECT

ich werde gesprossen sein
du wirst gesprossen sein
er wird gesprossen sein
wir werden gesprossen sein
ihr werdet gesprossen sein
sie werden gesprossen sein

PRESENT PARTICIPLE

sprießend

PAST PARTICIPLE

gesprossen

SUBJUNCTIVE

PRESENT I

ich sprieße
du sprießest
er sprieße
wir sprießen
ihr sprießet
sie sprießen

PRESENT II

ich sprösse
du sprössest
er srösse
wir sprössen
ihr srösset
sie sprössen

PRESENT CONDITIONAL

ich würde sprießen
du würdest sprießen
er würde sprießen
wir würden sprießen
ihr würdet sprießen
sie würden sprießen

PAST I

ich sei gesprossen
du sei(e)st gesprossen
er sei gesprossen
wir seien gesprossen
ihr seiet gesprossen
sie seien gesprossen

PAST II

ich wäre gesprossen
du wär(e)st gesprossen
er wäre gesprossen
wir wären gesprossen
ihr wär(e)t gesprossen
sie wären gesprossen

IMPERATIVE

sprieß(e)!
sprießt!
sprießen Sie!
sprießen wir!

SPRINGEN to jump 155

INDICATIVE

PRESENT
ich springe
du springst
er springt
wir springen
ihr springt
sie springen

FUTURE
ich werde springen
du wirst springen
er wird springen
wir werden springen
ihr werdet springen
sie werden springen

PAST
ich sprang
du sprangst
er sprang
wir sprangen
ihr sprangt
sie sprangen

PRESENT PERFECT
ich bin gesprungen
du bist gesprungen
er ist gesprungen
wir sind gesprungen
ihr seid gesprungen
sie sind gesprungen

PAST PERFECT
ich war gesprungen
du warst gesprungen
er war gesprungen
wir waren gesprungen
ihr wart gesprungen
sie waren gesprungen

PRESENT INFINITIVE
springen

PAST INFINITIVE
gesprungen sein

FUTURE PERFECT
ich werde gesprungen sein
du wirst gesprungen sein
er wird gesprungen sein
wir werden gesprungen sein
ihr werdet gesprungen sein
sie werden gesprungen sein

PRESENT PARTICIPLE
springend

PAST PARTICIPLE
gesprungen

SUBJUNCTIVE

PRESENT I
ich springe
du springest
er springe
wir springen
ihr springet
sie springen

PRESENT II
ich spränge
du sprängest
er spränge
wir sprängen
ihr spränget
sie sprängen

PRESENT CONDITIONAL
ich würde springen
du würdest springen
er würde springen
wir würden springen
ihr würdet springen
sie würden springen

PAST I
ich sei gesprungen
du sei(e)st gesprungen
er sei gesprungen
wir seien gesprungen
ihr seiet gesprungen
sie seien gesprungen

PAST II
ich wäre gesprungen
du wär(e)st gesprungen
er wäre gesprungen
wir wären gesprungen
ihr wär(e)t gesprungen
sie wären gesprungen

IMPERATIVE
spring(e)!
springt!
springen Sie!
springen wir!

INDICATIVE

PRESENT	**FUTURE**	**PAST**
ich steche	ich werde stechen	ich stach
du stichst	du wirst stechen	du stachst
er sticht	er wird stechen	er stach
wir stechen	wir werden stechen	wir stachen
ihr stecht	ihr werdet stechen	ihr stacht
sie stechen	sie werden stechen	sie stachen

PRESENT PERFECT	**PAST PERFECT**	*PRESENT INFINITIVE*
ich habe gestochen	ich hatte gestochen	stechen
du hast gestochen	du hattest gestochen	
er hat gestochen	er hatte gestochen	*PAST INFINITIVE*
wir haben gestochen	wir hatten gestochen	gestochen haben
ihr habt gestochen	ihr hattet gestochen	
sie haben gestochen	sie hatten gestochen	

FUTURE PERFECT		*PRESENT PARTICIPLE*
ich werde gestochen haben		stechend
du wirst gestochen haben		
er wird gestochen haben		*PAST PARTICIPLE*
wir werden gestochen haben		gestochen
ihr werdet gestochen haben		
sie werden gestochen haben		

SUBJUNCTIVE

PRESENT I	**PRESENT II**	*PRESENT CONDITIONAL*
ich steche	ich stäche	ich würde stechen
du stechest	du stächest	du würdest stechen
er steche	er stäche	er würde stechen
wir stechen	wir stächen	wir würden stechen
ihr stechet	ihr stächet	ihr würdet stechen
sie stechen	sie stächen	sie würden stechen

PAST I	**PAST II**	*IMPERATIVE*
ich habe gestochen	ich hätte gestochen	stich!
du habest gestochen	du hättest gestochen	stecht!
er habe gestochen	er hätte gestochen	stechen Sie!
wir haben gestochen	wir hätten gestochen	stechen wir!
ihr habet gestochen	ihr hättet gestochen	
sie haben gestochen	sie hätten gestochen	

STECKEN to be (sticking) 157

INDICATIVE

PRESENT
ich stecke
du steckst
er steckt
wir stecken
ihr steckt
sie stecken

FUTURE
ich werde stecken
du wirst stecken
er wird stecken
wir werden stecken
ihr werdet stecken
sie werden stecken

PAST
ich stak
du stakst
er stak
wir staken
ihr stakt
sie staken

PRESENT PERFECT
ich habe gesteckt
du hast gesteckt
er hat gesteckt
wir haben gesteckt
ihr habt gesteckt
sie haben gesteckt

PAST PERFECT
ich hatte gesteckt
du hattest gesteckt
er hatte gesteckt
wir hatten gesteckt
ihr hattet gesteckt
sie hatten gesteckt

PRESENT INFINITIVE
stecken

PAST INFINITIVE
gesteckt haben

FUTURE PERFECT
ich werde gesteckt haben
du wirst gesteckt haben
er wird gesteckt haben
wir werden gesteckt haben
ihr werdet gesteckt haben
sie werden gesteckt haben

PRESENT PARTICIPLE
steckend

PAST PARTICIPLE
gesteckt

SUBJUNCTIVE

PRESENT I
ich stecke
du steckest
er stecke
wir stecken
ihr stecket
sie stecken

PRESENT II
ich stäke
du stäkest
er stäke
wir stäken
ihr stäket
sie stäken

PRESENT CONDITIONAL
ich würde stecken
du würdest stecken
er würde stecken
wir würden stecken
ihr würdet stecken
sie würden stecken

PAST I
ich habe gesteckt
du habest gesteckt
er habe gesteckt
wir haben gesteckt
ihr habet gesteckt
sie haben gesteckt

PAST II
ich hätte gesteckt
du hättest gesteckt
er hätte gesteckt
wir hätten gesteckt
ihr hättet gesteckt
sie hätten gesteckt

IMPERATIVE
steck(e)!
steckt!
stecken Sie!
stecken wir!

Note: Past Indicative also **ich steckte, du stecktest** etc

INDICATIVE

PRESENT

ich stehe
du stehst
er steht
wir stehen
ihr steht
sie stehen

FUTURE

ich werde stehen
du wirst stehen
er wird stehen
wir werden stehen
ihr werdet stehen
sie werden stehen

PAST

ich stand
du standst
er stand
wir standen
ihr standet
sie standen

PRESENT PERFECT

ich habe gestanden
du hast gestanden
er hat gestanden
wir haben gestanden
ihr habt gestanden
sie haben gestanden

PAST PERFECT

ich hatte gestanden
du hattest gestanden
er hatte gestanden
wir hatten gestanden
ihr hattet gestanden
sie hatten gestanden

PRESENT INFINITIVE

stehen

PAST INFINITIVE

gestanden haben

FUTURE PERFECT

ich werde gestanden haben
du wirst gestanden haben
er wird gestanden haben
wir werden gestanden haben
ihr werdet gestanden haben
sie werden gestanden haben

PRESENT PARTICIPLE

stehend

PAST PARTICIPLE

gestanden

SUBJUNCTIVE

PRESENT I

ich stehe
du stehest
er stehe
wir stehen
ihr stehet
sie stehen

PRESENT II

ich stünde
du stündest
er stünde
wir stünden
ihr stündet
sie stünden

PRESENT CONDITIONAL

ich würde stehen
du würdest stehen
er würde stehen
wir würden stehen
ihr würdet stehen
sie würden stehen

PAST I

ich habe gestanden
du habest gestanden
er habe gestanden
wir haben gestanden
ihr habet gestanden
sie haben gestanden

PAST II

ich hätte gestanden
du hättest gestanden
er hätte gestanden
wir hätten gestanden
ihr hättet gestanden
sie hätten gestanden

IMPERATIVE

steh(e)!
steht!
stehen Sie!
stehen wir!

NOTES

1 MEANING

to stand, to be situated

2 USAGE

a *intransitive verb:*

The auxiliary is usually **haben**, but in Southern Germany **sein** is often used:

wir mußten in der Straßenbahn stehen	we had to stand on the streetcar
das Haus steht an der Ecke	the house is at the corner
unsere Wohnung hat hier gestanden	our apartment used to be here
das Gebäude steht leer	the building is standing empty
meine Uhr steht	my watch has stopped
hier steht ...	it says here ...

b *transitive verb:*

wir haben Schlange gestanden	we stood in line

c *reflexive verb:*

ich stehe mich schlecht bei dem Verkauf	I'll do badly out of the sale

3 PHRASES AND IDIOMS

ich stehe unter Druck	I'm under pressure
es steht mir noch vor den Augen	I can still see it (as it happened)
das Kleid steht dir gut	the dress suits you
wie steht das Spiel?	what's the state of play/what's the score?
ich stehe hinter dir	I'll support you
das steht nicht in meiner Macht	that is not in my power
ich stehe Ihnen jetzt zur Verfügung	I'm at your disposal/I can see you now
das steht außer Frage	there's no doubt about that
das steht nicht zur Debatte	that's not in question
wer steht mir dafür?	who can guarantee me that?
ihm standen die Haare zu Berge	his hair was standing on end

INDICATIVE

PRESENT
ich stehle
du stiehlst
er stiehlt
wir stehlen
ihr stehlt
sie stehlen

FUTURE
ich werde stehlen
du wirst stehlen
er wird stehlen
wir werden stehlen
ihr werdet stehlen
sie werden stehlen

PAST
ich stahl
du stahlst
er stahl
wir stahlen
ihr stahlt
sie stahlen

PRESENT PERFECT
ich habe gestohlen
du hast gestohlen
er hat gestohlen
wir haben gestohlen
ihr habt gestohlen
sie haben gestohlen

PAST PERFECT
ich hatte gestohlen
du hattest gestohlen
er hatte gestohlen
wir hatten gestohlen
ihr hattet gestohlen
sie hatten gestohlen

PRESENT INFINITIVE
stehlen

PAST INFINITIVE
gestohlen haben

FUTURE PERFECT
ich werde gestohlen haben
du wirst gestohlen haben
er wird gestohlen haben
wir werden gestohlen haben
ihr werdet gestohlen haben
sie werden gestohlen haben

PRESENT PARTICIPLE
stehlend

PAST PARTICIPLE
gestohlen

SUBJUNCTIVE

PRESENT I
ich stehle
du stehlest
er stehle
wir stehlen
ihr stehlet
sie stehlen

PRESENT II
ich stähle
du stählest
er stähle
wir stählen
ihr stählet
sie stählen

PRESENT CONDITIONAL
ich würde stehlen
du würdest stehlen
er würde stehlen
wir würden stehlen
ihr würdet stehlen
sie würden stehlen

PAST I
ich habe gestohlen
du habest gestohlen
er habe gestohlen
wir haben gestohlen
ihr habet gestohlen
sie haben gestohlen

PAST II
ich hätte gestohlen
du hättest gestohlen
er hätte gestohlen
wir hätten gestohlen
ihr hättet gestohlen
sie hätten gestohlen

IMPERATIVE
stiehl!
stehlt!
stehlen Sie!
stehlen wir!

STEIGEN to climb 160

INDICATIVE

PRESENT
ich steige
du steigst
er steigt
wir steigen
ihr steigt
sie steigen

FUTURE
ich werde steigen
du wirst steigen
er/sie wird steigen
wir werden steigen
ihr werdet steigen
sie werden steigen

PAST
ich stieg
du stiegst
er stieg
wir stiegen
ihr stiegt
sie stiegen

PRESENT PERFECT
ich bin gestiegen
du bist gestiegen
er ist gestiegen
wir sind gestiegen
ihr seid gestiegen
sie sind gestiegen

PAST PERFECT
ich war gestiegen
du warst gestiegen
er war gestiegen
wir waren gestiegen
ihr wart gestiegen
sie waren gestiegen

PRESENT INFINITIVE
steigen

PAST INFINITIVE
gestiegen sein

FUTURE PERFECT
ich werde gestiegen sein
du wirst gestiegen sein
er wird gestiegen sein
wir werden gestiegen sein
ihr werdet gestiegen sein
sie werden gestiegen sein

PRESENT PARTICIPLE
steigend

PAST PARTICIPLE
gestiegen

SUBJUNCTIVE

PRESENT I
ich steige
du steigest
er steige
wir steigen
ihr steiget
sie steigen

PRESENT II
ich stiege
du stiegest
er stiege
wir stiegen
ihr stieget
sie stiegen

PRESENT CONDITIONAL
ich würde steigen
du würdest steigen
er würde steigen
wir würden steigen
ihr würdet steigen
sie würden steigen

PAST I
ich sei gestiegen
du sei(e)st gestiegen
er sei gestiegen
wir seien gestiegen
ihr seiet gestiegen
sie seien gestiegen

PAST II
ich wäre gestiegen
du wär(e)st gestiegen
er wäre gestiegen
wir wären gestiegen
ihr wär(e)t gestiegen
sie wären gestiegen

IMPERATIVE
steig(e)!
steigt!
steigen Sie!
steigen wir!

STERBEN to die

INDICATIVE

PRESENT	FUTURE	PAST
ich sterbe	ich werde sterben	ich starb
du stirbst	du wirst sterben	du starbst
er stirbt	er wird sterben	er starb
wir sterben	wir werden sterben	wir starben
ihr sterbt	ihr werdet sterben	ihr starbt
sie sterben	sie werden sterben	sie starben

PRESENT PERFECT	PAST PERFECT	
ich bin gestorben	ich war gestorben	**PRESENT INFINITIVE**
du bist gestorben	du warst gestorben	sterben
er ist gestorben	er war gestorben	
wir sind gestorben	wir waren gestorben	**PAST INFINITIVE**
ihr seid gestorben	ihr wart gestorben	gestorben sein
sie sind gestorben	sie waren gestorben	

FUTURE PERFECT

PRESENT PARTICIPLE
sterbend

ich werde gestorben sein
du wirst gestorben sein
er wird gestorben sein
wir werden gestorben sein
ihr werdet gestorben sein
sie werden gestorben sein

PAST PARTICIPLE
gestorben

SUBJUNCTIVE

PRESENT I	PRESENT II	PRESENT CONDITIONAL
ich sterbe	ich stürbe	ich würde sterben
du sterbest	du stürbest	du würdest sterben
er sterbe	er stürbe	er würde sterben
wir sterben	wir stürben	wir würden sterben
ihr sterbet	ihr stürbet	ihr würdet sterben
sie sterben	sie stürben	sie würden sterben

PAST I	PAST II	IMPERATIVE
ich sei gestorben	ich wäre gestorben	sterb(e)!
du sei(e)st gestorben	du wär(e)st gestorben	sterbt!
er sei gestorben	er wäre gestorben	sterben Sie!
wir seien gestorben	wir wären gestorben	sterben wir!
ihr seiet gestorben	ihr wär(e)t gestorben	
sie seien gestorben	sie wären gestorben	

STINKEN to stink 162

INDICATIVE
PRESENT
ich stinke
du stinkst
er stinkt
wir stinken
ihr stinkt
sie stinken

FUTURE
ich werde stinken
du wirst stinken
er wird stinken
wir werden stinken
ihr werdet stinken
sie werden stinken

PAST
ich stank
du stankst
er stank
wir stanken
ihr stankt
sie stanken

PRESENT PERFECT
ich habe gestunken
du hast gestunken
er hat gestunken
wir haben gestunken
ihr habt gestunken
sie haben gestunken

PAST PERFECT
ich hatte gestunken
du hattest gestunken
er hatte gestunken
wir hatten gestunken
ihr hattet gestunken
sie hatten gestunken

PRESENT INFINITIVE
stinken

PAST INFINITIVE
gestunken haben

FUTURE PERFECT
ich werde gestunken haben
du wirst gestunken haben
er wird gestunken haben
wir werden gestunken haben
ihr werdet gestunken haben
sie werden gestunken haben

PRESENT PARTICIPLE
stinkend

PAST PARTICIPLE
gestunken

SUBJUNCTIVE
PRESENT I
ich stinke
du stinkest
er stinke
wir stinken
ihr stinket
sie stinken

PRESENT II
ich stänke
du stänkest
er stänke
wir stänken
ihr stänket
sie stänken

PRESENT CONDITIONAL
ich würde stinken
du würdest stinken
er würde stinken
wir würden stinken
ihr würdet stinken
sie würden stinken

PAST I
ich habe gestunken
du habest gestunken
er habe gestunken
wir haben gestunken
ihr habet gestunken
sie haben gestunken

PAST II
ich hätte gestunken
du hättest gestunken
er hätte gestunken
wir hätten gestunken
ihr hättet gestunken
sie hätten gestunken

IMPERATIVE
stink(e)!
stinkt!
stinken Sie!
stinken wir!

163   **STOSSEN** to push

INDICATIVE

PRESENT

ich stoße
du stößt
er stößt
wir stoßen
ihr stoßt
sie stoßen

FUTURE

ich werde stoßen
du wirst stoßen
er wird stoßen
wir werden stoßen
ihr werdet stoßen
sie werden stoßen

PAST

ich stieß
du stießt
er stieß
wir stießen
ihr stießt
sie stießen

PRESENT PERFECT

ich habe gestoßen
du hast gestoßen
er hat gestoßen
wir haben gestoßen
ihr habt gestoßen
sie haben gestoßen

PAST PERFECT

ich hatte gestoßen
du hattest gestoßen
er hatte gestoßen
wir hatten gestoßen
ihr hattet gestoßen
sie hatten gestoßen

PRESENT INFINITIVE

stoßen

PAST INFINITIVE

gestoßen haben

FUTURE PERFECT

ich werde gestoßen haben
du wirst gestoßen haben
er wird gestoßen haben
wir werden gestoßen haben
ihr werdet gestoßen haben
sie werden gestoßen haben

PRESENT PARTICIPLE

stoßend

PAST PARTICIPLE

gestoßen

SUBJUNCTIVE

PRESENT I

ich stoße
du stoßest
er stoße
wir stoßen
ihr stoßet
sie stoßen

PRESENT II

ich stieße
du stießest
er stieße
wir stießen
ihr stießet
sie stießen

PRESENT CONDITIONAL

ich würde stoßen
du würdest stoßen
er würde stoßen
wir würden stoßen
ihr würdet stoßen
sie würden stoßen

PAST I

ich habe gestoßen
du habest gestoßen
er habe gestoßen
wir haben gestoßen
ihr habet gestoßen
sie haben gestoßen

PAST II

ich hätte gestoßen
du hättest gestoßen
er hätte gestoßen
wir hätten gestoßen
ihr hättet gestoßen
sie hätten gestoßen

IMPERATIVE

stoß(e)!
stoßt!
stoßen Sie!
stoßen wir!

STREICHEN to paint, to delete **164**

INDICATIVE

PRESENT
ich streiche
du streichst
er streicht
wir streichen
ihr streicht
sie streichen

FUTURE
ich werde streichen
du wirst streichen
er wird streichen
wir werden streichen
ihr werdet streichen
sie werden streichen

PAST
ich strich
du strichst
er strich
wir strichen
ihr stricht
sie strichen

PRESENT PERFECT
ich habe gestrichen
du hast gestrichen
er hat gestrichen
wir haben gestrichen
ihr habt gestrichen
sie haben gestrichen

PAST PERFECT
ich hatte gestrichen
du hattest gestrichen
er hatte gestrichen
wir hatten gestrichen
ihr hattet gestrichen
sie hatten gestrichen

**PRESENT
INFINITIVE**
streichen

**PAST
INFINITIVE**
gestrichen haben

FUTURE PERFECT
ich werde gestrichen haben
du wirst gestrichen haben
er wird gestrichen haben
wir werden gestrichen haben
ihr werdet gestrichen haben
sie werden gestrichen haben

**PRESENT
PARTICIPLE**
streichend

**PAST
PARTICIPLE**
gestrichen

SUBJUNCTIVE

PRESENT I
ich streiche
du streichest
er streiche
wir streichen
ihr streichet
sie streichen

PRESENT II
ich striche
du strichest
er striche
wir strichen
ihr strichet
sie strichen

**PRESENT
CONDITIONAL**
ich würde streichen
du würdest streichen
er würde streichen
wir würden streichen
ihr würdet streichen
sie würden streichen

PAST I
ich habe gestrichen
du habest gestrichen
er habe gestrichen
wir haben gestrichen
ihr habet gestrichen
sie haben gestrichen

PAST II
ich hätte gestrichen
du hättest gestrichen
er hätte gestrichen
wir hätten gestrichen
ihr hättet gestrichen
sie hätten gestrichen

IMPERATIVE
streich(e)!
streicht!
streichen Sie!
streichen wir!

STREITEN to quarrel

INDICATIVE

PRESENT	FUTURE	PAST
ich streite	ich werde streiten	ich stritt
du streitest	du wirst streiten	du strittst
er streitet	er wird streiten	er stritt
wir streiten	wir werden streiten	wir stritten
ihr streitet	ihr werdet streiten	ihr strittt
sie streiten	sie werden streiten	sie stritten

PRESENT PERFECT

ich habe gestritten
du hast gestritten
er hat gestritten
wir haben gestritten
ihr habt gestritten
sie haben gestritten

PAST PERFECT

ich hatte gestritten
du hattest gestritten
er hatte gestritten
wir hatten gestritten
ihr hattet gestritten
sie hatten gestritten

**PRESENT
INFINITIVE**
streiten

**PAST
INFINITIVE**
gestritten haben

FUTURE PERFECT

ich werde gestritten haben
du wirst gestritten haben
er wird gestritten haben
wir werden gestritten haben
ihr werdet gestritten haben
sie werden gestritten haben

**PRESENT
PARTICIPLE**
streitend

**PAST
PARTICIPLE**
gestritten

SUBJUNCTIVE

PRESENT I	PRESENT II	PRESENT CONDITIONAL
ich streite	ich stritte	ich würde streiten
du streitest	du strittest	du würdest streiten
er streite	er stritte	er würde streiten
wir streiten	wir stritten	wir würden streiten
ihr streitet	ihr strittet	ihr würdet streiten
sie streiten	sie stritten	sie würden streiten

PAST I	PAST II	*IMPERATIVE*
ich habe gestritten	ich hätte gestritten	streit(e)!
du habest gestritten	du hättest gestritten	streitet!
er habe gestritten	er hätte gestritten	streiten Sie!
wir haben gestritten	wir hätten gestritten	streiten wir!
ihr habet gestritten	ihr hättet gestritten	
sie haben gestritten	sie hätten gestritten	

INDICATIVE

PRESENT
ich telefoniere
du telefonierst
er telefoniert
wir telefonieren
ihr telefoniert
sie telefonieren

FUTURE
ich werde telefonieren
du wirst telefonieren
er wird telefonieren
wir werden telefonieren
ihr werdet telefonieren
sie werden telefonieren

PAST
ich telefonierte
du telefoniertest
er telefonierte
wir telefonierten
ihr telefoniertet
sie telefonierten

PRESENT PERFECT
ich habe telefoniert
du hast telefoniert
er hat telefoniert
wir haben telefoniert
ihr habt telefoniert
sie haben telefoniert

PAST PERFECT
ich hatte telefoniert
du hattest telefoniert
er hatte telefoniert
wir hatten telefoniert
ihr hattet telefoniert
sie hatten telefoniert

PRESENT INFINITIVE
telefonieren

PAST INFINITIVE
telefoniert haben

FUTURE PERFECT
ich werde telefoniert haben
du wirst telefoniert haben
er wird telefoniert haben
wir werden telefoniert haben
ihr werdet telefoniert haben
sie werden telefoniert haben

PRESENT PARTICIPLE
telefonierend

PAST PARTICIPLE
telefoniert

SUBJUNCTIVE

PRESENT I
ich telefoniere
du telefonierest
er telefoniere
wir telefonieren
ihr telefonieret
sie telefonieren

PRESENT II
ich telefonierte
du telefoniertest
er telefonierte
wir telefonierten
ihr telefoniertet
sie telefonierten

PRESENT CONDITIONAL
ich würde telefonieren
du würdest telefonieren
er würde telefonieren
wir würden telefonieren
ihr würdet telefonieren
sie würden telefonieren

PAST I
ich habe telefoniert
du habest telefoniert
er habe telefoniert
wir haben telefoniert
ihr habet telefoniert
sie haben telefoniert

PAST II
ich hätte telefoniert
du hättest telefoniert
er hätte telefoniert
wir hätten telefoniert
ihr hättet telefoniert
sie hätten telefoniert

IMPERATIVE
telefonier(e)!
telefoniert!
telefonieren Sie!
telefonieren wir!

INDICATIVE

PRESENT	FUTURE	PAST
ich trage	ich werde tragen	ich trug
du trägst	du wirst tragen	du trugst
er trägt	er wird tragen	er trug
wir tragen	wir werden tragen	wir trugen
ihr tragt	ihr werdet tragen	ihr trugt
sie tragen	sie werden tragen	sie trugen

PRESENT PERFECT	PAST PERFECT	
ich habe getragen	ich hatte getragen	**PRESENT INFINITIVE**
du hast getragen	du hattest getragen	tragen
er hat getragen	er hatte getragen	
wir haben getragen	wir hatten getragen	**PAST INFINITIVE**
ihr habt getragen	ihr hattet getragen	getragen haben
sie haben getragen	sie hatten getragen	

FUTURE PERFECT		
ich werde getragen haben		**PRESENT PARTICIPLE**
du wirst getragen haben		tragend
er wird getragen haben		
wir werden getragen haben		**PAST PARTICIPLE**
ihr werdet getragen haben		getragen
sie werden getragen haben		

SUBJUNCTIVE

PRESENT I	PRESENT II	PRESENT CONDITIONAL
ich trage	ich trüge	ich würde tragen
du tragest	du trügest	du würdest tragen
er trage	er trüge	er würde tragen
wir tragen	wir trügen	wir würden tragen
ihr traget	ihr trüget	ihr würdet tragen
sie tragen	sie trügen	sie würden tragen

PAST I	PAST II	IMPERATIVE
ich habe getragen	ich hätte getragen	trag(e)!
du habest getragen	du hättest getragen	tragt!
er habe getragen	er hätte getragen	tragen Sie!
wir haben getragen	wir hätten getragen	tragen wir!
ihr habet getragen	ihr hättet getragen	
sie haben getragen	sie hätten getragen	

NOTES

1 MEANING

to carry, to wear, to bear

2 USAGE

a *transitive verb:*

er trägt einen dunklen Anzug	he wears a dark suit
sie trug das Kind auf dem Arm	she carried the child in her arms
er trägt keinen Bart	he doesn't have a beard
beim Lesen trage ich eine Brille	I wear eye glasses for reading
ein dicker Balken trägt das Dach	a broad beam supports the roof
er muß die Kosten tragen	he will have to bear the costs
sie trug die Trauer mit Würde	she bore her grief with dignity
die Verantwortung tragen	to take the responsibility
eine tragende Rolle	a leading role
die tragende Idee	the basic/main idea
vom Wind getragen	carried by the wind

b *reflexive verb:*

sie trägt sich gut	she carries herself well
das Kleid trägt sich gut	the dress looks good
das Kleid hat sich gut getragen	the dress wore well
wir tragen uns mit dem Gedanken ...	we're considering the idea of ...

3 PHRASES AND IDIOMS

so weit das Auge trägt	as far as the eye can see
die Haut zu Markte tragen	to risk one's neck
das Herz auf der Zunge tragen	to wear one's heart on one's sleeve
seine Pläne haben Früchte getragen	his plans bore fruit
seine Stimme trägt gut	his voice carries well

INDICATIVE

PRESENT	FUTURE	PAST
ich träume	ich werde träumen	ich träumte
du träumst	du wirst träumen	du träumtest
er träumt	er wird träumen	er träumte
wir träumen	wir werden träumen	wir träumten
ihr träumt	ihr werdet träumen	ihr träumtet
sie träumen	sie werden träumen	sie träumten

PRESENT PERFECT	PAST PERFECT	
ich habe geträumt	ich hatte geträumt	**PRESENT INFINITIVE**
du hast geträumt	du hattest geträumt	träumen
er hat geträumt	er hatte geträumt	
wir haben geträumt	wir hatten geträumt	**PAST INFINITIVE**
ihr habt geträumt	ihr hattet geträumt	geträumt haben
sie haben geträumt	sie hatten geträumt	

FUTURE PERFECT		
ich werde geträumt haben		**PRESENT PARTICIPLE**
du wirst geträumt haben		träumend
er wird geträumt haben		
wir werden geträumt haben		**PAST PARTICIPLE**
ihr werdet geträumt haben		geträumt
sie werden geträumt haben		

SUBJUNCTIVE

PRESENT I	PRESENT II	PRESENT CONDITIONAL
ich träume	ich träumte	ich würde träumen
du träumest	du träumtest	du würdest träumen
er träume	er träumte	er würde träumen
wir träumen	wir träumten	wir würden träumen
ihr träumet	ihr träumtet	ihr würdet träumen
sie träumen	sie träumten	sie würden träumen

PAST I	PAST II	IMPERATIVE
ich habe geträumt	ich hätte geträumt	träum(e)!
du habest geträumt	du hättest geträumt	träumt!
er habe geträumt	er hätte geträumt	träumen Sie!
wir haben geträumt	wir hätten geträumt	träumen wir!
ihr habet geträumt	ihr hättet geträumt	
sie haben geträumt	sie hätten geträumt	

INDICATIVE

PRESENT	FUTURE	PAST
ich treffe	ich werde treffen	ich traf
du triffst	du wirst treffen	du trafst
er trifft	er wird treffen	er traf
wir treffen	wir werden treffen	wir trafen
ihr trefft	ihr werdet treffen	ihr traft
sie treffen	sie werden treffen	sie trafen

PRESENT PERFECT	PAST PERFECT	
ich habe getroffen	ich hatte getroffen	**PRESENT INFINITIVE**
du hast getroffen	du hattest getroffen	treffen
er hat getroffen	er hatte getroffen	
wir haben getroffen	wir hatten getroffen	**PAST INFINITIVE**
ihr habt getroffen	ihr hattet getroffen	
sie haben getroffen	sie hatten getroffen	getroffen haben

FUTURE PERFECT	
ich werde getroffen haben	**PRESENT PARTICIPLE**
du wirst getroffen haben	treffend
er wird getroffen haben	
wir werden getroffen haben	**PAST PARTICIPLE**
ihr werdet getroffen haben	getroffen
sie werden getroffen haben	

SUBJUNCTIVE

PRESENT I	PRESENT II	PRESENT CONDITIONAL
ich treffe	ich träfe	ich würde treffen
du treffest	du träfest	du würdest treffen
er treffe	er träfe	er würde treffen
wir treffen	wir träfen	wir würden treffen
ihr treffet	ihr träfet	ihr würdet treffen
sie treffen	sie träfen	sie würden treffen

PAST I	PAST II	IMPERATIVE
ich habe getroffen	ich hätte getroffen	triff!
du habest getroffen	du hättest getroffen	trefft!
er habe getroffen	er hätte getroffen	treffen Sie!
wir haben getroffen	wir hätten getroffen	treffen wir!
ihr habet getroffen	ihr hättet getroffen	
sie haben getroffen	sie hätten getroffen	

TREIBEN to drive, to float

INDICATIVE

PRESENT	FUTURE	PAST
ich treibe	ich werde treiben	ich trieb
du treibst	du wirst treiben	du triebst
er treibt	er wird treiben	er trieb
wir treiben	wir werden treiben	wir trieben
ihr treibt	ihr werdet treiben	ihr triebt
sie treiben	sie werden treiben	sie trieben

PRESENT PERFECT	PAST PERFECT	
ich habe getrieben	ich hatte getrieben	*PRESENT INFINITIVE*
du hast getrieben	du hattest getrieben	treiben
er hat getrieben	er hatte getrieben	
wir haben getrieben	wir hatten getrieben	*PAST INFINITIVE*
ihr habt getrieben	ihr hattet getrieben	getrieben haben
sie haben getrieben	sie hatten getrieben	

FUTURE PERFECT		
ich werde getrieben haben		*PRESENT PARTICIPLE*
du wirst getrieben haben		treibend
er wird getrieben haben		
wir werden getrieben haben		*PAST PARTICIPLE*
ihr werdet getrieben haben		getrieben
sie werden getrieben haben		

SUBJUNCTIVE

PRESENT I	PRESENT II	*PRESENT CONDITIONAL*
ich treibe	ich triebe	ich würde treiben
du treibest	du triebest	du würdest treiben
er treibe	er triebe	er würde treiben
wir treiben	wir trieben	wir würden treiben
ihr treibet	ihr triebet	ihr würdet treiben
sie treiben	sie trieben	sie würden treiben

PAST I	PAST II	*IMPERATIVE*
ich habe getrieben	ich hätte getrieben	treib(e)!
du habest getrieben	du hättest getrieben	treibt!
er habe getrieben	er hätte getrieben	treiben Sie!
wir haben getrieben	wir hätten getrieben	treiben wir!
ihr habet getrieben	ihr hättet getrieben	
sie haben getrieben	sie hätten getrieben	

TRETEN to kick, to step 171

INDICATIVE

PRESENT
ich trete
du trittst
er tritt
wir treten
ihr tretet
sie treten

FUTURE
ich werde treten
du wirst treten
er wird treten
wir werden treten
ihr werdet treten
sie werden treten

PAST
ich trat
du tratst
er trat
wir traten
ihr tratet
sie traten

PRESENT PERFECT
ich habe getreten
du hast getreten
er hat getreten
wir haben getreten
ihr habt getreten
sie haben getreten

PAST PERFECT
ich hatte getreten
du hattest getreten
er hatte getreten
wir hatten getreten
ihr hattet getreten
sie hatten getreten

PRESENT
INFINITIVE
treten

PAST
INFINITIVE
getreten haben

FUTURE PERFECT
ich werde getreten haben
du wirst getreten haben
er wird getreten haben
wir werden getreten haben
ihr werdet getreten haben
sie werden getreten haben

PRESENT
PARTICIPLE
tretend

PAST
PARTICIPLE
getreten

SUBJUNCTIVE

PRESENT I
ich trete
du tretest
er trete
wir treten
ihr tretet
sie treten

PRESENT II
ich träte
du trätest
er träte
wir träten
ihr trätet
sie träten

PRESENT
CONDITIONAL
ich würde treten
du würdest treten
er würde treten
wir würden treten
ihr würdet treten
sie würden treten

PAST I
ich habe getreten
du habest getreten
er habe getreten
wir haben getreten
ihr habet getreten
sie haben getreten

PAST II
ich hätte getreten
du hättest getreten
er hätte getreten
wir hätten getreten
ihr hättet getreten
sie hätten getreten

IMPERATIVE
tritt!
tretet!
treten Sie!
treten wir!

TRINKEN to drink

INDICATIVE

PRESENT	**FUTURE**	**PAST**
ich trinke	ich werde trinken	ich trank
du trinkst	du wirst trinken	du trankst
er trinkt	er wird trinken	er trank
wir trinken	wir werden trinken	wir tranken
ihr trinkt	ihr werdet trinken	ihr trankt
sie trinken	sie werden trinken	sie tranken

PRESENT PERFECT	**PAST PERFECT**	
ich habe getrunken	ich hatte getrunken	*PRESENT INFINITIVE*
du hast getrunken	du hattest getrunken	trinken
er hat getrunken	er hatte getrunken	
wir haben getrunken	wir hatten getrunken	*PAST INFINITIVE*
ihr habt getrunken	ihr hattet getrunken	getrunken haben
sie haben getrunken	sie hatten getrunken	

FUTURE PERFECT	
ich werde getrunken haben	*PRESENT PARTICIPLE*
du wirst getrunken haben	trinkend
er wird getrunken haben	
wir werden getrunken haben	*PAST PARTICIPLE*
ihr werdet getrunken haben	getrunken
sie werden getrunken haben	

SUBJUNCTIVE

PRESENT I	**PRESENT II**	*PRESENT CONDITIONAL*
ich trinke	ich tränke	ich würde trinken
du trinkest	du tränkest	du würdest trinken
er trinke	er tränke	er würde trinken
wir trinken	wir tränken	wir würden trinken
ihr trinket	ihr tränket	ihr würdet trinken
sie trinken	sie tränken	sie würden trinken

PAST I	**PAST II**	*IMPERATIVE*
ich habe getrunken	ich hätte getrunken	trink(e)!
du habest getrunken	du hättest getrunken	trinkt!
er habe getrunken	er hätte getrunken	trinken Sie!
wir haben getrunken	wir hätten getrunken	trinken wir!
ihr habet getrunken	ihr hättet getrunken	
sie haben getrunken	sie hätten getrunken	

TRÜGEN to deceive 173

INDICATIVE

PRESENT
ich trüge
du trügst
er trügt
wir trügen
ihr trügt
sie trügen

FUTURE
ich werde trügen
du wirst trügen
er wird trügen
wir werden trügen
ihr werdet trügen
sie werden trügen

PAST
ich trog
du trogst
er trog
wir trogen
ihr trogt
sie trogen

PRESENT PERFECT
ich habe getrogen
du hast getrogen
er hat getrogen
wir haben getrogen
ihr habt getrogen
sie haben getrogen

PAST PERFECT
ich hatte getrogen
du hattest getrogen
er hatte getrogen
wir hatten getrogen
ihr hattet getrogen
sie hatten getrogen

PRESENT INFINITIVE
trügen

PAST INFINITIVE
getrogen haben

FUTURE PERFECT
ich werde getrogen haben
du wirst getrogen haben
er wird getrogen haben
wir werden getrogen haben
ihr werdet getrogen haben
sie werden getrogen haben

PRESENT PARTICIPLE
trügend

PAST PARTICIPLE
getrogen

SUBJUNCTIVE

PRESENT I
ich trüge
du trügest
er trüge
wir trügen
ihr trüget
sie trügen

PRESENT II
ich tröge
du trögest
er tröge
wir trögen
ihr tröget
sie trögen

PRESENT CONDITIONAL
ich würde trügen
du würdest trügen
er würde trügen
wir würden trügen
ihr würdet trügen
sie würden trügen

PAST I
ich habe getrogen
du habest getrogen
er habe getrogen
wir haben getrogen
ihr habet getrogen
sie haben getrogen

PAST II
ich hätte getrogen
du hättest getrogen
er hätte getrogen
wir hätten getrogen
ihr hättet getrogen
sie hätten getrogen

IMPERATIVE
trüg(e)!
trügt!
trügen Sie!
trügen wir!

INDICATIVE

PRESENT	**FUTURE**	**PAST**
ich tue	ich werde tun	ich tat
du tust	du wirst tun	du tatst
er tut	er wird tun	er tat
wir tun	wir werden tun	wir taten
ihr tut	ihr werdet tun	ihr tatet
sie tun	sie werden tun	sie taten

PRESENT PERFECT	**PAST PERFECT**	*PRESENT INFINITIVE*
ich habe getan	ich hatte getan	tun
du hast getan	du hattest getan	
er hat getan	er hatte getan	*PAST INFINITIVE*
wir haben getan	wir hatten getan	getan haben
ihr habt getan	ihr hattet getan	
sie haben getan	sie hatten getan	

FUTURE PERFECT		*PRESENT PARTICIPLE*
ich werde getan haben		tuend
du wirst getan haben		
er wird getan haben		*PAST PARTICIPLE*
wir werden getan haben		getan
ihr werdet getan haben		
sie werden getan haben		

SUBJUNCTIVE

PRESENT I	**PRESENT II**	*PRESENT CONDITIONAL*
ich tue	ich täte	ich würde tun
du tuest	du tätest	du würdest tun
er tue	er täte	er würde tun
wir tuen	wir täten	wir würden tun
ihr tuet	ihr tätet	ihr würdet tun
sie tuen	sie täten	sie würden tun

PAST I	**PAST II**	*IMPERATIVE*
ich habe getan	ich hätte getan	tu(e)!
du habest getan	du hättest getan	tut!
er habe getan	er hätte getan	tun Sie!
wir haben getan	wir hätten getan	tun wir!
ihr habet getan	ihr hättet getan	
sie haben getan	sie hätten getan	

NOTES

1 MEANING

to do

2 USAGE

a *transitive verb:*

sie tat ihre Arbeit ordentlich	she did her work properly
ich tue mein Bestes	I'm doing the best I can
er hat seine Pflicht getan	he did his duty
ich habe viel zu tun	I've a lot to do
ich will damit nichts zu tun haben	I don't want anything to do with it

b *reflexive verb:*

ich habe mir weh getan	I've hurt myself
sie tun sich schwer damit	they're having difficulties

3 PHRASES AND IDIOMS

es tut mir leid	I'm sorry
es ist mir sehr darum zu tun	I attach great importance to this
tu, was du nicht lassen kannst	do what you must
sie bekam es mit der Angst zu tun	she got scared
er hat alle Hände voll zu tun	he's got his hands full
der Hund tut dir nichts	the dog won't do you any harm
wir haben ihm ein Unrecht getan	we've done him a disservice
eine Schnur tut's auch	a piece of string would also do the job
er tat, als ob er nichts davon wüßte	he behaved as though he knew nothing about it
du tätest gut daran, die Sache zu vergessen	you'd do best to forget it
das hat Wunder getan	it worked miracles

ÜBERSETZEN to translate

INDICATIVE

PRESENT

ich übersetze
du übersetzt
er übersetzt
wir übersetzen
ihr übersetzt
sie übersetzen

FUTURE

ich werde übersetzen
du wirst übersetzen
er wird übersetzen
wir werden übersetzen
ihr werdet übersetzen
sie werden übersetzen

PAST

ich übersetzte
du übersetztest
er übersetzte
wir übersetzten
ihr übersetztet
sie übersetzten

PRESENT PERFECT

ich habe übersetzt
du hast übersetzt
er hat übersetzt
wir haben übersetzt
ihr habt übersetzt
sie haben übersetzt

PAST PERFECT

ich hatte übersetzt
du hattest übersetzt
er hatte übersetzt
wir hatten übersetzt
ihr hattet übersetzt
sie hatten übersetzt

**PRESENT
INFINITIVE**

übersetzen

**PAST
INFINITIVE**

übersetzt haben

FUTURE PERFECT

ich werde übersetzt haben
du wirst übersetzt haben
er wird übersetzt haben
wir werden übersetzt haben
ihr werdet übersetzt haben
sie werden übersetzt haben

**PRESENT
PARTICIPLE**

übersetzend

**PAST
PARTICIPLE**

übersetzt

SUBJUNCTIVE

PRESENT I

ich übersetze
du übersetzest
er übersetze
wir übersetzen
ihr übersetzet
sie übersetzen

PRESENT II

ich übersetzte
du übersetztest
er übersetzte
wir übersetzten
ihr übersetztet
sie übersetzten

**PRESENT
CONDITIONAL**

ich würde übersetzen
du würdest übersetzen
er würde übersetzen
wir würden übersetzen
ihr würdet übersetzen
sie würden übersetzen

PAST I

ich habe übersetzt
du habest übersetzt
er habe übersetzt
wir haben übersetzt
ihr habet übersetzt
sie haben übersetzt

PAST II

ich hätte übersetzt
du hättest übersetzt
er hätte übersetzt
wir hätten übersetzt
ihr hättet übersetzt
sie hätten übersetzt

IMPERATIVE

übersetz(e)!
übersetzt!
übersetzen Sie!
übersetzen wir!

INDICATIVE

PRESENT	FUTURE	PAST
ich setze über	ich werde übersetzen	ich setzte über
du setzt über	du wirst übersetzen	du setztest über
er setzt über	er wird übersetzen	er setzte über
wir setzen über	wir werden übersetzen	wir setzten über
ihr setzt über	ihr werdet übersetzen	ihr setztet über
sie setzen über	sie werden übersetzen	sie setzten über

PRESENT PERFECT	PAST PERFECT	
ich habe übergesetzt	ich hatte übergesetzt	**PRESENT**
du hast übergesetzt	du hattest übergesetzt	**INFINITIVE**
er hat übergesetzt	er hatte übergesetzt	übersetzen
wir haben übergesetzt	wir hatten übergesetzt	**PAST**
ihr habt übergesetzt	ihr hattet übergesetzt	**INFINITIVE**
sie haben übergesetzt	sie hatten übergesetzt	übergesetzt haben

FUTURE PERFECT	
ich werde übergesetzt haben	**PRESENT PARTICIPLE**
du wirst übergesetzt haben	
er wird übergesetzt haben	übersetzend
wir werden übergesetzt haben	**PAST PARTICIPLE**
ihr werdet übergesetzt haben	
sie werden übergesetzt haben	übergesetzt

SUBJUNCTIVE

PRESENT I	PRESENT II	PRESENT CONDITIONAL
ich setze über	ich setze über	ich würde übersetzen
du setzest über	du setztest über	du würdest übersetzen
er setze über	er setzte über	er würde übersetzen
wir setzen über	wir setzten über	wir würden übersetzen
ihr setzet über	ihr setztet über	ihr würdet übersetzen
sie setzen über	sie setzten über	sie würden übersetzen

PAST I	PAST II	IMPERATIVE
ich habe übergesetzt	ich hätte übergesetzt	setz(e) über!
du habest übergesetzt	du hättest übergesetzt	setzt über!
er habe übergesetzt	er hätte übergesetzt	setzen Sie über!
wir haben übergesetzt	wir hätten übergesetzt	setzen wir über!
ihr habet übergesetzt	ihr hättet übergesetzt	
sie haben übergesetzt	sie hätten übergesetzt	

VERDERBEN to spoil

INDICATIVE

PRESENT
ich verderbe
du verdirbst
er verdirbt
wir verderben
ihr verderbt
sie verderben

FUTURE
ich werde verderben
du wirst verderben
er wird verderben
wir werden verderben
ihr werdet verderben
sie werden verderben

PAST
ich verdarb
du verdarbst
er verdarb
wir verdarben
ihr verdarbt
sie verdarben

PRESENT PERFECT
ich habe verdorben
du hast verdorben
er hat verdorben
wir haben verdorben
ihr habt verdorben
sie haben verdorben

PAST PERFECT
ich hatte verdorben
du hattest verdorben
er hatte verdorben
wir hatten verdorben
ihr hattet verdorben
sie hatten verdorben

PRESENT INFINITIVE
verderben

PAST INFINITIVE
verdorben haben

FUTURE PERFECT
ich werde verdorben haben
du wirst verdorben haben
er wird verdorben haben
wir werden verdorben haben
ihr werdet verdorben haben
sie werden verdorben haben

PRESENT PARTICIPLE
verderbend

PAST PARTICIPLE
verdorben

SUBJUNCTIVE

PRESENT I
ich verderbe
du verderbest
er verderbe
wir verderben
ihr verderbet
sie verderben

PRESENT II
ich verdürbe
du verdürbest
er verdürbe
wir verdürben
ihr verdürbet
sie verdürben

PRESENT CONDITIONAL
ich würde verderben
du würdest verderben
er würde verderben
wir würden verderben
ihr würdet verderben
sie würden verderben

PAST I
ich habe verdorben
du habest verdorben
er habe verdorben
wir haben verdorben
ihr habet verdorben
sie haben verdorben

PAST II
ich hätte verdorben
du hättest verdorben
er hätte verdorben
wir hätten verdorben
ihr hättet verdorben
sie hätten verdorben

IMPERATIVE
verdirb!
verderbt!
verderben Sie!
verderben wir!

VERDRIESSEN to annoy

INDICATIVE

PRESENT

ich verdrieße
du verdrießt
er verdrießt
wir verdrießen
ihr verdrießt
sie verdrießen

FUTURE

ich werde verdrießen
du wirst verdrießen
er wird verdrießen
wir werden verdrießen
ihr werdet verdrießen
sie werden verdrießen

PAST

ich verdroß
du verdrossest
er verdroß
wir verdrossen
ihr verdroßt
sie verdrossen

PRESENT PERFECT

ich habe verdrossen
du hast verdrossen
er hat verdrossen
wir haben verdrossen
ihr habt verdrossen
sie haben verdrossen

PAST PERFECT

ich hatte verdrossen
du hattest verdrossen
er hatte verdrossen
wir hatten verdrossen
ihr hattet verdrossen
sie hatten verdrossen

**PRESENT
INFINITIVE**

verdrießen

**PAST
INFINITIVE**

verdrossen haben

FUTURE PERFECT

ich werde verdrossen haben
du wirst verdrossen haben
er wird verdrossen haben
wir werden verdrossen haben
ihr werdet verdrossen haben
sie werden verdrossen haben

**PRESENT
PARTICIPLE**

verdrießend

**PAST
PARTICIPLE**

verdrossen

SUBJUNCTIVE

PRESENT I

ich verdrieße
du verdrießest
er verdrieße
wir verdrießen
ihr verdrießet
sie verdrießen

PRESENT II

ich verdrösse
du verdrössest
er verdrösse
wir verdrössen
ihr verdrösset
sie verdrössen

**PRESENT
CONDITIONAL**

ich würde verdrießen
du würdest verdrießen
er würde verdrießen
wir würden verdrießen
ihr würdet verdrießen
sie würden verdrießen

PAST I

ich habe verdrossen
du habest verdrossen
er habe verdrossen
wir haben verdrossen
ihr habet verdrossen
sie haben verdrossen

PAST II

ich hätte verdrossen
du hättest verdrossen
er hätte verdrossen
wir hätten verdrossen
ihr hättet verdrossen
sie hätten verdrossen

IMPERATIVE

verdrieß(e)!
verdrießt!
verdrießen Sie!
verdrießen wir!

VERGESSEN to forget

INDICATIVE

PRESENT	FUTURE	PAST
ich vergesse	ich werde vergessen	ich vergaß
du vergißt	du wirst vergessen	du vergaßt
er vergißt	er wird vergessen	er vergaß
wir vergessen	wir werden vergessen	wir vergaßen
ihr vergeßt	ihr werdet vergessen	ihr vergaßt
sie vergessen	sie werden vergessen	sie vergaßen

PRESENT PERFECT	PAST PERFECT	*PRESENT INFINITIVE*
ich habe vergessen	ich hatte vergessen	vergessen
du hast vergessen	du hattest vergessen	
er hat vergessen	er hatte vergessen	*PAST INFINITIVE*
wir haben vergessen	wir hatten vergessen	vergessen haben
ihr habt vergessen	ihr hattet vergessen	
sie haben vergessen	sie hatten vergessen	

FUTURE PERFECT		*PRESENT PARTICIPLE*
ich werde vergessen haben		vergessend
du wirst vergessen haben		
er wird vergessen haben		*PAST PARTICIPLE*
wir werden vergessen haben		vergessen
ihr werdet vergessen haben		
sie werden vergessen haben		

SUBJUNCTIVE

PRESENT I	PRESENT II	*PRESENT CONDITIONAL*
ich vergesse	ich vergäße	ich würde vergessen
du vergessest	du vergäßest	du würdest vergessen
er vergesse	er vergäße	er würde vergessen
wir vergessen	wir vergäßen	wir würden vergessen
ihr vergesset	ihr vergäßet	ihr würdet vergessen
sie vergessen	sie vergäßen	sie würden vergessen

PAST I	PAST II	*IMPERATIVE*
ich habe vergessen	ich hätte vergessen	vergiß!
du habest vergessen	du hättest vergessen	vergeßt!
er habe vergessen	er hätte vergessen	vergessen Sie!
wir haben vergessen	wir hätten vergessen	vergessen wir!
ihr habet vergessen	ihr hättet vergessen	
sie haben vergessen	sie hätten vergessen	

VERLIEREN to lose   **180**

INDICATIVE

PRESENT

ich verliere
du verlierst
er verliert
wir verlieren
ihr verliert
sie verlieren

FUTURE

ich werde verlieren
du wirst verlieren
er wird verlieren
wir werden verlieren
ihr werdet verlieren
sie werden verlieren

PAST

ich verlor
du verlorst
er verlor
wir verloren
ihr verlort
sie verloren

PRESENT PERFECT

ich habe verloren
du hast verloren
er hat verloren
wir haben verloren
ihr habt verloren
sie haben verloren

PAST PERFECT

ich hatte verloren
du hattest verloren
er hatte verloren
wir hatten verloren
ihr hattet verloren
sie hatten verloren

PRESENT INFINITIVE

verloren

PAST INFINITIVE

verloren haben

FUTURE PERFECT

ich werde verloren haben
du wirst verloren haben
er wird verloren haben
wir werden verloren haben
ihr werdet verloren haben
sie werden verloren haben

PRESENT PARTICIPLE

verlierend

PAST PARTICIPLE

verloren

SUBJUNCTIVE

PRESENT I

ich verliere
du verlierest
er verliere
wir verlieren
ihr verlieret
sie verlieren

PRESENT II

ich verlöre
du verlörest
er verlöre
wir verlören
ihr verlöret
sie verlören

PRESENT CONDITIONAL

ich würde verlieren
du würdest verlieren
er würde verlieren
wir würden verlieren
ihr würdet verlieren
sie würden verlieren

PAST I

ich habe verloren
du habest verloren
er habe verloren
wir haben verloren
ihr habet verloren
sie haben verloren

PAST II

ich hätte verloren
du hättest verloren
er hätte verloren
wir hätten verloren
ihr hättet verloren
sie hätten verloren

IMPERATIVE

verlier(e)!
verliert!
verlieren Sie!
verlieren wir!

VERSÄUMEN to miss

INDICATIVE

PRESENT	FUTURE	PAST
ich versäume	ich werde versäumen	ich versäumte
du versäumst	du wirst versäumen	du versäumtest
er versäumt	er wird versäumen	er versäumte
wir versäumen	wir werden versäumen	wir versäumten
ihr versäumt	ihr werdet versäumen	ihr versäumtet
sie versäumen	sie werden versäumen	sie versäumten

PRESENT PERFECT	PAST PERFECT	
ich habe versäumt	ich hatte versäumt	**PRESENT INFINITIVE**
du hast versäumt	du hattest versäumt	versäumen
er hat versäumt	er hatte versäumt	
wir haben versäumt	wir hatten versäumt	**PAST INFINITIVE**
ihr habt versäumt	ihr hattet versäumt	versäumt haben
sie haben versäumt	sie hatten versäumt	

FUTURE PERFECT	
ich werde versäumt haben	**PRESENT PARTICIPLE**
du wirst versäumt haben	versäumend
er wird versäumt haben	
wir werden versäumt haben	**PAST PARTICIPLE**
ihr werdet versäumt haben	versäumt
sie werden versäumt haben	

SUBJUNCTIVE

PRESENT I	PRESENT II	PRESENT CONDITIONAL
ich versäume	ich versäumte	ich würde versäumen
du versäumest	du versäumtest	du würdest versäumen
er versäume	er versäumte	er würde versäumen
wir versäumen	wir versäumten	wir würden versäumen
ihr versäumet	ihr versäumtet	ihr würdet versäumen
sie versäumen	sie versäumten	sie würden versäumen

PAST I	PAST II	IMPERATIVE
ich habe versäumt	ich hätte versäumt	versäum(e)!
du habest versäumt	du hättest versäumt	versäumt!
er habe versäumt	er hätte versäumt	versäumen Sie!
wir haben versäumt	wir hätten versäumt	versäumen wir!
ihr habet versäumt	ihr hättet versäumt	
sie haben versäumt	sie hätten versäumt	

SICH VERSCHAFFEN to get for oneself 182

INDICATIVE
PRESENT
ich verschaffe mir
du verschaffst dir
er verschafft sich
wir verschaffen uns
ihr verschafft euch
sie verschaffen sich

FUTURE
ich werde mir verschaffen
du wirst dir verschaffen
er wird sich verschaffen
wir werden uns verschaffen
ihr werdet euch verschaffen
sie werden sich verschaffen

PAST
ich verschaffte mir
du verschafftest dir
er verschaffte sich
wir verschafften uns
ihr verschafftet euch
sie verschafften sich

PRESENT PERFECT
ich habe mir verschafft
du hast dir verschafft
er hat sich verschafft
wir haben uns verschafft
ihr habt euch verschafft
sie haben sich verschafft

PAST PERFECT
ich hatte mir verschafft
du hattest dir verschafft
er hatte sich verschafft
wir hatten uns verschafft
ihr hattet euch verschafft
sie hatten sich verschafft

PRESENT INFINITIVE
sich verschaffen

PAST INFINITIVE
sich verschafft haben

FUTURE PERFECT
ich werde mir verschafft haben
du wirst dir verschafft haben
er wird sich verschafft haben
wir werden uns verschafft haben
ihr werdet euch verschafft haben
sie werden sich verschafft haben

PRESENT PARTICIPLE
sich verschaffend

PAST PARTICIPLE
verschafft

SUBJUNCTIVE
PRESENT I
ich verschaffe mir
du verschaffest dir
er verschaffe sich
wir verschaffen uns
ihr verschaffet euch
sie verschaffen sich

PRESENT II
ich verschaffte mir
du verschafftest dir
er verschaffte sich
wir verschafften uns
ihr verschafftet euch
sie verschafften sich

PRESENT CONDITIONAL
ich würde mir verschaffen
du würdest dir verschaffen
er würde sich verschaffen
wir würden uns verschaffen
ihr würdet euch verschaffen
sie würden sich verschaffen

PAST I
ich habe mir verschafft
du habest dir verschafft
er habe sich verschafft
wir haben uns verschafft
ihr habet euch verschafft
sie haben sich verschafft

PAST II
ich hätte mir verschafft
du hättest dir verschafft
er hätte sich verschafft
wir hätten uns verschafft
ihr hättet euch verschafft
sie hätten sich verschafft

IMPERATIVE
verschaff(e) dir!
verschafft euch!
verschaffen Sie sich!
verschaffen wir uns!

INDICATIVE
PRESENT
ich verschleiße
du verschleißt
er verschleißt
wir verschleißen
ihr verschleißt
sie verschleißen

FUTURE
ich werde verschleißen
du wirst verschleißen
er wird verschleißen
wir werden verschleißen
ihr werdet verschleißen
sie werden verschleißen

PAST
ich verschliß
du verschlißt
er verschliß
wir verschlissen
ihr verschlißt
sie verschlissen

PRESENT PERFECT
ich habe verschlissen
du hast verschlissen
er hat verschlissen
wir haben verschlissen
ihr habt verschlissen
sie haben verschlissen

PAST PERFECT
ich hatte verschlissen
du hattest verschlissen
er hatte verschlissen
wir hatten verschlissen
ihr hattet verschlissen
sie hatten verschlissen

PRESENT INFINITIVE
verschleißen

PAST INFINITIVE
verschlissen haben

FUTURE PERFECT
ich werde verschlissen haben
du wirst verschlissen haben
er wird verschlissen haben
wir werden verschlissen haben
ihr werdet verschlissen haben
sie werden verschlissen haben

PRESENT PARTICIPLE
verschleißend

PAST PARTICIPLE
verschlissen

SUBJUNCTIVE
PRESENT I
ich verschleiße
du verschleißest
er verschleiße
wir verschleißen
ihr verschleißet
sie verschleißen

PRESENT II
ich verschlisse
du verschlissest
er verschlisse
wir verschlissen
ihr verschlisset
sie verschlissen

PRESENT CONDITIONAL
ich würde verschleißen
du würdest verschleißen
er würde verschleißen
wir würden verschleißen
ihr würdet verschleißen
sie würden verschleißen

PAST I
ich habe verschlissen
du habest verschlissen
er habe verschlissen
wir haben verschlissen
ihr habet verschlissen
sie haben verschlissen

PAST II
ich hätte verschlissen
du hättest verschlissen
er hätte verschlissen
wir hätten verschlissen
ihr hättet verschlissen
sie hätten verschlissen

IMPERATIVE
verschleiß(e)!
verschleißt!
verschleißen Sie!
verschleißen wir!

VERZEIHEN to forgive   184

INDICATIVE

PRESENT
ich verzeihe
du verzeihst
er verzeiht
wir verzeihen
ihr verzeiht
sie verzeihen

FUTURE
ich werde verzeihen
du wirst verzeihen
er wird verzeihen
wir werden verzeihen
ihr werdet verzeihen
sie werden verzeihen

PAST
ich verzieh
du verziehst
er verzieh
wir verziehen
ihr verzieht
sie verziehen

PRESENT PERFECT
ich habe verziehen
du hast verziehen
er hat verziehen
wir haben verziehen
ihr habt verziehen
sie haben verziehen

PAST PERFECT
ich hatte verziehen
du hattest verziehen
er hatte verziehen
wir hatten verziehen
ihr hattet verziehen
sie hatten verziehen

PRESENT INFINITIVE
verzeihen

PAST INFINITIVE
verziehen haben

FUTURE PERFECT
ich werde verziehen haben
du wirst verziehen haben
er wird verziehen haben
wir werden verziehen haben
ihr werdet verziehen haben
sie werden verziehen haben

PRESENT PARTICIPLE
verzeihend

PAST PARTICIPLE
verziehen

SUBJUNCTIVE

PRESENT I
ich verzeihe
du verzeihest
er verzeihe
wir verzeihen
ihr verzeihet
sie verzeihen

PRESENT II
ich verziehe
du verziehest
er verziehe
wir verziehen
ihr verziehet
sie verziehen

PRESENT CONDITIONAL
ich würde verzeihen
du würdest verzeihen
er würde verzeihen
wir würden verzeihen
ihr würdet verzeihen
sie würden verzeihen

PAST I
ich habe verziehen
du habest verziehen
er habe verziehen
wir haben verziehen
ihr habet verziehen
sie haben verziehen

PAST II
ich hätte verziehen
du hättest verziehen
er hätte verziehen
wir hätten verziehen
ihr hättet verziehen
sie hätten verziehen

IMPERATIVE
verzeih(e)!
verzeiht!
verzeihen Sie!
verzeihen wir!

INDICATIVE

PRESENT
ich wachse
du wächst
er wächst
wir wachsen
ihr wachst
sie wachsen

FUTURE
ich werde wachsen
du wirst wachsen
er wird wachsen
wir werden wachsen
ihr werdet wachsen
sie werden wachsen

PAST
ich wuchs
du wuchsest
er wuchs
wir wuchsen
ihr wuchst
sie wuchsen

PRESENT PERFECT
ich bin gewachsen
du bist gewachsen
er ist gewachsen
wir sind gewachsen
ihr seid gewachsen
sie sind gewachsen

PAST PERFECT
ich war gewachsen
du warst gewachsen
er war gewachsen
wir waren gewachsen
ihr wart gewachsen
sie waren gewachsen

PRESENT INFINITIVE
wachsen

PAST INFINITIVE
gewachsen sein

FUTURE PERFECT
ich werde gewachsen sein
du wirst gewachsen sein
er wird gewachsen sein
wir werden gewachsen sein
ihr werdet gewachsen sein
sie werden gewachsen sein

PRESENT PARTICIPLE
wachsend

PAST PARTICIPLE
gewachsen

SUBJUNCTIVE

PRESENT I
ich wachse
du wachsest
er wache
wir wachsen
ihr wachset
sie wachsen

PRESENT II
ich wüchse
du wüchsest
er wüchse
wir wüchsen
ihr wüchset
sie wüchsen

PRESENT CONDITIONAL
ich würde wachsen
du würdest wachsen
er würde wachsen
wir würden wachsen
ihr würdet wachsen
sie würden wachsen

PAST I
ich sei gewachsen
du sei(e)st gewachsen
er sei gewachsen
wir seien gewachsen
ihr seiet gewachsen
sie seien gewachsen

PAST II
ich wäre gewachsen
du wär(e)st gewachsen
er wäre gewachsen
wir wären gewachsen
ihr wär(e)t gewachsen
sie wären gewachsen

IMPERATIVE
wachs(e)!
wachst!
wachsen Sie!
wachsen wir!

Note: other meaning: to wax (weak conjugation: **ich wachste** etc, **ich habe gewachst** etc)

INDICATIVE

PRESENT

ich warte
du wartest
er wartet
wir warten
ihr wartet
sie warten

FUTURE

ich werde warten
du wirst warten
er wird warten
wir werden warten
ihr werdet warten
sie werden warten

PAST

ich wartete
du wartetest
er wartete
wir warteten
ihr wartetet
sie warteten

PRESENT PERFECT

ich habe gewartet
du hast gewartet
er hat gewartet
wir haben gewartet
ihr habt gewartet
sie haben gewartet

PAST PERFECT

ich hatte gewartet
du hattest gewartet
er hatte gewartet
wir hatten gewartet
ihr hattet gewartet
sie hatten gewartet

PRESENT INFINITIVE

warten

PAST INFINITIVE

gewartet haben

FUTURE PERFECT

ich werde gewartet haben
du wirst gewartet haben
er wird gewartet haben
wir werden gewartet haben
ihr werdet gewartet haben
sie werden gewartet haben

PRESENT PARTICIPLE

wartend

PAST PARTICIPLE

gewartet

SUBJUNCTIVE

PRESENT I

ich warte
du wartest
er warte
wir warten
ihr wartet
sie warten

PRESENT II

ich wartete
du wartetest
er wartete
wir warteten
ihr wartetet
sie warteten

PRESENT CONDITIONAL

ich würde warten
du würdest warten
er würde warten
wir würden warten
ihr würdet warten
sie würden warten

PAST I

ich habe gewartet
du habest gewartet
er habe gewartet
wir haben gewartet
ihr habet gewartet
sie haben gewartet

PAST II

ich hätte gewartet
du hättest gewartet
er hätte gewartet
wir hätten gewartet
ihr hättet gewartet
sie hätten gewartet

IMPERATIVE

warte(e)!
wartet!
warten Sie!
warten w \ .

WASCHEN to wash

INDICATIVE

PRESENT

ich wasche
du wäschst
er wäscht
wir waschen
ihr wascht
sie waschen

FUTURE

ich werde waschen
du wirst waschen
er wird waschen
wir werden waschen
ihr werdet waschen
sie werden waschen

PAST

ich wusch
du wuschst
er wusch
wir wuschen
ihr wuscht
sie wuschen

PRESENT PERFECT

ich habe gewaschen
du hast gewaschen
er hat gewaschen
wir haben gewaschen
ihr habt gewaschen
sie haben gewaschen

PAST PERFECT

ich hatte gewaschen
du hattest gewaschen
er hatte gewaschen
wir hatten gewaschen
ihr hattet gewaschen
sie hatten gewaschen

PRESENT INFINITIVE

waschen

PAST INFINITIVE

gewaschen haben

FUTURE PERFECT

ich werde gewaschen haben
du wirst gewaschen haben
er wird gewaschen haben
wir werden gewaschen haben
ihr werdet gewaschen haben
sie werden gewaschen haben

PRESENT PARTICIPLE

waschend

PAST PARTICIPLE

gewaschen

SUBJUNCTIVE

PRESENT I

ich wasche
du waschest
er wasche
wir waschen
ihr waschet
sie waschen

PRESENT II

ich wüsche
du wüschest
er wüsche
wir wüschen
ihr wüschet
sie wüschen

PRESENT CONDITIONAL

ich würde waschen
du würdest waschen
er würde waschen
wir würden waschen
ihr würdet waschen
sie würden waschen

PAST I

ich habe gewaschen
du habest gewaschen
er habe gewaschen
wir haben gewaschen
ihr habet gewaschen
sie haben gewaschen

PAST II

ich hätte gewaschen
du hättest gewaschen
er hätte gewaschen
wir hätten gewaschen
ihr hättet gewaschen
sie hätten gewaschen

IMPERATIVE

wasch(e)!
wascht!
waschen Sie!
waschen wir!

WEBEN to weave 188

INDICATIVE

PRESENT	FUTURE	PAST
ich webe	ich werde weben	ich wob
du webst	du wirst weben	du wobst
er webt	er wird weben	er wob
wir weben	wir werden weben	wir woben
ihr webt	ihr werdet weben	ihr wobt
sie weben	sie werden weben	sie woben

PRESENT PERFECT	PAST PERFECT	
ich habe gewoben	ich hatte gewoben	**PRESENT INFINITIVE**
du hast gewoben	du hattest gewoben	weben
er hat gewoben	er hatte gewoben	
wir haben gewoben	wir hatten gewoben	**PAST INFINITIVE**
ihr habt gewoben	ihr hattet gewoben	
sie haben gewoben	sie hatten gewoben	gewoben haben

FUTURE PERFECT		
ich werde gewoben haben		**PRESENT PARTICIPLE**
du wirst gewoben haben		
er wird gewoben haben		webend
wir werden gewoben haben		
ihr werdet gewoben haben		**PAST PARTICIPLE**
sie werden gewoben haben		gewoben

SUBJUNCTIVE

PRESENT I	PRESENT II	PRESENT CONDITIONAL
ich webe	ich wöbe	ich würde weben
du webest	du wöbest	du würdest weben
er webe	er wöbe	er würde weben
wir weben	wir wöben	wir würden weben
ihr webet	ihr wöbet	ihr würdet weben
sie weben	sie wöben	sie würden weben

PAST I	PAST II	IMPERATIVE
ich habe gewoben	ich hätte gewoben	web(e)!
du habest gewoben	du hättest gewoben	webt!
er habe gewoben	er hätte gewoben	weben Sie!
wir haben gewoben	wir hätten gewoben	weben wir!
ihr habet gewoben	ihr hättet gewoben	
sie haben gewoben	sie hätten gewoben	

Note: also weak conjugation: **ich webte** etc, **ich habe gewebt** etc

INDICATIVE

PRESENT
ich weiche
du weichest
er weicht
wir weichen
ihr weicht
sie weichen

FUTURE
ich werde weichen
du wirst weichen
er wird weichen
wir werden weichen
ihr werdet weichen
sie werden weichen

PAST
ich wich
du wichst
er wich
wir wichen
ihr wicht
sie wichen

PRESENT PERFECT
ich bin gewichen
du bist gewichen
er ist gewichen
wir sind gewichen
ihr seid gewichen
sie sind gewichen

PAST PERFECT
ich war gewichen
du warst gewichen
er war gewichen
wir waren gewichen
ihr wart gewichen
sie waren gewichen

PRESENT INFINITIVE
weichen

PAST INFINITIVE
gewichen sein

FUTURE PERFECT
ich werde gewichen sein
du wirst gewichen sein
er wird gewichen sein
wir werden gewichen sein
ihr werdet gewichen sein
sie werden gewichen sein

PRESENT PARTICIPLE
weichend

PAST PARTICIPLE
gewichen

SUBJUNCTIVE

PRESENT I
ich weiche
du weichest
er weiche
wir weichen
ihr weichet
sie weichen

PRESENT II
ich wiche
du wichest
er wiche
wir wichen
ihr wichet
sie wichen

PRESENT CONDITIONAL
ich würde weichen
du würdest weichen
er würde weichen
wir würden weichen
ihr würdet weichen
sie würden weichen

PAST I
ich sei gewichen
du sei(e)st gewichen
er sei gewichen
wir seien gewichen
ihr seiet gewichen
sie seien gewichen

PAST II
ich wäre gewichen
du wär(e)st gewichen
er wäre gewichen
wir wären gewichen
ihr wär(e)t gewichen
sie wären gewichen

IMPERATIVE
weich(e)!
weicht!
weichen Sie!
weichen wir!

WEISEN to show 190

INDICATIVE

PRESENT
ich weise
du weist
er weist
wir weisen
ihr weist
sie weisen

FUTURE
ich werde weisen
du wirst weisen
er wird weisen
wir werden weisen
ihr werdet weisen
sie werden weisen

PAST
ich wies
du wiest
er wies
wir wiesen
ihr wiest
sie wiesen

PRESENT PERFECT
ich habe gewiesen
du hast gewiesen
er hat gewiesen
wir haben gewiesen
ihr habt gewiesen
sie haben gewiesen

PAST PERFECT
ich hatte gewiesen
du hattest gewiesen
er hatte gewiesen
wir hatten gewiesen
ihr hattet gewiesen
sie hatten gewiesen

**PRESENT
INFINITIVE**
weisen

**PAST
INFINITIVE**
gewiesen haben

FUTURE PERFECT
ich werde gewiesen haben
du wirst gewiesen haben
er wird gewiesen haben
wir werden gewiesen haben
ihr werdet gewiesen haben
sie werden gewiesen haben

**PRESENT
PARTICIPLE**
weisend

**PAST
PARTICIPLE**
gewiesen

SUBJUNCTIVE

PRESENT I
ich weise
du weisest
er weise
wir weisen
ihr weiset
sie weisen

PRESENT II
ich wiese
du wiesest
er wiese
wir wiesen
ihr wieset
sie wiesen

**PRESENT
CONDITIONAL**
ich würde weisen
du würdest weisen
er würde weisen
wir würden weisen
ihr würdet weisen
sie würden weisen

PAST I
ich habe gewiesen
du habest gewiesen
er habe gewiesen
wir haben gewiesen
ihr habet gewiesen
sie haben gewiesen

PAST II
ich hätte gewiesen
du hättest gewiesen
er hätte gewiesen
wir hätten gewiesen
ihr hättet gewiesen
sie hätten gewiesen

IMPERATIVE
weise(e)!
weist!
weisen Sie!
weisen wir!

INDICATIVE

PRESENT	FUTURE	PAST
ich wende	ich werde wenden	ich wandte
du wendest	du wirst wenden	du wandtest
er wendet	er wird wenden	er wandte
wir wenden	wir werden wenden	wir wandten
ihr wendet	ihr werdet wenden	ihr wandtet
sie wenden	sie werden wenden	sie wandten

PRESENT PERFECT	PAST PERFECT	
ich habe gewandt	ich hatte gewandt	**PRESENT INFINITIVE**
du hast gewandt	du hattest gewandt	wenden
er hat gewandt	er hatte gewandt	
wir haben gewandt	wir hatten gewandt	**PAST INFINITIVE**
ihr habt gewandt	ihr hattet gewandt	
sie haben gewandt	sie hatten gewandt	gewandt haben

FUTURE PERFECT	
ich werde gewandt haben	**PRESENT PARTICIPLE**
du wirst gewandt haben	
er wird gewandt haben	wendend
wir werden gewandt haben	
ihr werdet gewandt haben	**PAST PARTICIPLE**
sie werden gewandt haben	gewandt

SUBJUNCTIVE

PRESENT I	PRESENT II	PRESENT CONDITIONAL
ich wende	ich wendete	ich würde wenden
du wendest	du wendetest	du würdest wenden
er wende	er wendete	er würde wenden
wir wenden	wir wendeten	wir würden wenden
ihr wendet	ihr wendetet	ihr würdet wenden
sie wenden	sie wendeten	sie würden wenden

PAST I	PAST II	IMPERATIVE
ich habe gewandt	ich hätte gewandt	wend(e)!
du habest gewandt	du hättest gewandt	wendet!
er habe gewandt	er hätte gewandt	wenden Sie!
wir haben gewandt	wir hätten gewandt	wenden wir!
ihr habet gewandt	ihr hättet gewandt	
sie haben gewandt	sie hätten gewandt	

Note: also weak conjugation: **ich wendete** etc, **ich habe gewendet** etc

INDICATIVE

PRESENT	FUTURE	PAST
ich werbe	ich werde werben	ich warb
du wirbst	du wirst werben	du warbst
er wirbt	er wird werben	er warb
wir werben	wir werden werben	wir warben
ihr werbt	ihr werdet werben	ihr warbt
sie werben	sie werden werben	sie warben

PRESENT PERFECT	PAST PERFECT	
ich habe geworben	ich hatte geworben	**PRESENT INFINITIVE**
du hast geworben	du hattest geworben	werben
er hat geworben	er hatte geworben	
wir haben geworben	wir hatten geworben	**PAST INFINITIVE**
ihr habt geworben	ihr hattet geworben	
sie haben geworben	sie hatten geworben	geworben haben

FUTURE PERFECT		
ich werde geworben haben		**PRESENT PARTICIPLE**
du wirst geworben haben		werbend
er wird geworben haben		
wir werden geworben haben		**PAST PARTICIPLE**
ihr werdet geworben haben		
sie werden geworben haben		geworben

SUBJUNCTIVE

PRESENT I	PRESENT II	**PRESENT CONDITIONAL**
ich werbe	ich würbe	ich würde werben
du werbest	du würbest	du würdest werben
er werbe	er würbe	er würde werben
wir werben	wir würben	wir würden werben
ihr werbet	ihr würbet	ihr würdet werben
sie werben	sie würben	sie würden werben

PAST I	PAST II	**IMPERATIVE**
ich habe geworben	ich hätte geworben	wirb!
du habest geworben	du hättest geworben	werbt!
er habe geworben	er hätte geworben	werben Sie!
wir haben geworben	wir hätten geworben	werben wir!
ihr habet geworben	ihr hättet geworben	
sie haben geworben	sie hätten geworben	

INDICATIVE

PRESENT
ich werde
du wirst
er wird
wir werden
ihr werdet
sie werden

FUTURE
ich werde werden
du wirst werden
er wird werden
wir werden werden
ihr werdet werden
sie werden werden

PAST
ich wurde
du wurdest
er wurde
wir wurden
ihr wurdet
sie wurden

PRESENT PERFECT
ich bin geworden
du bist geworden
er ist geworden
wir sind geworden
ihr seid geworden
sie sind geworden

PAST PERFECT
ich war geworden
du warst geworden
er war geworden
wir waren geworden
ihr wart geworden
sie waren geworden

PRESENT INFINITIVE
werden

PAST INFINITIVE
geworden sein

FUTURE PERFECT
ich werde geworden sein
du wirst geworden sein
er wird geworden sein
wir werden geworden sein
ihr werdet geworden sein
sie werden geworden sein

PRESENT PARTICIPLE
werdend

PAST PARTICIPLE
geworden

SUBJUNCTIVE

PRESENT I
ich werde
du werdest
er werde
wir werden
ihr werdet
sie werden

PRESENT II
ich würde
du würdest
er würde
wir würden
ihr würdet
sie würden

PRESENT CONDITIONAL
ich würde werden
du würdest werden
er würde werden
wir würden werden
ihr würdet werden
sie würden werden

PAST I
ich sei geworden
du sei(e)st geworden
er sei geworden
wir seien geworden
ihr seiet geworden
sie seien geworden

PAST II
ich wäre geworden
du wär(e)st geworden
er wäre geworden
wir wären geworden
ihr wär(e)t geworden
sie wären geworden

IMPERATIVE
werde!
werdet!
werden Sie!
werden wir!

NOTES

1 MEANING

to become

2 USAGE

a *intransitive verb:*

er möchte Lehrer werden	he wants to become/be a teacher
sie wird Ärztin	she's going to be a doctor
du wirst bald wieder gesund	you'll soon get well again
es wird kalt	it's getting cold
ich werde müde	I'm getting tired
es wird schön	it's (the weather) turning out nice

b *intransitive verb:*

Used to form the passive mood (past participle **worden**):

das Essen wurde zurückgeschickt	the food was sent back
er ist befördert worden	he has been promoted

c *intransitive verb:*

Used to form the future tense:

wir werden uns am Bahnhof treffen	we'll meet at the train station
die Regierung wird die Steuern erhöhen	the government will increase taxes

d **würde** + *infinitive* is one way of forming the conditional:

ich würde das nicht tun	I wouldn't do that
wenn er mir nur helfen würde	if only he would help me

3 PHRASES AND IDIOMS

mir wird schlecht	I feel sick
was soll aus ihm noch werden?	what is to become of him?
es wird nicht dazu kommen	it won't come to that
wird's bald?	how much longer are you going to be?, get a move on!

WERFEN to throw

INDICATIVE

PRESENT	FUTURE	PAST
ich werfe	ich werde werfen	ich warf
du wirfst	du wirst werfen	du warfst
er wirft	er wird werfen	er warf
wir werfen	wir werden werfen	wir warfen
ihr werft	ihr werdet werfen	ihr warft
sie werfen	sie werden werfen	sie warfen

PRESENT PERFECT	PAST PERFECT	
ich habe geworfen	ich hatte geworfen	*PRESENT INFINITIVE*
du hast geworfen	du hattest geworfen	werfen
er hat geworfen	er hatte geworfen	
wir haben geworfen	wir hatten geworfen	*PAST INFINITIVE*
ihr habt geworfen	ihr hattet geworfen	
sie haben geworfen	sie hatten geworfen	geworfen haben

FUTURE PERFECT		
ich werde geworfen haben		*PRESENT PARTICIPLE*
du wirst geworfen haben		werfend
er wird geworfen haben		
wir werden geworfen haben		*PAST PARTICIPLE*
ihr werdet geworfen haben		
sie werden geworfen haben		geworfen

SUBJUNCTIVE

PRESENT I	PRESENT II	*PRESENT CONDITIONAL*
ich werfe	ich würfe	ich würde werfen
du werfest	du würfest	du würdest werfen
er werfe	er würfe	er würde werfen
wir werfen	wir würfen	wir würden werfen
ihr werfet	ihr würfet	ihr würdet werfen
sie werfen	sie würfen	sie würden werfen

PAST I	PAST II	*IMPERATIVE*
ich habe geworfen	ich hätte geworfen	wirf!
du habest geworfen	du hättest geworfen	werft!
er habe geworfen	er hätte geworfen	werfen Sie!
wir haben geworfen	wir hätten geworfen	werfen wir!
ihr habet geworfen	ihr hättet geworfen	
sie haben geworfen	sie hätten geworfen	

WIEGEN to weigh

INDICATIVE

PRESENT	FUTURE	PAST
ich wiege	ich werde wiegen	ich wog
du wiegst	du wirst wiegen	du wogst
er wiegt	er wird wiegen	er wog
wir wiegen	wir werden wiegen	wir wogen
ihr wiegt	ihr werdet wiegen	ihr wogt
sie wiegen	sie werden wiegen	sie wogen

PRESENT PERFECT	PAST PERFECT	
ich habe gewogen	ich hatte gewogen	**PRESENT INFINITIVE**
du hast gewogen	du hattest gewogen	wiegen
er hat gewogen	er hatte gewogen	
wir haben gewogen	wir hatten gewogen	**PAST INFINITIVE**
ihr habt gewogen	ihr hattet gewogen	gewogen haben
sie haben gewogen	sie hatten gewogen	

FUTURE PERFECT	
ich werde gewogen haben	**PRESENT PARTICIPLE**
du wirst gewogen haben	wiegend
er wird gewogen haben	
wir werden gewogen haben	**PAST PARTICIPLE**
ihr werdet gewogen haben	gewogen
sie werden gewogen haben	

SUBJUNCTIVE

PRESENT I	PRESENT II	PRESENT CONDITIONAL
ich wiege	ich wöge	ich würde wiegen
du wiegest	du wögest	du würdest wiegen
er wiege	er wöge	er würde wiegen
wir wiegen	wir wögen	wir würden wiegen
ihr wieget	ihr wöget	ihr würdet wiegen
sie wiegen	sie wögen	sie würden wiegen

PAST I	PAST II	IMPERATIVE
ich habe gewogen	ich hätte gewogen	wieg(e)!
du habest gewogen	du hättest gewogen	wiegt!
er habe gewogen	er hätte gewogen	wiegen Sie!
wir haben gewogen	wir hätten gewogen	wiegen wir!
ihr habet gewogen	ihr hättet gewogen	
sie haben gewogen	sie hätten gewogen	

INDICATIVE

PRESENT	FUTURE	PAST
ich winde	ich werde winden	ich wand
du windest	du wirst winden	du wandest
er windet	er wird winden	er wand
wir winden	wir werden winden	wir wanden
ihr windet	ihr werdet winden	ihr wandet
sie winden	sie werden winden	sie wanden

PRESENT PERFECT	PAST PERFECT	
ich habe gewunden	ich hatte gewunden	*PRESENT*
du hast gewunden	du hattest gewunden	*INFINITIVE*
er hat gewunden	er hatte gewunden	winden
wir haben gewunden	wir hatten gewunden	*PAST*
ihr habt gewunden	ihr hattet gewunden	*INFINITIVE*
sie haben gewunden	sie hatten gewunden	gewunden haben

FUTURE PERFECT		
ich werde gewunden haben		*PRESENT*
du wirst gewunden haben		*PARTICIPLE*
er wird gewunden haben		windend
wir werden gewunden haben		
ihr werdet gewunden haben		*PAST*
sie werden gewunden haben		*PARTICIPLE*
		gewunden

SUBJUNCTIVE

PRESENT I	PRESENT II	*PRESENT* *CONDITIONAL*
ich winde	ich wände	ich würde winden
du windest	du wändest	du würdest winden
er winde	er wände	er würde winden
wir winden	wir wänden	wir würden winden
ihr windet	ihr wändet	ihr würdet winden
sie winden	sie wänden	sie würden winden

PAST I	PAST II	*IMPERATIVE*
ich habe gewunden	ich hätte gewunden	wind(e)!
du habest gewunden	du hättest gewunden	windet!
er habe gewunden	er hätte gewunden	winden Sie!
wir haben gewunden	wir hätten gewunden	winden wir!
ihr habet gewunden	ihr hättet gewunden	
sie haben gewunden	sie hätten gewunden	

WINKEN to wave

19.

INDICATIVE

PRESENT	FUTURE	PAST
ich winke	ich werde winken	ich winkte
du winkst	du wirst winken	du winktest
er winkt	er wird winken	er winkte
wir winken	wir werden winken	wir winkten
ihr winkt	ihr werdet winken	ihr winktet
sie winken	sie werden winken	sie winkten

PRESENT PERFECT	PAST PERFECT	
ich habe gewinkt	ich hatte gewinkt	**PRESENT INFINITIVE**
du hast gewinkt	du hattest gewinkt	winken
er hat gewinkt	er hatte gewinkt	
wir haben gewinkt	wir hatten gewinkt	**PAST INFINITIVE**
ihr habt gewinkt	ihr hattet gewinkt	
sie haben gewinkt	sie hatten gewinkt	gewinkt haben

FUTURE PERFECT		
ich werde gewinkt haben		**PRESENT PARTICIPLE**
du wirst gewinkt haben		winkend
er wird gewinkt haben		
wir werden gewinkt haben		**PAST PARTICIPLE**
ihr werdet gewinkt haben		
sie werden gewinkt haben		gewinkt

SUBJUNCTIVE

PRESENT I	PRESENT II	PRESENT CONDITIONAL
ich winke	ich winkte	ich würde winken
du winkest	du winktest	du würdest winken
er winke	er winkte	er würde winken
wir winken	wir winkten	wir würden winken
ihr winket	ihr winktet	ihr würdet winken
sie winken	sie winkten	sie würden winken

PAST I	PAST II	IMPERATIVE
ich habe gewinkt	ich hätte gewinkt	wink(e)!
du habest gewinkt	du hättest gewinkt	winkt!
er habe gewinkt	er hätte gewinkt	winken Sie!
wir haben gewinkt	wir hätten gewinkt	winken wir!
ihr habet gewinkt	ihr hättet gewinkt	
sie haben gewinkt	sie hätten gewinkt	

Note: Past Participle also **gewunken** (dialect)

INDICATIVE

PRESENT	**FUTURE**	**PAST**
ich weiß	ich werde wissen	ich wußte
du weißt	du wirst wissen	du wußtest
er weiß	er wird wissen	er wußte
wir wissen	wir werden wissen	wir wußten
ihr wißt	ihr werdet wissen	ihr wußtet
sie wissen	sie werden wissen	sie wußten

PRESENT PERFECT	**PAST PERFECT**	
ich habe gewußt	ich hatte gewußt	**PRESENT INFINITIVE**
du hast gewußt	du hattest gewußt	wissen
er hat gewußt	er hatte gewußt	
wir haben gewußt	wir hatten gewußt	**PAST INFINITIVE**
ihr habt gewußt	ihr hattet gewußt	gewußt haben
sie haben gewußt	sie hatten gewußt	

FUTURE PERFECT		
ich werde gewußt haben		**PRESENT PARTICIPLE**
du wirst gewußt haben		wissend
er wird gewußt haben		
wir werden gewußt haben		**PAST PARTICIPLE**
ihr werdet gewußt haben		gewußt
sie werden gewußt haben		

SUBJUNCTIVE

PRESENT I	**PRESENT II**	**PRESENT CONDITIONAL**
ich wisse	ich wüßte	ich würde wissen
du wissest	du wüßtest	du würdest wissen
er wisse	er wüßte	er würde wissen
wir wissen	wir wüßten	wir würden wissen
ihr wisset	ihr wüßtet	ihr würdet wissen
sie wissen	sie wüßten	sie würden wissen

PAST I	**PAST II**	**IMPERATIVE**
ich habe gewußt	ich hätte gewußt	wisse!
du habest gewußt	du hättest gewußt	wißt/wisset!
er habe gewußt	er hätte gewußt	wissen Sie!
wir haben gewußt	wir hätten gewußt	wissen wir!
ihr habet gewußt	ihr hättet gewußt	
sie haben gewußt	sie hätten gewußt	

NOTES

1   MEANING

to know *(something factual)*

2   USAGE

a *transitive verb:*

ich weiß es nicht	I don't know
hast du das gewußt?	did you know that?
weißt du, wo wir sind?	do you know where we are?
ich weiß von den/um die Schwierigkeiten	I know about the difficulties
wenn ich das wüßte	if I knew that
wenn ich das nur gewußt hätte!	if only I had known that!
allwissend	all-knowing, omniscient

b *reflexive verb:*

ich weiß mir keinen Rat	I'm at a loss

3   PHRASES AND IDIOMS

soviel ich weiß	as far as I know ...
was weißt du denn davon?	what do you know about that?
woher soll ich das wissen?	how should I know?
nicht, daß ich wüßte	not that I know of
er weiß zu leben	he knows how to have a good time
er weiß Bescheid	he knows what to do, he knows what it's all about
ich will von ihm nichts wissen	I don't want to know about him
ich will sie glücklich wissen	I want to see her happy
was ich nicht weiß, macht mich nicht heiß!	what the eye doesn't see the heart doesn't grieve over
er weiß den Teufel davon!	he knows damn all about it!
weiß Gott!	God only knows!
gewußt wie!	there's a knack!

INDICATIVE

PRESENT	FUTURE	PAST
ich will	ich werde wollen	ich wollte
du willst	du wirst wollen	du wolltest
er will	er wird wollen	er wollte
wir wollen	wir werden wollen	wir wollten
ihr wollt	ihr werdet wollen	ihr wolltet
sie wollen	sie werden wollen	sie wollten

PRESENT PERFECT	PAST PERFECT	PRESENT INFINITIVE
ich habe gewollt	ich hatte gewollt	wollen
du hast gewollt	du hattest gewollt	
er hat gewollt	er hatte gewollt	PAST INFINITIVE
wir haben gewollt	wir hatten gewollt	gewollt haben
ihr habt gewollt	ihr hattet gewollt	
sie haben gewollt	sie hatten gewollt	

FUTURE PERFECT

PRESENT PARTICIPLE
wollend

PAST PARTICIPLE
gewollt

SUBJUNCTIVE

PRESENT I	PRESENT II	PRESENT CONDITIONAL
ich wolle	ich wollte	ich würde wollen
du wollest	du wolltest	du würdest wollen
er wolle	er wollte	er würde wollen
wir wollen	wir wollten	wir würden wollen
ihr wollet	ihr wolltet	ihr würdet wollen
sie wollen	sie wollten	sie würden wollen

PAST I	PAST II	IMPERATIVE
ich habe gewollt	ich hätte gewollt	wolle!
du habest gewollt	du hättest gewollt	wollt!
er habe gewollt	er hätte gewollt	wollen Sie!
wir haben gewollt	wir hätten gewollt	wollen wir!
ihr habet gewollt	ihr hättet gewollt	
sie haben gewollt	sie hätten gewollt	

NOTES

1 MEANING

to want

2 USAGE

a *transitive/intransitive verb* (past participle **gewollt**):

Often **wollen** can be used on its own if the verb omitted can be inferred:

wohin willst du?	where do you want to go?
was wollen wir jetzt?	what do we want to do now?
er wollte keine Hilfe	he didn't want any help
er will, daß ich mitkomme	he wants me to come with him

b *modal verb* (past participle **wollen**):

er wollte nicht bleiben	he didn't want to stay
ich will bis morgen Antwort haben	I want a reply by tomorrow
ich will mir einen neuen Wagen kaufen	I want to buy a new car
willst du mitkommen?	do you want to come with me/us?
du wolltest dein Zimmer aufräumen	you were going to tidy your room up
ich habe das Zimmer anstreichen wollen	I wanted to paint the room

The present subjunctive II is often used in a conditional expression:

ich wollte (or wünschte), ich könnte den Ring finden	I wish I could find the ring
ich wollte, er würde bald kommen	I wish he would come soon

3 PHRASES AND IDIOMS

was willst du von mir?	what do you want of me?
er will Künstler gewesen sein	he claims he was an artist
keiner will es getan haben	no one admits to having done it
gerade das will ich!	that's just what I do want!

INDICATIVE

PRESENT	FUTURE	PAST
ich wringe	ich werde wringen	ich wrang
du wringst	du wirst wringen	du wrangst
er wringt	er wird wringen	er wrang
wir wringen	wir werden wringen	wir wrangen
ihr wringt	ihr werdet wringen	ihr wrangt
sie wringen	sie werden wringen	sie wrangen

PRESENT PERFECT	PAST PERFECT	
ich habe gewrungen	ich hatte gewrungen	*PRESENT*
du hast gewrungen	du hattest gewrungen	*INFINITIVE*
er hat gewrungen	er hatte gewrungen	wringen
wir haben gewrungen	wir hatten gewrungen	
ihr habt gewrungen	ihr hattet gewrungen	*PAST*
sie haben gewrungen	sie hatten gewrungen	*INFINITIVE*
		gewrungen haben

FUTURE PERFECT

ich werde gewrungen haben
du wirst gewrungen haben
er wird gewrungen haben
wir werden gewrungen haben
ihr werdet gewrungen haben
sie werden gewrungen haben

PRESENT
PARTICIPLE
wringend

PAST
PARTICIPLE
gewrungen

SUBJUNCTIVE

PRESENT I	PRESENT II	PRESENT CONDITIONAL
ich wringe	ich wränge	ich würde wringen
du wringest	du wrängest	du würdest wringen
er wringe	er wränge	er würde wringen
wir wringen	wir wrängen	wir würden wringen
ihr wringet	ihr wränget	ihr würdet wringen
sie wringen	sie wrängen	sie würden wringen

PAST I	PAST II	*IMPERATIVE*
ich habe gewrungen	ich hätte gewrungen	wring(e)!
du habest gewrungen	du hättest gewrungen	wringt!
er habe gewrungen	er hätte gewrungen	wringen Sie!
wir haben gewrungen	wir hätten gewrungen	wringen wir!
ihr habet gewrungen	ihr hättet gewrungen	
sie haben gewrungen	sie hätten gewrungen	

INDICATIVE

PRESENT	FUTURE	PAST
ich zeichne	ich werde zeichnen	ich zeichnete
du zeichnest	du wirst zeichnen	du zeichnetest
er zeichnet	er wird zeichnen	er zeichnete
wir zeichnen	wir werden zeichnen	wir zeichneten
ihr zeichnet	ihr werdet zeichnen	ihr zeichnetet
sie zeichnen	sie werden zeichnen	sie zeichneten

PRESENT PERFECT	PAST PERFECT	PRESENT INFINITIVE
ich habe gezeichnet	ich hatte gezeichnet	zeichnen
du hast gezeichnet	du hattest gezeichnet	
er hat gezeichnet	er hatte gezeichnet	PAST INFINITIVE
wir haben gezeichnet	wir hatten gezeichnet	
ihr habt gezeichnet	ihr hattet gezeichnet	gezeichnet haben
sie haben gezeichnet	sie hatten gezeichnet	

FUTURE PERFECT	PRESENT PARTICIPLE
ich werde gezeichnet haben	zeichnend
du wirst gezeichnet haben	
er wird gezeichnet haben	PAST PARTICIPLE
wir werden gezeichnet haben	
ihr werdet gezeichnet haben	gezeichnet
sie werden gezeichnet haben	

SUBJUNCTIVE

PRESENT I	PRESENT II	PRESENT CONDITIONAL
ich zeichne	ich zeichnete	ich würde zeichnen
du zeichnest	du zeichnetest	du würdest zeichnen
er zeichne	er zeichnete	er würde zeichnen
wir zeichnen	wir zeichneten	wir würden zeichnen
ihr zeichnet	ihr zeichnetet	ihr würdet zeichnen
sie zeichnen	sie zeichneten	sie würden zeichnen

PAST I	PAST II	IMPERATIVE
ich habe gezeichnet	ich hätte gezeichnet	zeichne!
du habest gezeichnet	du hättest gezeichnet	zeichnet!
er habe gezeichnet	er hätte gezeichnet	zeichnen Sie!
wir haben gezeichnet	wir hätten gezeichnet	zeichnen wir!
ihr habet gezeichnet	ihr hättet gezeichnet	
sie haben gezeichnet	sie hätten gezeichnet	

INDICATIVE

PRESENT
ich zerstöre
du zerstörst
er zerstört
wir zerstören
ihr zerstört
sie zerstören

FUTURE
ich werde zerstören
du wirst zerstören
er wird zerstören
wir werden zerstören
ihr werdet zerstören
sie werden zerstören

PAST
ich zerstörte
du zerstörtest
er zerstörte
wir zerstörten
ihr zerstörtet
sie zerstörten

PRESENT PERFECT
ich habe zerstört
du hast zerstört
er hat zerstört
wir haben zerstört
ihr habt zerstört
sie haben zerstört

PAST PERFECT
ich hatte zerstört
du hattest zerstört
er hatte zerstört
wir hatten zerstört
ihr hattet zerstört
sie hatten zerstört

PRESENT INFINITIVE
zerstören

PAST INFINITIVE
zerstört haben

FUTURE PERFECT
ich werde zerstört haben
du wirst zerstört haben
er wird zerstört haben
wir werden zerstört haben
ihr werdet zerstört haben
sie werden zerstört haben

PRESENT PARTICIPLE
zerstörend

PAST PARTICIPLE
zerstört

SUBJUNCTIVE

PRESENT I
ich zerstöre
du zerstörest
er zerstöre
wir zerstören
ihr zerstöret
sie zerstören

PRESENT II
ich zerstörte
du zerstörtest
er zerstörte
wir zerstörten
ihr zerstörtet
sie zerstörten

PRESENT CONDITIONAL
ich würde zerstören
du würdest zerstören
er würde zerstören
wir würden zerstören
ihr würdet zerstören
sie würden zerstören

PAST I
ich habe zerstört
du habest zerstört
er habe zerstört
wir haben zerstört
ihr habet zerstört
sie haben zerstört

PAST II
ich hätte zerstört
du hättest zerstört
er hätte zerstört
wir hätten zerstört
ihr hättet zerstört
sie hätten zerstört

IMPERATIVE
zerstör(e)!
zerstört!
zerstören Sie!
zerstören wir!

ZIEHEN to pull

INDICATIVE

PRESENT	FUTURE	PAST
ich ziehe	ich werde ziehen	ich zog
du ziehst	du wirst ziehen	du zogst
er zieht	er wird ziehen	er zog
wir ziehen	wir werden ziehen	wir zogen
ihr zieht	ihr werdet ziehen	ihr zogt
sie ziehen	sie werden ziehen	sie zogen

PRESENT PERFECT	PAST PERFECT	
ich habe gezogen	ich hatte gezogen	**PRESENT INFINITIVE**
du hast gezogen	du hattest gezogen	ziehen
er hat gezogen	er hatte gezogen	
wir haben gezogen	wir hatten gezogen	**PAST INFINITIVE**
ihr habt gezogen	ihr hattet gezogen	gezogen haben
sie haben gezogen	sie hatten gezogen	

FUTURE PERFECT

ich werde gezogen haben
du wirst gezogen haben
er wird gezogen haben
wir werden gezogen haben
ihr werdet gezogen haben
sie werden gezogen haben

PRESENT PARTICIPLE
ziehend

PAST PARTICIPLE
gezogen

SUBJUNCTIVE

PRESENT I	PRESENT II	PRESENT CONDITIONAL
ich ziehe	ich zöge	ich würde ziehen
du ziehest	du zögest	du würdest ziehen
er ziehe	er zöge	er würde ziehen
wir ziehen	wir zögen	wir würden ziehen
ihr ziehet	ihr zöget	ihr würdet ziehen
sie ziehen	sie zögen	sie würden ziehen

PAST I	PAST II	IMPERATIVE
ich habe gezogen	ich hätte gezogen	zieh(e)!
du habest gezogen	du hättest gezogen	zieht!
er habe gezogen	er hätte gezogen	ziehen Sie!
wir haben gezogen	wir hätten gezogen	ziehen wir!
ihr habet gezogen	ihr hättet gezogen	
sie haben gezogen	sie hätten gezogen	

INDICATIVE

PRESENT	FUTURE	PAST
ich zwinge	ich werde zwingen	ich zwang
du zwingst	du wirst zwingen	du zwangst
er zwingt	er wird zwingen	er zwang
wir zwingen	wir werden zwingen	wir zwangen
ihr zwingt	ihr werdet zwingen	ihr zwangt
sie zwingen	sie werden zwingen	sie zwangen

PRESENT PERFECT	PAST PERFECT	
ich habe gezwungen	ich hatte gezwungen	**PRESENT INFINITIVE**
du hast gezwungen	du hattest gezwungen	zwingen
er hat gezwungen	er hatte gezwungen	
wir haben gezwungen	wir hatten gezwungen	**PAST INFINITIVE**
ihr habt gezwungen	ihr hattet gezwungen	gezwungen haben
sie haben gezwungen	sie hatten gezwungen	

FUTURE PERFECT

ich werde gezwungen haben
du wirst gezwungen haben
er wird gezwungen haben
wir werden gezwungen haben
ihr werdet gezwungen haben
sie werden gezwungen haben

PRESENT PARTICIPLE

zwingend

PAST PARTICIPLE

gezwungen

SUBJUNCTIVE

PRESENT I	PRESENT II	PRESENT CONDITIONAL
ich zwinge	ich zwänge	ich würde zwingen
du zwingest	du zwängest	du würdest zwingen
er zwinge	er zwänge	er würde zwingen
wir zwingen	wir zwängen	wir würden zwingen
ihr zwinget	ihr zwänget	ihr würdet zwingen
sie zwingen	sie zwängen	sie würden zwingen

PAST I	PAST II	IMPERATIVE
ich habe gezwungen	ich hätte gezwungen	zwing(e)!
du habest gezwungen	du hättest gezwungen	zwingt!
er habe gezwungen	er hätte gezwungen	zwingen Sie!
wir haben gezwungen	wir hätten gezwungen	zwingen wir!
ihr habet gezwungen	ihr hättet gezwungen	
sie haben gezwungen	sie hätten gezwungen	

INDEX

1   The verbs that do not appear in full in the tables are numbered to refer the reader to the corresponding conjugation table.

2   The verbs highlighted in bold and italic are conjugated in full in the verb tables.

3   + denotes a separable verb

4   [n] indicates that the verb table is accompanied by notes on grammar and usage for the verb in question

5   * Shows that the verb in question does not form its past participle with "**ge-**", unlike the verb in the table to which it is referred.

6   (+dat) indicates that the verb takes an object in the dative case.

7   The second number in brackets after some verbs indicates that the reflexive pronouns are as in this table, but that the verb *conjugates* as the first verb referred to.

8   [s] - the verb takes sein, unlike the table it is referred to.

9   [h] - the verb takes haben, unlike the table it is referred to.

an+kleben 1	aß, äße see essen
an+kleiden 186	atmen 201
an+klopfen 1	auf+bauen 1
an+knüpfen 1	auf+bewahren 95
an+kommen 79	auf+brechen 17
an+kündigen 1	auf+drehen 1
an+lassen 83	auf+fallen (+dat) 33
an+lasten 186	auf+fangen 34
an+legen 1	auf+fassen 35
an+lehnen 1	auf+fordern 88
an+leiten 186	auf+führen 1
an+machen 1	auf+geben 46
an+melden (sich) 186	aufgebrochen see aufbrechen
an+nähen 1	aufgegangen see aufgehen
an+nehmen 98	auf+gehen 49
an+ordnen 201	aufgehoben see aufheben
an+passen 35	aufgenommen see aufnehmen
an+probieren 166	aufgeschlossen see aufschließen
an+regen 1	aufgestanden see aufstehen
an+richten 186	aufgewesen see aufsein
an+rufen 111	auf+halten 67
an+schalten 186	auf+hängen 69
an+schließen 127	auf+heben 71
an+sehen 141	auf+hören 1
an+sein 142	auf+klären 1
an+setzen 1	auf+kleben 1
an+spannen 1	auf+lesen 87
an+spielen 1	auf+lösen 1
an+spornen 1	auf+machen 1
an+starren 1	auf+muntern 88
an+stecken 1	auf+nehmen 98
an+steigen 160	auf+passen 35
an+stoßen 163	auf+räumen 1
an+strengen (sich) 1	auf+regen (sich) 1
an+treten 171	auf+sagen 1
antworten 186	auf+schlagen 124
an+vertrauen 95	auf+schließen 127
an+wenden 191	auf+sein 142
an+zeigen 1	auf+setzen 1
an+ziehen 203	auf+spannen 1
an+zünden 186	auf+stehen 158
appellieren 166	*auf+stellen 1*
arbeiten 186	auf+treten 171
ärgern (sich) 88	auf+wachen 1

auf+wärmen 1
auf+wecken 1
aus+bessern 88
aus+bilden 186
aus+brechen 17
aus+breiten 186
aus+dehnen 1
aus+drücken 1
auseinander+nehmen 98
aus+fallen 33
aus+fragen 1
aus+führen 1
aus+füllen 1
aus+geben 46
ausgebrochen see ausbrechen
ausgegangen see ausgehen
aus+gehen 49
ausgekannt see auskennen
ausgeliehen see ausleihen
ausgerissen see ausreißen
ausgesprochen see aussprechen
ausgestiegen see aussteigen
ausgestorben see aussterben
ausgewesen see aussein
ausgewichen see ausweichen
ausgezogen see ausziehen
aus+halten 67
aus+holen 1
aus+kennen, sich 74
aus+kommen 79
aus+lachen 1
aus+leihen 86
aus+löschen 1
aus+machen 1
aus+merzen 1
aus+packen 1
aus+probieren 166
aus+reichen 1
aus+reißen 105
aus+rufen 111
aus+ruhen, sich 1
aus+schütten 186
aus+schalten 186
aus+schlafen (sich) 123

aus+sehen 141
aus+sein 142
äußern 88
aus+spannen 1
aus+sprechen 153
aus+steigen 160
aus+sterben 161
aus+stoßen 163
aus+strecken (sich) 1
aus+üben 1
aus+wählen 1
aus+weichen (+dat) 189
aus+ziehen 203

B

***backen* 2**
bäckst, bäckt see backen
baden 186
band, bände see binden
bändigen 59
bangen 197
barg, bärge see bergen
barst, bärste see bersten
basieren 166
basteln 68
bat, bäte see bitten
bauen 59
baumeln 68
beabsichtigen 95
beachten 95
beantworten 95
beauftragen 95
beben 59
bedanken, sich 95
bedauern 88 *
bedecken 95
bedenken 21 *
bedeuten 95
bedienen (sich) 3
bedingen 95
bedrohen 95
bedürfen 24 *
beeilen (sich) 116 *

beeinträchtigen 95
beenden 186 *
befahl, befähle see befehlen
befassen, sich 35 *
befehlen 4
befestigen 95
befinden (sich) 37 *
befÖhle, befohlen see befehlen
befördern 88 *
befragen 59 *
befreien 95
befriedigen 95
befruchten 186 *
befunden see befinden
befürchten 186 *
befürworten 186 *
begangen see begehen
begann, begänne see beginnen
begeben, sich 46 *
begegnen 201 *
begehen 49 *
begeistern 88 *
beginnen 5
begleiten 186 *
beglückwünschen 95
begnadigen 95
begnügen, sich 95
begonnen see beginnen
begraben 63 *
begreifen 64 *
begriffen see begreifen
begründen 186 *
begrüßen 20 *
begutachten 186 *
behalten 67 *
behandeln 68 *
beharren 95
behaupten 186 *
behelfen, sich 73 *
beherrschen 95
behindern 88 *
beholfen see behelfen
behüten 186 *
bei+bringen 19

beichten 186
bei+fügen 1
beigebracht see beibringen
beigetragen see beitragen
bei+setzen 1
beißen 6
bei+tragen 167
bei+treten (+dat) 171
bejahen 95
bekam, bekäme see bekommen
bekämpfen 95
bekannt+geben 46
bekannt+machen 1
beklagen (sich) 95
bekleiden 186 *
bekommen 79 * [h]
beladen 82 *
belasten 186 *
belästigen 95
beleben 59 *
belegen 95
belehren 95
beleidigen 95
beleuchten 186 *
belichten 186 *
bellen 197
belohnen 95
belustigen (sich) 95
bemerken 95
bemitleiden 186 *
bemühen (sich) 95
benachrichtigen 95
benachteiligen 95
benannt see benennen
benehmen 98 *
beneiden 186 *
benennen 99 *
benommen see benehmen
benötigen 95
benutzen 95
beobachten 186 *
beraten 103 *
bereuen 95
bergen 7

berichtigen 197 *
berichten 186 *
bersten 8
berücksichtigen 95
berufen (sich) 111 *
beruhen 95
beruhigen (sich) 95
berühren 95
besann, besänne, besannen see besinnen
beschädigen 95
beschäftigen (sich) 95
bescheinigen 95
beschleunigen 95
beschließen 127 *
beschlossen see beschließen
beschmutzen 95
beschränken (sich) 95
beschreiben 132 *
beschrieben see beschreiben
beschuldigen 95
beschützen 95
beschweren (sich) 95
beschwichtigen 95
beseitigen 95
besessen see besitzen
besetzen 95
besichtigen 95
besiedeln 68 *
besiegen 95
besinnen, sich 147 *
besitzen 148 *
besonnen see besinnen
besorgen (sich *dat*) 95 (182) *
besprechen 153 *
bestanden see bestehen
bestärken 95
bestätigen 95
bestechen 156 *
bestehen 158 *
bestellen 95
bestimmen 95
bestochen see bestechen
bestrafen 95

bestreiten 165 *
bestritten see bestreiten
besuchen 95
betätigen 95
betäuben 95
beteiligen (sich) 95
beten 186
betonen 95
betreten 186 *
betrinken, sich 172 *
betrogen see betrügen
betrügen 173 *
betrunken see betrinken
betteln 68
beugen 59
beunruhigen 95
beurteilen 95
bevor+stehen 158
bevorzugen 95
bewachen 95
bewahren 95
bewähren (sich) 95
bewegen (sich) 9
beweisen 190 *
bewerben, sich 192 *
bewies, bewiesen see beweisen
bewirken 95
bewog, bewöge see bewegen
bewohnen 95
beworben see bewerben
bewundern 88 *
bezahlen 95
bezeichnen 201 *
beziehen (sich) 203 *
bezogen see beziehen
bezweifeln 68 *
biegen 10
bieten 11
bilden 186
billigen 59
bin see sein
binden 12
birg, birgt see bergen
birst see bersten

biß, bissen see beißen
bist see sein
bitten *13*
blamieren (sich) 166
blasen *14*
bläst see blasen
blättern 88
bleiben *15*
blicken 197
blieb see bleiben
blies see blasen
blinzeln 68
blitzen 197
blühen 59
bluten 186
bog, böge see biegen
bohren 59
bombardieren 166
borgen (sich) 59
bot, böte see bieten
boxen 197
brach, bräche see brechen
brachte, brächte see bringen
brannte see brennen
brät, brätst see braten
braten *16*
brauchen 75
brauen 59
bräunen 59
brechen *17*
bremsen 59
brennen *18*
brich, bricht see brechen
briet see braten
bringen *19*
brüllen 197
brüten 186
buchen 75
buchstabieren 166
bücken, sich 197
bügeln 68
buk, buken see backen
bürsten 186
büßen *20*

C

campen 197
charakterisieren 166

D

dachte, dächte see denken
dagestanden see dastehen
dagewesen see dasein
dämmern 88
dampfen 197
dämpfen 197
danken (+*dat*) 197
darf, darfst see dürfen
dar+legen 1
dar+stellen 1
da+sein 142
da+stehen 158
datieren 166
dauern 88
davon+laufen 84
debattieren 166
decken 197
dehnen 59
demütigen 59
denken *21*
deuten 186
dichten 186
dienen (+*dat*) 59
diktieren 166
dirigieren 166
diskutieren 166
dividieren 166
drang, dränge see dringen
drängen 59
drehen 59
dreschen *22*
dringen *23*
drisch see dreschen
drohen 59
drosch, drösche see dreschen
drosseln 68
drucken 197

drücken 197
duften 186
dulden 186
düngen 59
dünsten 186
durch+führen I
durch+lassen 83
durch+lesen 87
durchqueren 95
durchsuchen 95
dürfen 24 [n]
durfte see dürfen
duschen 197
duzen 25

E

eignen, sich 201
eilen 59 [h/s]
ein+bauen I
ein+bilden 186
ein+brechen 17
ein+fallen 33 *(+ dat)*
ein+flößen I
ein+führen I
ein+geben 46
eingebrochen see einbrechen
eingegangen see eingehen
eingegriffen see eingreifen
ein+gehen 49
eingenommem see einnehmen
eingeschritten see einschreiten
eingeworfen see einwerfen
eingezogen see einziehen
ein+greifen 64
ein+holen I
einigen, sich 59
ein+kaufen I
ein+laden 82
ein+lassen (sich) 83
ein+laufen 84
ein+lösen I
ein+nehmen 98
ein+packen I

ein+richten 186
ein+schalten 186
ein+schärfen I
ein+schenken I
ein+schlafen 123 [s]
ein+schlagen 124
ein+schränken I
ein+schreiben, sich 132
ein+schreiten 134
ein+sehen 141
ein+setzen (sich) I
ein+sperren I
ein+steigen 160
ein+stellen I
ein+stürzen 20
ein+teilen I
ein+treten 171
ein+weichen I
ein+weihen I
ein+werfen 194
ein+wickeln 68
ein+willigen I
ein+zahlen I
ein+ziehen 203
ekeln, sich 68
empfahl, empfähle see empfehlen
empfangen 34 *
empfehlen 26
empfiehlst, empfiehlt see empfehlen
empfinden 37 *
empföhle, empfohlen see empfehlen
empfunden see empfinden
empören (sich) 95 *
enden 186
entbinden 12 *
entbunden see entbinden
entdecken 95
entführen 95
entgangen see entgehen
entgegen+bringen 19
entgegen+halten 67
entgegnen 201 *
entgehen 49 *
entgelten 53 *

entgleisen 95 [s]
entgolten see entgelten
enthalten (sich) 67 *
entkommen (+dat) 79 *
entladen 82 *
entlassen 83 *
entlasten 186 *
entleihen 86 *
entliehen see entleihen
entlocken 95
entnehmen 98 *
entnommen see entnehmen
entreißen 105 *
entrissen see entreißen
entrüsten (sich) 186 *
entschädigen 95
entscheiden 117 *
entschied, entschieden see entscheiden
entschließen (sich) 127 *
entschuldigen (sich) 95
entsetzen 95
entsinnen, sich 147 *
entsonnen see entsinnen
entspannen 27
entstanden see entstehen
entstehen 158 * [s]
enttäuschen 95
entwerten 186 *
entwickeln (sich) 68 *
entziehen 203 *
entzogen see entziehen
entzücken 95
entzünden 186 *
erbarmen, sich 95 *
erbauen 95
erben 59 *
erblassen 35 * [s]
erblinden 201 *
erbrechen 17 *
ereignen, sich 201 *
erfahren 32 * [h]
erfassen 35 *
erfinden 37 *
erfordern 88 *

erforschen 95
erfreuen (sich) 95 *
erfrieren 44 * [s]
erfrischen 95
erfroren see erfrieren
erfüllen 95
erfunden see erfinden
ergeben (sich) 46 *
ergreifen 64 *
ergriffen see ergreifen
erhalten 67 *
erheben (sich) 71 *
erhellen (sich) 95 *
erhitzen 95
erhoben see erheben
erholen, sich 116
erinnern (sich) 88 (182)
erkälten, sich 186 *
erkannt see erkennen
erkennen 74 *
erklären 95
erklimmen 76 *
erklomm, erklömme see erklimmen
erklommen see erklimmen
erkranken 95 [s]
erkundigen, sich 116 *
erlangen 95
erlassen 83 *
erlauben 28
erläutern 88 *
erleben 59 *
erledigen 95
erleichtern 88 *
erleuchten 186 *
erlöschen 75 *
erlösen 95
ermächtigen 95
ermahnen 95
ermäßigen 95
ermöglichen 95
ermorden 186 *
ermüden 186 *
ermuntern 88 *
ermutigen 95

...nähren 95
rnannt see ernennen
ernennen 99 *
erneuern 88 *
ernten 186
erobern 88 *
erpressen 35 *
erregen 95
erreichen 95
errichten 186 *
erringen 109 *
erröten 186 *
errungen see erringen
erschaffen 114 *
erscheinen 118 *
erschießen 122 *
erschlagen 124 *
erschöpfen 95
erschossen see erschießen
erschrak, erschräke see erschrecken
erschrecken 29
erschrickst, erschrickt see erschrecken
erschrocken see erschrecken
erschüttern 88 *
erschweren 95
ersetzen 95
ersparen 95
erstaunen 95
erstechen 156 *
ersticken 95 [h/s]
erstochen see erstechen
erstrecken, sich 116 *
erteilen 95
ertragen 167 *
ertrinken 172 * [s]
ertrunken see ertrinken
erwachen 95 [s]
erwachsen 185 *
erwägen 30
erwähnen 95
erwärmen 95
erwarten 186 *
erweisen 190 *
erweitern 88 *

erwerben 192 *
erwidern 88 *
erwischen 95
erwog, erwöge, erwogen see erwägen
erworben see erwerben
erwürgen 95
erzählen 95
erzeugen 95
erziehen 203 *
erzielen 95
erzogen see erziehen
essen 31 [n]
eßt see essen
existieren 166
explodieren 166 [s]
exportieren 166

F

fachsimpeln 68
fahnden 186
fahren 32 [n]
fährst, fährt see fahren
fällen 197
fallen 33
fallen+lassen 83 *
fällst, fällt see fallen
fälschen 197
falten 186
fand, fände see finden
fangen 34
fängst, fängt see fangen
färben 59
fassen 35
fauchen 75
faulenzen 20
fechten 36
fegen 59
fehlen 59
feiern 88
feilschen 75
fern+sehen 141
fertig+machen 1
fesseln 68

ebraten see braten
gebrauchen 47
gebrochen see brechen
gebunden see binden
gedacht see denken, gedenken
gedeihen 48
gedenken 21 *
gedieh, gediehen see gedeihen
gedroschen see dreschen
gedrungen see dringen
gedulden, sich 186
gedurft see dürfen
gefährden 186
gefahren see fahren
gefallen 33 * [h] (+ dat)
gefallen see fallen, gefallen
gefangen see fangen
gefangen+nehmen 98
geflochten see flechten
geflogen see fliegen
geflohen see fliehen
geflossen see fließen
gefochten see fechten
gefressen see fressen
gefrieren 44 * [s]
gefroren see frieren, gefrieren
gefunden see finden
gegangen see gehen
gegeben see geben
gegessen see essen
geglichen see gleichen
geglitten see gleiten
gegolten see gelten
gegossen see gießen
gegraben see graben
gegriffen see greifen
gehalten see halten
gehangen see hängen
gehauen see hauen
geheißen see heißen
gehen 49 [n]
gehoben see heben
geholfen see helfen
gehorchen (+dat) 50

gehören (+dat) 95
gekannt see kennen
geklungen see klingen
gekniffen see kneifen
gekommen see kommen
gekonnt see können
gekrochen see kriechen
geladen see laden
gelang, gelänge see gelingen
gelangen 51 [s]
gelassen see lassen
gelaufen see laufen
gelegen see liegen
geleiten 186 *
gelesen see lesen
geliehen see leihen
gelingen 52
gelitten see leiden
gelogen see lügen
gelten 53
gelungen see gelingen
gemahlen see mahlen
gemessen see messen
gemieden see meiden
gemocht see mögen
gemußt see müssen
genannt see nennen
genas, genäse see genesen
genehmigen 95
genesen 54
genieren (sich) 166
genießen 55
genommen see nehmen
genoß, genösse see genießen
genossen see genießen
genügen 95
gepfiffen see pfeifen
gepriesen see preisen
gequollen see quellen
gerannt see rennen
gerät, gerätst see geraten
geraten¹ 103 * [s]
geraten² see raten, geraten¹
gerieben see reiben

geriet see geraten¹
gerinnen 110 *
gerissen see reißen
geritten see reiten
gerochen see riechen
geronnen see rinnen, gerinnen
gerufen see rufen
gerungen see ringen
gesandt see senden
geschaffen see schaffen
geschah, geschähe see geschehen
geschehen 56
geschieden see scheiden
geschienen see scheinen
geschlafen see schlafen
geschlagen see schlagen
geschlichen see schleichen
geschliffen see schleifen
geschlossen see schließen
geschlungen see schlingen
geschmissen see schmeißen
geschmolzen see schmelzen
geschnitten see schneiden
geschoben see schieben
geschollen see schallen
gescholten see schelten
geschoren see scheren
geschossen see schießen
geschrieben see schreiben
geschrie(e)n see schreien
geschritten see schreiten
geschwiegen see schweigen
geschwollen see schwellen
geschwommen see schwimmen
geschworen see schwören
geschwunden see schwinden
geschwungen see schwingen
gesehen see sehen
gesessen see sitzen
gesoffen see saufen
gesogen see saugen
gesonnen see sinnen
gespie(e)n see speien
gesponnen see spinnen

gesprochen see sprechen
gesprossen see sprießen
gesprungen see springen
gestand see gestehen
gestanden see stehen, gestehen
gestatten 186 *
gestehen 158 *
gestiegen see steigen
gestochen see stechen
gestohlen see stehlen
gestorben see sterben
gestoßen see stoßen
gestrichen see streichen
gestritten see streiten
gestunken see stinken
gesungen see singen
gesunken see sinken
getan see tun
getragen see tragen
getreten see treten
getrieben see treiben
getroffen see treffen
getrogen see trügen
getrunken see trinken
gewachsen see wachsen
gewähren 95
gewandt see wenden
gewann, gewänne see gewinnen
gewaschen see waschen
gewesen see sein
gewichen see weichen
gewiesen see weisen
gewinnen 57
gewoben see weben
gewogen see wiegen
gewöhnen 95
gewonnen see gewinnen
geworben see werben
geworden see werden
geworfen see werfen
gewrungen see wringen
gewunden see winden
gewußt see wissen
gezogen see ziehen

)	
gezwungen see zwingen	half, halfen see helfen
gib, gibst, gibt see geben	hallen 197
gießen 58	hält, hältst see halten
gilt, giltst see gelten	**halten 67 [n]**
ging, gingen see gehen	**handeln 68**
glänzen 20	handhaben 59
glasieren 166	**hängen 69**
glätten 186	hantieren 166
glauben 59	hassen 35
gleichen 60	hast see haben
gleiten 61	hat, hatte, hätte, hatten see haben
glich, glichen see gleichen	hauchen 75
gliedern 88	**hauen 70**
glimmen 62	häufen 197
glitt, glitten see gleiten	hausieren 166
glitzern 88	**heben 71**
glücken 197 [h/s]	heften 186
glühen 59	hegen 59
gölte see gelten	heilen 59
gönnen 59	heim+kehren 144
goß, gösse, gossen see gießen	heim+zahlen 144
graben 63	heiraten 186
gräbst, gräbt see graben	**heißen 72**
grämen, sich 59	heizen 20
gratulieren (+dat) 166	**helfen (+dat) 73**
greifen 64	hemmen 59
griff, griffen see greifen	herab+setzen 1 (20)
grinsen 59	heran+gehen 49
grub, grübe, grüben see graben	heran+treten 171 [s]
grübeln 68	heran+wachsen 185
gründen (sich) 65	herauf+steigen 160
grünen 59	heraus+fordern 88
grunzen 20	heraus+geben 46
grüßen 20	heraus+ziehen 203
gucken 197	herbei+schaffen 1
gut+schreiben 132	herein+kommen 79
	herein+lassen 83
	her+geben 46
H	her+kommen 79
	herrschen 75
haben 66 [n]	her+rühren 1
hacken 197	her+stellen 1
haften 186	herüber+kommen 79
hageln 68	herum+hantieren 1
häkeln 68	

herum+streichen 164 [s]
herunter+fallen 33
herunter+lassen 83
hervor+bringen 19
hervor+holen 1
hervor+treten 171 [s]
hetzen 20
heucheln 68
heulen 59
hieb, hieben see hauen
hielt, hielten see halten
hieß, hießen see heißen
hilf, hilft see helfen
hinab+blicken 1
hinauf+steigen 160
hinaus+gehen 49
hinaus+laufen 84
hinaus+werfen 194
hindern 88
hinein+gehen 49
hin+fallen 33
hing, hingen see hängen
hingewiesen see hinweisen
hinken 197
hin+legen 1
hin+setzen 1
hin+stellen 1
hinüber+gehen 49
hinunter+gehen 49
hinweg+sehen 141
hin+weisen 190
hinzu+fügen 1
hissen 35
hob, höbe see heben
hobeln 68
hocken 197
hoffen 197
holen 59
horchen 75
hören 59
huldigen 59
hülfe, hülfen see helfen
hüllen 59
humpeln 68 [h/s]

hungern 88
hupen 59
hüpfen 197 [h/s]
husten 186
hüten 186

I

identifizieren 166
ignorieren 166
impfen 197
importieren 166
infizieren 166
informieren 166
interessieren (sich) 166
irren (sich) 59
isolieren 166
iß, ißt see essen
ist see sein

J

jagen 59
jammern 88
jubeln 68
jucken 197

K

kam, käme see kommen
kämmen (sich) 59
kämpfen 197
kann, kannst see können
kannte, kannten see kennen
kapieren 166
kaputt+gehen 49
kauen 59
kaufen 75
kehren 59
keimen 59
kennen 74 [n]
kennen+lernen 144
kentern 88 [s]
keuchen 75

leben 59
lecken 197
leeren 59
legen (sich) 59
lehnen (sich) 59
lehren 59
leiden 85
leihen 86
leisten 186
leiten 186
lenken 197
lernen 59
lesen 87
leuchten 186
leugnen 201
lieben 59
lief, liefen see laufen
liefern 88
liegen 89 [n]
lieh, liehen see leihen
ließ, ließen see lassen
liest see lesen
lindern 88
lispeln 68
litt, litten see leiden
loben 59
lodern 88
log, löge, logen see lügen
lohnen (sich) 59
löschen 75
lösen 20
losgegangen see losgehen
los+gehen 49
los+lassen 83
los+machen 1
los+werden 193
löten 186
lud, lüde, luden see laden
lügen 96

M

machen 197
mag, magst see mögen

mähen 59
mahlen 91
mahnen 59
malen 59
mangeln 68
maskieren (sich) 166
maß, mäße see messen
mäßigen 59
meckern 88
meiden 92
meinen 59
melden (sich) 186(7)
melken 93
merken 197
messen 94
miauen 59
mied, mieden see meiden
mieten 186
mildern 88
mindern 88
mischen 75
miß, mißt see messen
mißgönnen 95
mißlingen 52
mißtrauen (+dat) 95
mißverstehen 158 *
mit+bringen 19
mit+geben 46
mitgebracht see mitbringen
mitgenommen see mitnehmen
mit+machen 1
mit+nehmen 98
mit+teilen 1
mit+wirken 1
möblieren 166
mochte, möchte see mögen
mögen 96 [n]
montieren 166
multiplizieren 166
münden 42
murmeln 68
musizieren 166
muß, mußte see müssen
müssen 97 [n]

N

nach+ahmen 1
nach+denken 21
nach+eifern (+*dat*) 1
nach+geben (+*dat*) 46
nachgedacht see nachdenken
nachgegangen see nachgehen
nach+gehen 49 *(+ dat)*
nachgesandt, see nachsenden
nachgewiesen see nachweisen
nach+lassen 83
nach+laufen (+*dat*) 84
nach+prüfen 1
nach+schlagen 124
nach+senden 143
nach+stellen 1
nach+weisen (+*dat*) 190
nagen 59
nahe+bringen 19
nahegebracht see nahebringen
nahe+legen 1 *(+ dat)*
nähen 59
nähern (sich) 88 (116) *(+ dat)*
nahm, nähme, nahmen see nehmen
nähren 59
nannte, nannten see nennen
naschen 75
necken 197
nehmen 98 [n]
neigen (sich) 59
nennen 99
nicken 197
nieder+legen (sich) 1
niesen 20
nimm, nimmt see nehmen
nippen 197
nisten 186
nörgeln 68
normalisieren 166
notieren 166
nötigen 59
numerieren 166
nützen 20

O

öffnen 201
operieren 166
opfern 88
ordnen 201
organisieren 166
orientieren 166

P

pachten 186
packen 197
parken 197
passen (+*dat*) 35
passieren 166 [s]
paßt, paßten see passen
pensionieren 166
pfänden 186
pfeffern 88
pfeifen 100
pfiff, pfiffen see pfeifen
pflegen 59
pflügen 59
pfuschen 75
philosophieren 166
picken 197
plädieren 166
plagen 59
planen 59
plätschern 88
platzen 20 [h/s]
plaudern 88
plündern 88
pochen 197
polieren 166
polstern 88
prägen 59
prahlen 59
prallen 59
predigen 59
preisen 101
pressen 35
pries, priesen see preisen

probieren 166
produzieren 166
prophezeien 59 *
protestieren 166
prüfen 75
prügeln 68
pumpen 59
purzeln 68
putzen 20

Q

quälen 59
quatschen 75
quellen 102
quetschen 75
quietschen 75
quill, quillt see quellen
quittieren 166
quoll, quölle see quellen

R

rächen (sich) 197
radieren 166
raffen 197
rahmen 59
rang, ränge see ringen
rangieren 166
ranken 197
rann, ränne see rinnen
rannte, rannten see rennen
rascheln 68
rasen 20
rasieren (sich) 166
rasten 186
rät, rätst see raten
raten 103
rauben 59
rauchen 75
raufen 75
räumen 59
rauschen 75
räuspern, sich 88

reagieren 166
rechnen 201
rechtfertigen 59
recken 197
reden 186
referieren 166
reflektieren 166
regeln 68
regieren 166
regnen 201
reiben 104
reichen 75
reifen 75
reimen (sich) 59
reinigen 59
rein+kommen 79
reisen 20
reißen 105
reiten 106
reizen 20
rennen 107
reparieren 166
reservieren 166
resultieren 166
retten 186
richten 186
rieb, rieben see reiben
riechen 108
rief, riefen see rufen
riet, rieten see raten
ringen 109
rinnen 110
riß, rissen see reißen
ritt, ritten see reiten
roch, röche, rochen see riechen
rodeln 68 [h/s]
roden 186
rollen 197
röntgen 59
rosten 186
rösten 186
röten (sich) 186
rücken 197
rudern 88

ufen 111
ruhen 197
rühren (sich) 59
rümpfen 197
runzeln 68
rupfen 197
rüsten 186
rutschen 75

S

säen 59
sagen 59
sägen 59
sah, sähe, sahen see sehen
salzen 91
sammeln 68
sandte, sandten see senden
sang, sänge see singen
sank, sänke see sinken
sann, sänne see sinnen
saß, säße, saßen see sitzen
sättigen 59
sauber+machen 1
säubern 88
saufen 112
säufst, säuft see saufen
saugen 113
schaben 59
schaden (+*dat*) 186
schädigen 59
schaffen 114
schälen 59
schallen 115
schalt see schelten
schalten 186
schämen, sich 116
schärfen 75
schätzen 20
schauen 197
scheiden 117
scheinen, 118
scheißen 6
scheitern 88 [s]

schellen 197
schelten 119
schenken 197
scheren 120
scherzen 20
scheuen (sich) 197
schicken 197
schieben 121
schied, schieden see scheiden
schien, schienen see scheinen
schießen 122
schildern 88
schilt, schiltst see schelten
schimmeln 68
schimmern 88
schimpfen 197
schlachten 186
schlafen 123
schläfst, schläft see schlafen
schlagen 124
schlägst, schlägt see schlagen
schlang, schlänge see schlingen
schleichen 125
schleifen 126
schleppen 197
schleudern 88
schlich, schlichen see schleichen
schlichten 186
schlief, schliefen see schlafen
schließen (sich) 127
schliff, schliffen see schleifen
schlingen 128
schloß, schlösse see schließen
schluchzen 20
schlucken 197
schlug, schlüge see schlagen
schlüpfen 197 [s]
schmälern 88
schmecken 197
schmeicheln (+*dat*) 68
schmeißen 129
schmelzen 130
schmerzen 20
schmilzt see schmelzen

strich, strichen see streichen
stricken 197
stritt, stritten see streiten
strömen 59 (+ dat)
studieren 166
stünde, stünden see stehen
stürbe, stürben see sterben
stürmen 59
stürzen 20 [h/s]
subtrahieren 166
suchen 75
summen 197

T

tadeln 68
tanken 197
tanzen 20 [h/s]
tapezieren 166
tat, täte, taten see tun
tauchen 75 [h/s]
tauen 59
taufen 75
taugen 59
taumeln 68 [h/s]
tauschen 75
täuschen (sich) 75
teilen 59
teilgenommen, see teilnehmen
teil+haben 66
teil+nehmen 98
telefonieren 166
ticken 197
tilgen 59
toben 59
töten 186
trachten 186
traf, träfe see treffen
tragen 167 [n]
trägst, trägt see tragen
trainieren 166
trampen 59
trank, tränke see trinken
transportieren 166

trat, träte, traten see treten
trauen (+dat) 59
trauern 88
träumen 168
treffen 169
treiben 170
trennen 197
treten 171
trieb, trieben see treiben
triff, trifft see treffen
trinken 172
tritt, trittst see treten
trocknen 201
trog, tröge, trogen see trügen
trösten 186
trug, trüge, trugen see tragen
trügen 173
tu, tue see tun
tun 174 [n]
turnen 59
tust, tut see tun

U

übelgenommen see übelnehmen
übel+nehmen 98
üben 59
überblicken 95
übergangen see übergehen[1]
übergeben (sich) 46 *
übergehen[1] 49 *
übergehen[2] 49 *
überholen 95
überlassen 83 *
über+laufen 84
überleben 95
überlegen (sich dat) 95
überliefern 88 *
übermitteln 68 *
übernachten 186 *
übernehmen 98 *
übernommen see übernehmen
überqueren 95
überraschen 95

verwenden 186 *
verwiesen see verweisen
verwirklichen 95
verwöhnen 95
verzehren 95
verzeihen 184
verzichten 186 *
verzieh, verziehen see verzeihen
verzieren 95
verzögern 88 *
verzollen 95
verzweifeln 68 * [s]
vollbracht see vollbringen
vollbringen 19 *
vollenden 186 *
voran+gehen 49
voraus+setzen 20
vorbei+gehen 49
vor+bereiten (sich) 186 *
vor+beugen 1
vor+enthalten 67 *
vor+geben 46
vorgegangen see vorgehen
vor+gehen 49
vorgeworfen see vorwerfen
vorgezogen see vorziehen
vor+haben 66
vorher+sagen 144
vorher+sehen 141
vor+kommen 79
vor+legen 1
vor+lesen 87
vor+machen 1
vor+merken 1
vor+rücken 1
vor+sagen 1
vor+schlagen 124
vor+sehen (sich) 141
vor+stehen (+dat) 158
vor+stellen (sich) 1
vor+tragen 167
vorüber+gehen 49
vor+werfen 194
vor+ziehen 203

W

wachen 197
wachsen 185
wächst see wachsen
wackeln 68
wagen 59
wägen 30
wählen 59
wahr+nehmen 98
wälzen (sich) 20
wand, wände, wanden see winden
wandeln 68 [h/s]
wandern 88 [s]
wandte, wandten see wenden
war, wäre, waren see sein
warb, warben see werben
warf, warfen see werfen
wärmen 59
warnen 59
warten 186
waschen (sich) 187
wäschst, wäscht see waschen
waten 186 [s]
weben 188
wechseln 68
wecken 197
wedeln 68
weg+gehen 49
weg+machen 1
weg+nehmen 98
weg+werfen 194
wehen 59
wehren, sich 59
weh tun (sich *dat*) like 174 but works
  like a separable verb
weichen 189
weigern, sich 88
weinen 59
weisen 190
weiß, weißt see wissen
weiter+kommen 79
wenden (sich) 191
werben 192

** **zurück+schrecken¹** is a weak verb meaning "to frighten away";
zurück+schrecken² is a strong verb meaning "to shrink back".